故宫经典 CLASSICS OF THE FORBIDDEN CITY

TIBETAN BUDDHIST SCULPTURES

藏传佛教造像

故宫博物院编 COMPILED BY THE PALACE MUSEUM
故宫出版社 THE FORBIDDEN CITY PUBLISHING HOUSE

图书在版编目（CIP）数据

藏传佛教造像／故宫博物院编．—北京：故宫出版社，2009.8（2020.10 重印）
（故宫经典）
ISBN 978-7-80047-861-1

Ⅰ．藏… Ⅱ．①故…②罗… Ⅲ．喇嘛教－佛像－中国－图录 Ⅳ．B949.92 64

中国版本图书馆 CIP 数据核字（2009）第 150766 号

故宫经典
藏传佛教造像

故宫博物院 编
编　　著：罗文华
翻　　译：罗文华
摄　　影：胡　锤　刘志岗　赵　山　冯　辉
图片资料：故宫博物院资料信息中心
责任编辑：万　钧
装帧设计：李　猛
责任印制：常晓辉　顾从辉
出版发行：故宫出版社
　地址：北京东城区景山前街 4 号　邮编：100009
　电话：010-85007808　010-85007816　传真：010-65129479
　邮箱：gugongwenhua@yahoo.cn
制版印刷：北京雅昌艺术印刷有限公司
开　　本：889 毫米 ×1194 毫米　1/12
印　　张：26
图　　版：373 幅
版　　次：2009 年 8 月第 1 版
　　　　　2020 年 10 月第 5 次印刷
印　　数：8,001~11,000 册
书　　号：ISBN 978-7-80047-861-1
定　　价：460.00 元

经典故宫与《故宫经典》

郑欣淼

故宫文化，从一定意义上说是经典文化。从故宫的地位、作用及其内涵看，故宫文化是以皇帝、皇宫、皇权为核心的帝王文化、皇家文化，或者说是宫廷文化。皇帝是历史的产物。在漫长的中国封建社会里，皇帝是国家的象征，是专制主义中央集权的核心。同样，以皇帝为核心的宫廷是国家的中心。故宫文化不是局部的，也不是地方性的，无疑属于大传统，是上层的、主流的，属于中国传统文化中最为堂皇的部分，但是它又和民间的文化传统有着千丝万缕的关系。

故宫文化具有独特性、丰富性、整体性以及象征性的特点。从物质层面看，故宫只是一座古建筑群，但它不是一般的古建筑，而是皇宫。中国历来讲究器以载道，故宫及其皇家收藏凝聚了传统的特别是辉煌时期的中国文化，是几千年中国的器用典章、国家制度、意识形态、科学技术以及学术、艺术等积累的结晶，既是中国传统文化精神的物质载体，也成为中国传统文化最有代表性的象征物，就像金字塔之于古埃及、雅典卫城神庙之于希腊一样。因此，从这个意义上说，故宫文化是经典文化。

经典具有权威性。故宫体现了中华文明的精华，它的地位和价值是不可替代的。经典具有不朽性。故宫属于历史遗产，它是中华五千年历史文化的沉淀，蕴含着中华民族生生不已的创造和精神，具有不竭的历史生命。经典具有传统性。传统的本质是主体活动的延承，故宫所代表的中国历史文化与当代中国是一脉相承的，中国传统文化与今天的文化建设是相连的。对于任何一个民族、一个国家来说，经典文化永远都是其生命的依托、精神的支撑和创新的源泉，都是其得以存续和赓延的筋络与血脉。

对于经典故宫的诠释与宣传，有着多种的形式。对故宫进行形象的数字化宣传，拍摄类似《故宫》纪录片等影像作品，这是大众传媒的努力；而以精美的图书展现故宫的内蕴，则是许多出版社的追求。

多年来，故宫出版社出版了不少好的图书。同时，国内外其他出版社也出版了许多故宫博物院编写的好书。这些图书经过十余年、甚至二十年的沉淀，在读者心目中树立了“故宫经典”的印象，成为品牌性图书。它们的影响并没有随着时间推移变得模糊起来，而是历久弥新，成为读者心中的经典图书。

于是，现在就有了故宫出版社的《故宫经典》丛书。《国宝》、《紫禁城宫殿》、《清代宫廷生活》、《紫禁城宫殿建筑装饰——内檐装修图典》、《清代宫廷包装艺术》等享誉已久的图书，又以新的面目展示给读者。而且，故宫博物院正在出版和将要出版一系列经典图书。随着这些图书的编辑出版，将更加有助于读者对故宫的了解和对中国传统文化的认识。

《故宫经典》丛书的策划，这无疑是个好的创意和思路。我希望这套丛书不断出下去，而且越出越好。经典故宫藉《故宫经典》使其丰厚蕴含得到不断发掘，《故宫经典》则赖经典故宫而声名更为广远。

目 录

Contents

藏传佛教神系的成立与完善

一　大乘佛教诸神的涌现(公元1～6世纪)

印度学者每当论及某尊神的变化形象及神格完善过程时，必自四《吠陀》(*Veda*)、《梵书》(*Brāhmaṇa*)、《奥义书》(*Upaniṣad*)、二大史诗《罗摩衍那》(*Rāmayāna*)和《摩诃婆罗多》(*Mahābhārata*)、《摩奴法典》(*Manu-smṛti*)、《富楼那书》(*Purāṇa*)等一一征引，纵论从吠陀时代到印度教、佛教、耆那教中的各种变迁，充分展示其对自身文化的熟悉和娴熟的梵文阅读能力，令人眼花缭乱。的确，印度自古以来就具有浓厚的神秘主义思想和多神崇拜的传统，直到现在。佛教初期对神的观念曾经进行了强烈的抵制，佛陀时代神的观念受到排斥，不崇拜神像，这在当时印度宗教界都是独行卓立的举动，令人侧目。从现存早期佛教遗迹来看，如著名的桑奇(*Sañchi*)、巴尔扈特(*Bharhut*)和阿玛拉瓦提(*Amaravatī*)古印度三大塔的雕刻中，佛陀总以象征物的形式出现，如法轮、伞盖、宝座、足印、菩提树等，只有一些低级的精灵魔怪一类的传统形象作为陪衬出现，如夜叉(*Yakṣa*)、摩罗(*Māra*)等。但是在佛陀以后的时代里，独立于印度传统之外的特性使之面临着生存和进一步发展的问题。佛教改革势在必行，于是大乘佛教应运而生。

公元初年，在犍陀罗(*Gandhāra*)和摩菟罗(*Mathurā*)两大艺术流派中，先后出现了佛陀的造像，这是佛教改革派大乘佛教思想在众多信徒集团中酝酿与发展的必然结果，反映出佛教已经重新被纳入了神灵崇拜的传统之中，对偶像崇拜的需要已经成为普遍的愿望。于是造神运动一发而不可收，不仅数量剧增，而且各类神像千姿百态，日趋复杂。

各种资料表明，大乘佛教时期，佛教并没有系统化，也就是说，佛教的神系还没有建立起来，来自于不同地区、不同社会阶层和不同文化背景的信徒们根据不同的目的和需要创造出各种各样的神祇，或就地取材，从印度教中直接借用。但是诸神出现很分散，相互间的关系并不明确，不同神的地位高下也不分明，更多代表的是功能的不同。早期经典，如《般若经》、《华严经》、《法华经》和净土经典《阿弥陀经》以及随后出现的小本《阿弥陀经》确立了观音菩萨、毗卢佛、三世十方佛、无量寿佛、无量光佛等信仰，将小乘佛教的一时一佛的思想扩展为无限时间和无限空间皆有不同佛的存在和佛的世界存在，毗卢佛已经作为法身，永恒抽象的真理而成为佛法的象征，阿閦佛作为如来的新成员。观音菩萨和文殊菩萨在经典中提到，并被赋予了拯救众生的职责和现实意义，越来越受到信徒的喜爱，发展最为迅猛。佛教的神众丰富起来。

从中国去印度取经的僧人的游记中可以看到这种神众增广的趋势。东晋僧人法显(394～414年)提到文殊菩萨、观音菩萨和未来佛弥勒。唐代僧人玄奘(629～645年)提到观音菩萨、诃棣帝母(*Hārītī*)、地藏菩萨、弥勒、文殊、莲花手观音、毗沙门天王(*Vaiśravaṇa*)和阎摩等。

在艺术作品中这种体会更加明显。在犍陀罗风格的作品中有佛、布禄金刚、库贝罗、帝释天(*Indra*)、弥勒、诃棣帝母等；在摩菟罗风格的作品中，多见到库贝罗、夜叉、龙神等形象。而在早期的阿旃陀(*Ajaṇṭā*)、埃罗拉(*Ellorā*)和坎赫里(*Kāṇherī*)等著名石窟中，菩萨的形象十分丰富，但是各位神祇的特征并未完全区别开来，如观音与弥勒往往混淆，佛身边的侍从菩萨特征不明等均说明此时神系思想从理论到实践均未臻成熟。

二　密教诸神的繁荣(公元7～13世纪初)

完备丰富的佛教神系的建立应该是在佛教密宗(怛特罗佛教，金刚乘佛教)出现以后的事，即公元7世纪以后。最早的密教经典可以举出《文殊师利根本仪轨经》(*Mañjuśrimūlakalpa*)和《一切如来金刚三业最上秘密大教王经》(*Guhyasamājatantra*)，后者也称为《秘密集会怛特罗》(*Tathāgataguhyaka*)，印度学者将其起源追溯到公元二三世纪。他们经过对比以后认为，更早一些的《文殊师利根本仪轨经》中并没有明显的神系建立的思路，而在随后的《秘密集会怛特罗》中十分理性化、系统化的佛教神系建立起来了。经中第一次描述了五方佛及其各自的真言(咒)、曼荼罗明妃等。五方佛象征五蕴(*skandha*)，分别作为五部诸神之父、之主[1]。他们之间的父子关系和领属关系可以从以后造像中菩萨与护法的冠髻中出现的所谓"化佛"形象看出来。日本学者认为如此完备的体系和成熟理论构架，成立于公元二三世纪，却迟至公元7世纪中叶才广为人知，无论怎样解释都难免有些苍白。根据他们的看法，此经应是公元8世纪以前成形，公元9世纪才最后成书[2]。综合印度佛教史的发展进程，我们可以肯定在公元7世纪以后，以五方佛为核心的佛教神系已经基本建立。

五方佛是由多个小系统组成的复杂的综合神系。在这个体系下，佛教诸神、外来神被纳入以毗如佛（佛部）为中心，统率阿閦佛（居东方）、宝生佛（居南方）、无量光佛（居西方）、不空成就佛（居北方）所组成的完整的佛国神系中。五佛中不同方位的佛居不同的佛国中，各自又有自己的菩萨、明妃、护法等眷属，组成一个次佛国系统。五方佛的成员具有不同的神格，如阿閦佛属金刚部，具有破坏威猛的特点，所以许多的护法神和密教修行中的本尊神多被视为此尊所派生，为其"法子"；宝生佛属宝部，具有财富神的特性，其所属的菩萨、护法也无一例外，具有同样的神格；无量光佛属莲华部，佛教中的寿神多与此尊有关，如无量寿佛、度母等。五方佛系统的建立不仅在佛教尊神数目急剧增加后从理论上作了系统化整理，而且明确了众神的神格和功能，这样有利于佛教对付印度教神系日益强烈的影响，更重要的是，有利于佛教从印度教、耆那教中借用诸神，改头换面后迅速纳入佛教体系中。

从印度教、耆那教中引进尊神只是佛教大规模造神运动的一个手段。随着佛教密教化步伐的加快，咒语（真言）、曼荼罗的仪仗和所有观想对象、哲学名词等无不神圣化成为具像的尊神。在密教中心的东北印度和孟加拉地区，密法修行成为风气，许多的密法在流行，大量的尊神由之产生，而且即使是同一个密法，由于观想者的能力、心境、环境、要求的不同，观想产生的本尊及其眷属特征也不相同，因此，同一尊神出现众多的变化身。当他们将自己的修行结果记录下来作为密法流传时，这就是所谓的成就法的著作，这些成就法的著作成为佛教艺术造像的经典依据和素材来源。

密法的盛行，尊神的繁荣，将五方佛严整的格局打破。首先，毗卢佛作为佛部主尊，其温和的神格已经不能适应密法修行的要求，更有威慑力的金刚部部主阿閦佛取而代之成为新的无上瑜伽部部主，金刚部的尊神数目迅速膨胀，地位至尊。另外，面对当时西北地区伊斯兰势力的扩张，佛教面临空前的生存危机。如何在佛教哲学上作出反应是当时的大势所趋。在佛教神系上，多神教向一神教转变，以便与伊斯兰的教义相抗衡。10世纪左右，以时轮乘为代表的一神教在印度大陆流行。此派信仰本初佛，认为通过这种信仰可以从现在、过去和未来的限制中解脱出来。本初佛的理论还未完全成熟，12世纪末至13世纪初，佛教在伊斯兰军队的打击下从印度消失。

从佛教艺术史的角度可以肯定，这一时期的佛教造像数目是十分惊人的，而且每每有一些前所未见的尊神出现，这一点从这一时期的印度佛教的梵文手卷的插图中可以得到证明。但是由于战火的无情，这一时期很多的作品或残缺不全，难以辨认，或者完全消失，无缘得见。要讨论这一时期的密教神系和图像学的发展状况，现代学者主要参考保存至今的两部最重要的12世纪的梵文写卷：《成就法鬘》（*Sadhānamālā*）和《究竟瑜伽鬘》（*Niṣpannayogāvalī*）。

《成就法鬘》是一个成就法集，至少有38个抄本存世，各本的内容编排和成就法内容不尽相同，甚至梵文题名也颇有出入，有一些另题为《成就法集》（*Sadhāna-Samuccaya*）、《成就法鬘怛特罗》（*Sadhānamālātantra*）或《成就法怛特罗》（*Sadhānatantra*）等，不一而足。目前学术界最推崇的当属印度学者帕特恰雅（Benoytosh Bhattacharyya）的《印度佛教图像学》（*The Indian Buddhist Iconongraphy*）一书，仅采用了其中8个抄本，共收录312个成就法[3]。《成就法鬘》收集了印度后期金刚乘诸尊的成就法和实践修行的怛特罗经典，不仅有大量佛教尊神的描述，依佛、菩萨、诸尊等顺序排列，还包括真言（咒）、实践密法修习的过程、曼荼罗以及怛特罗哲学等的记载。此经典不仅成了佛教图像学研究的基本经典，也是了解公元7～12世纪末孟加拉地区在伊斯兰军队入侵和佛教崩溃前密教发展真实状况的珍贵原始资料[4]。

《究竟瑜伽鬘》[5]分为26章，至少收录了40多种曼荼罗，并对每一种曼荼罗的各种形式及其尊神逐一描述，是古印度保存下来较为丰富和详备的图像学资料之一，成为印度佛教灭亡以后尼泊尔和我国西藏地区佛教修行与艺术创作的权威性经典[6]。这一点在12世纪以后佛教活跃的地区之一尼泊尔的艺术作品中可以发现。尼泊尔艺匠们把此书和其他一些相应的经典作为曼荼罗诸神描绘的基础，在他们表现的曼荼罗中，尊神的特征多与此书的记载相符。如在加德满都城西北端，尼泊尔最重要的斯瓦雅菩那特大塔（*Svayaṁbhūnātha Stūpa*）东面有一个法界语自在曼荼罗（*Dharmadhātuvāgīśvaramaṇḍala*）铜碟，曼荼罗上塑200多尊像；在帕坦（*Patan*）地方的哈卡·巴哈勒（*Hakā Bahāl*）的后院中，有一个大铜碟也表现了法界语自在曼荼罗，其中半数尊神均是用象征物来代表[7]；在加德满都城内的寺庙中，还有其他各种曼荼罗，如除恶趣清净曼荼罗（*Durgatipariśodhanamaṇḍala*）和金刚界曼荼罗（*Vajradhātumaṇḍala*），或刻在石上，或见于铜碟上。这些曼荼罗是《究竟瑜伽鬘》最忠实的表现。

但是正如一些学者所发现的那样，这两部经典的编纂年代约在12世纪中期，其所反映的佛教图像学资料多限于印度怛特罗佛教（公元7～12世纪）的情况。其中的一些尊神在实际造像中并未见到，或者实际造像中的一些形象也未见到记载，反映出这两部经典的时代局限性。

佛教在印度本土消亡以后，在尼泊尔和西藏地区仍大规模发展，图像学和神系的发展更趋复杂。印度教与佛教神灵共享的现象更为普遍，而且密教化的程度很深，其造像与绘画均有更多的神秘特色，加之尼泊尔工匠的艺术气质和传统的娴熟工艺技术，创作了大量精美的佛教艺术品。在尼泊尔，佛教与印度教更紧密的结合，更多新的尊神产生出来，或由旧尊神演变出来。尼泊尔工匠创造了大量印度本土不曾有过的尊神和神格，他们对这些图像学的特征极为清楚，世代相传，直到今天仍在继承。帕特恰雅曾惊叹尼泊尔的寺庙建筑雕刻简直是佛像的博物馆。

三　西藏神系的构建（公元8～19世纪）

在西藏，印度佛教消亡前（12世纪末）的传统几乎被完整地继承下来。1322年，布顿大师在他的名著《佛教史大宝藏论》中对所有西藏密典按照密教四部的原理作了全面的划分[8]，分为事续、行续、瑜伽续、大瑜伽续。其中大瑜伽续即是无上瑜伽续。无上部又分为大瑜伽方便续、大瑜伽智慧续、方便智慧无二续。西藏各教派也依此原理作了相应的变化。古老的宁玛派将“九乘”之说作为重要的教义之一。所谓九乘包括：一声闻乘，二缘觉乘，三菩萨乘，四作部，五行部，六瑜伽部，七大瑜伽部，八无比瑜伽部，九无上瑜伽部。其中四至九乘属密乘诸部，所不同的是将无上部分作大瑜伽、无比瑜伽、无上瑜伽三品；萨迦派将无上部分作父续、母续、无二续三部。明初宗喀巴大师创立格鲁派（俗称“黄教”），针对各派忽视下三部（事、行、瑜伽）修习和戒律的弊病，倡导改革，对无上瑜伽部作了进一步的修正，将其划分为父续和母续而不承认无二续的存在。这种经典划分的不同不仅体现了西藏各派对庞大的佛教经典在修行次第中所起作用在理解上的差异，而且展示了他们对佛教神系构架不断探索的丰硕成果。在此基础上，众多的尊神均被纳入不同的体系中，且根据其经典的记载分别归属，宏大的密教神系得以最终完善。这个神系的创立是在印度，但是它的最后完成无疑是在西藏，这是藏传佛教对后期佛教发展的贡献。

印度后期密教成果在西藏译师们的长期不懈努力下，大量编译出来，保存在西藏大藏经丹珠尔部中。如《成就法总摄》是多卷本的著作，梵文本中保存下来的仅有《成就法鬘》一部，而在藏文大藏经中，主要收录了四类[9]，其中第三部分《成就法集》[10]影响最大。

16世纪觉囊派大师多罗那它（*Tāranātha*，1575～1634年）对《成就法海》一书再行充实，新增《成就法海补遗编》（*sGrub thabs rgya mthsovi kha skong gi gzhung*）一节，通过广泛收集各种成就法，修订旧译，补充新译，增加了73种成就法。多罗那它对于《五百佛像集》影响最大的是另外一部著作《本尊海成就法：宝生》（*Yi dam rgya mtshovi sgrub thabs rin chen vbyung gnas*），除了旧译成就法以外，他本人新译的《成就百法》也附在书后。此书极受西藏佛教图像学研究者的重视，意大利著名藏学家图齐（*G. Tucci*）给予了很高的评价，将它与《成就法鬘》和《成就法海》相提并论[11]。此后，又有蒙古学者洛桑诺布歇热（*Čin süjügtü qaγan Blo bzang nor bu shes rab*，1677～1737年）的注疏本和七世班禅丹必尼玛(*bsTan pavi nyi ma*)(1871～1853年)再次充实，书名简称《宝汇》(*Rin lhan*)[12]。这就是《五百佛像集》中的《宝生》(*Rin vbyung*)部分的经典来源。

由于藏蒙学者整理、注释和宣传，《宝汇》获得了极高的声誉。嘉庆十五年(1810年)七世班禅为蒙古王公贵族及僧众群众数百人开启本初佛曼荼罗四种灌顶(*abhiṣeka*)。仪式之后，众人要求将《宝汇》绘图并刷印出版。后由蒙古艺人根据这部成就法补充其他两部成就法著作，将每位主尊绘成图像，开版印刷[13]。题名曰：《宝生纳塘百金刚鬘所述之绘像：见即获益》(*Rin vbyung snar thang brgya rtsa rdor vphreng bcas nas gsungs pavi bris sku: mthong pa don ldan bzhugs so*)，共分三部分：即《宝生》(*Rin vbyung*)、《纳塘》(*sNar thang*)和《金刚鬘》(*rDor vphreng*)。其主要部分《宝生》所依据的经典即是七世班禅所编订的《宝汇》。从1～144叶，每叶三幅图像，共432幅，背面为真言(咒)。另外两个部分为《纳塘》(即《纳塘百法》*sNar thang brgya rtsa*)和印度阿阇梨阿帕亚柯罗·笈多(Abhayākaragupta)所著《金刚鬘》。《纳塘百法》从1～13叶，第1叶、第12叶只有一幅，第13叶没有图像，共32幅。《金刚鬘》从1～20叶，第17叶只有2幅，18～20叶没有图像，共50幅，合计514幅[14]。其中一些图面包含不止一尊，故尊神总数远在此数之上。这本图像书就是我们通常所说的《五百佛像集》。

此图像集为西方所知甚早，后经欧洲和东方学者不断搜集新版本，反复校勘出版，已经成为学者研究案头必备参考书[15]。

需要提醒的是，故宫六品佛楼(西方学者知道的宝相楼)内悬挂的唐卡和供奉的小铜像均与此集有关(详见下文)。而且，内贝斯基(*René de Nebesky-Wojkowitz*)的《西藏的神灵和鬼怪》就大量使用宝生部分的成就法资料[16]。

尽管此集在西方一版再版，很多学者都使用过其中的资料，但是对此集仍有一些错误的认识存在，而且迄今仍被部分学者一再使用。

从潘德开始就误认为此书是在西藏纳塘出版的，至少现在仍有不少人还以为此书是西藏刷印的图像集，尤其是一些西方著作中常用纳塘五百佛像集的书名，更是明显的误导。即使是名著《两种喇嘛教神系》也未能免俗。其错误可能是来自于其中的《纳塘百法》部分的题名，想当然以为是与纳塘有关。

《五百佛像集》的《宝生》部分主要包括：

1. 初起尊：1~4*a*(阿拉伯数字代表叶码数，*abc*代表一叶中的左中右三尊位置)；2.无眷属如来：4*b*~16；3. 曼荼罗主尊：17~24*c*；4. 金刚亥母及眷属：25~32；5. 观音：33~43；6. 度母：44~54*b*；7. 金刚手：54*c*~57；8. 马头金刚：58~61*a*；9. 不动金刚：61*b*~63*a*；10. 长寿尊：63*b*~65*a*；11. 智慧尊：65*b*~68；12. 金刚座保护尊：69~70*b*；13. 大力金刚母：70*c*~72；14. 杂尊：73~81*b*；15. Śākyarakṣita传承诸尊：81*c*~94*a*；16. Sūryagupta所说二十一度母：94*b*~102*b*；17. 财宝尊：102*c*~115；18~20. 大黑天：116~133；21. 怖畏天母：134~137*a*；22. 阎摩和阎咪：137*b*~139*b*；23. 结束尊：139*c*~142*c*。

这23类尊神或以尊名分，如：如来(2)、观音(5)、度母(6)等；或神格分，如：长寿尊、智慧尊、金刚座保护尊；或以传承分，如：*Śākyarakşita*传承诸尊。这就是《宝汇》原典的结构，刊本仅按成就法内容顺序，将其逐一形象化而已，并未做任何的调整和改变。由于尊神数目众多，内容丰富，且每位尊神的姿态、手印、所持的法器均严格依据经典而绘，还有不少组合尊神，故学术价值极高。

另一部早于《五百佛像集》出版的重要代表性的图像学著作《三百佛像集》标志着一种新体例的开始，体现了藏传佛教图像学著作编纂中很多观念上的创新，其体例由清宫的《诸佛菩萨圣像赞》所继承。

《三百佛像集》的出版与乾隆帝的国师三世章嘉若必多吉(1717～1786年)有密切关系。章嘉是康熙时期册封的国师，内蒙古地区最大的转世活佛、佛教领袖。三世章嘉幼年奉诏进京，进入宫中学习佛法，精通满、蒙、汉、藏、梵等多种文字，佛学造诣极深，在驻京喇嘛中位居上位，与乾隆帝结下深厚友情，并对清宫的藏传佛教的发展产生巨大的影响。

《三百佛像集》全名为《上师、本尊、三宝、护法等资量田：三百佛像集》(*Bla ma yi dam mchog gsum bkav sdod dang bcas pavi tshogs zhing gi sku brnyan sum brgyavi grangs tshang ba*)[17]，成书于乾隆时期(1736～1795年)，可以肯定此书刊行于北京，时间约在乾隆三年至二十二年间(1738～1757年)[18]。尽管没有汉文题记，但是在每一叶的边

框外有汉文叶码编号，而且经版民国时期还保存在嵩祝寺天清蒙藏番经局，可能从乾隆时期到民国时期一直在刷印。此图像集没有汉文本，仅三世章嘉的序文为蒙文和藏文对照，说明这个刊本主要的服务对象是蒙古族信众[19]。学术界普遍认为此集的编者就是三世章嘉呼图克图国师若必多吉[20]。潘德最早对此集做了研究，并发表了论文[21]，引起了学术界的广泛关注，因此，《三百佛像集》在欧洲、印度、中国前后数次重新出版，其中以北京法源寺的版本最全[22]。

根据蒙藏文前言记载，300尊神分成7大类，即上师（印度祖师、西藏祖师和大成就者）（1～18叶）、本尊（19～23叶）、佛类（33～48叶）、菩萨（49～64叶）、声闻缘觉（罗汉，65～70叶）、勇士空行母（71～76叶）和护法（77～100叶）[23]。这明显继承了《成就法鬘》的构架，结构严谨，分类清晰，显然是根据章嘉国师的原则从大量成就法经典著作中选出重要的尊神作出的精心编排，打破了传统的以成就法为主题的图像编排方式。

《五百佛像集》和《三百佛像集》分别采用了不同的方法将经典所载的尊神表现出来。前者是以成就法为主，将有关尊神描绘出来，后者将成就法或曼荼罗中的尊神挑选出来，分门别类，这种方法已经成为学者研究和分类佛像时基本原则。可以说，藏传佛教所有图像学的著作均脱离不开这两种模式，前者是印度佛教传统的继承，是各种成就法经典主尊图像的总集；后者开创了一种新的体例，通过对众多尊神的取舍排列充分体现自己所属教派的观点，对清宫产生了深远的影响。

在古印度佛教传统的基础上发展起来的藏传佛教图像学和神系，经过藏族学者的努力，在与本土文化的结合的过程中，得到了进一步的补充和发展，许多的本土神，如四季女神、姊妹护法、八宝女神等涌现出来，反映出藏族人民丰富的想象力和创造力。从现存大量的唐卡与铜造像中我们更容易感受到这一点。

四　清代宫廷中的藏传佛教神系资料（18世纪）

清代宫廷由于前期诸帝，尤其是乾隆帝的极力推崇，藏传佛教极为兴盛，从经典到实物造像、寺庙建设均保存了大量的藏传佛教神系和图像学资料。康熙版的藏文大藏经的出版为清宫早期的造像准备了充分的图像资料和经典依据。但是清宫神系和图像学体系的完备则完全仰赖于乾隆帝的国师章嘉若必多吉的学识、努力和他与皇帝本人建立和保持的良好私人关系。他为清宫所编辑的最重要的图像学著作即是《诸佛菩萨圣像赞》[24]。

瓦拉文斯（Hartmut Walravens）出版的此图像集中，前言和赞词完整地刊行出来。前言为此书的编者以及出版年代的确定提供了重要的证据。根据其记载并结合内务府档案，作者确凿无疑是三世章嘉国师本人，最初只是一个佛名号辑录，编成于乾隆十四年以前，其绘本于乾隆十四年十一月完成（现未见保存），清宫依此做成铜鎏金阴阳佛模，乾隆帝将阴佛模交由庄亲王允禄负责承造，并赐给他一套完整的360尊擦擦佛，庄亲王据此绘编成图册，绘制时间当在乾隆二十年之后[25]。我们现在所见到的图像即是庄亲王所绘的本子。

在此集中，对诸尊进行了详细而明确的分类（详见注23），共分为23类，这种分类是在《三百佛像集》的基础上作了一定的改进，如将单尊神与曼荼罗的诸神结合起来，很有创意。很多尊神的汉文名号都进行了重新翻译，而这些名号在清宫的唐卡、造像和各种题记中均可以见到被普遍使用。最明显的是大黑天被译为勇保护法，这是只在宫廷使用的名号，另外很多的名号译名更加文雅，组神的名号长短一致，音律流畅，如二十一度母等，这个图像集显然针对了汉文阅读者，画面清晰，做工精细，对宫廷佛教造像的研究最为便利，直接反映了章嘉国师本人的图像学与神系思想。虽然这个图像集的尊神不如《五百佛像集》收录得全备，但是这毕竟是清代第一部带汉文名号的藏传佛教图像集。

清宫资料中能与《五百佛像集》相提并论的、最丰富的部分还是克拉克书中第一部分的宝相楼资料，故宫梵华楼迄今仍保存着同样内容陈设的佛堂。清宫题记中此楼统称为妙吉祥大宝楼（*Phun sum tshogs pavi gtsug lag khang*），清宫内务府的档案称六品佛楼。六品佛楼的主要特征是：七开间，上下两层，明间楼上供宗喀巴大师像，楼下供佛龛、塔或旃檀佛像；左右两边各三间，共六品间。楼上墙上小龛中分别供奉大乘般若品（显宗）、无上阳体根本品

(无上瑜伽部父续)、无上阴体根本品(无上瑜伽部母续)、瑜伽根本品(瑜伽部)、德行根本品(行部)、功行根本品(事部)六品主要经典所出诸尊的小铜佛像,每间各122尊,桌上供主尊大红铜主尊像9尊,六间共786尊,全部刻写汉文名号,并有各品的品名。龛下另供诸品相应的法器和经典,楼下各间供各式佛塔一座,挂相应的唐卡。上下六间每间均有满、蒙、汉、藏四体文字的题记。指明此间所供佛像或唐卡的内容及经典依据(详见下表)。

六品佛楼是清宫重要的一组建筑,从乾隆二十二年至四十七年间(1758~1783年),清宫先后按照此模式修建和装修的六品佛楼达8处之多,宝相楼仅其中之一。但其中多数已面目全非,不为人知,或者夷为平地,被人遗忘[26]。唯有故宫梵华楼基本完整。

20世纪初六品佛楼的藏品已经引起西方学术界的注目,其中很大部分原因是由于六品佛楼中的佛像大量流失,被世界各大博物馆收藏[27]。这些小佛像极易辨认,红铜铸造,大小相当(高25~30厘米),正面刻有"大清乾隆年敬造"和佛名,背面有"瑜伽根本"、"无上阳体根本"等六品字样,在世界很多博物馆、私人藏品及拍卖品中经常可以见到,一些出版物中也刊出了不少照片,作为乾隆时期铜造像作品的代表[28]。但引起学术界广泛注目的还是钢和泰(Baron A. von Staël-Holstein, 1877~1937年)的那批照片的发表[29]。日本学者田中公明根据曼荼罗资料与密教的仪轨经典对《两种喇嘛教神系》中所给出的宝相楼诸佛的梵文佛号作了修订[30],这是目前笔者所掌握的唯一的一篇与六品佛楼有关的论文。

印度学者帕特恰雅研究以后认为,梵华楼采用了《究竟瑜伽鬘》所描述的曼荼罗的资料。另外,还采用了班禅《宝汇》的资料,因为其中很多的佛像并未使用《三百佛像集》的图像,而是与《五百佛像集》中《宝生》部分的图像多有相近之处。尽管缺乏肯定的资料说明此项工程是章嘉国师手笔,但笔者仍然认为,乾隆二十二年,即《三百佛像集》和《诸佛菩萨圣像赞》的完成时间,章嘉国师正当盛年,有能力和精力参阅西藏大量的成就法和曼荼罗资料,选择如此众多的尊神。根据统计,除去部分重复的尊神名,其特征各异的尊神至少不下750尊,远远超过《五百佛像集》的数目,更何况还要将每尊的藏文名号译成汉文,工程量之大可以想见,非章嘉国师而不能为之。

梵华楼的尊神多选自曼荼罗和一些重要的组合神。由于每一尊佛像正面有汉文佛名,背面有所属品间,这些铜造像成为藏传佛教造像中目前最系统和重要的资料。根据这些造像我们不仅可以辨认出众多的佛像尊神,而且可以直接知道它归属于哪个品,哪个曼荼罗或神的组合,这是以前任何图像学资料所不可能见到的。当然由于缺乏其他文字的名号,部分汉文名号或有意译或有音译,克拉克尽了最大的努力,仍有相当多的名号难以还原成梵文,这对认识尊神的身份和神格造成极大的障碍。田中公明依据新的曼荼罗资料解决了局部的问题,但是很多的问题,如一些佛名还原成梵文或藏文能否正确,究竟采用哪些曼荼罗等都还有很多亟待解决的问题。但是,无论如何,六品佛楼内所供的六品铜佛像是清乾隆时期对密教四部神系完整和系统化的建构,是迄今最为丰富、最为庞大的藏传佛教图像学的宝库,具有十分重要的学术价值。

六品佛楼上下各间所供主尊像

	第一间	第二间	第三间	第四间	第五间	第六间
品间	大乘般若品	无上阳体根本品	无上阴体根本品	瑜伽根本品	德行根本品	功行根本品
楼上所供主尊	释迦牟尼佛	密集不动金刚佛	上乐王佛	普慧毗卢佛	宏光显耀菩提佛	无量寿佛
楼下唐卡所供主尊	白勇保护法	六臂勇保护法	宫室勇保护法	吉祥天母护法	红勇保护法	骑狮勇保护法
楼下珐琅塔内所供主尊		大持金刚	上乐王佛	药师七佛	摩利支天	尊胜佛母

[1] Bhattacharyya, 1987, p.32.

[2]［日］佐佐木教悟、高崎直道、井野口泰淳、塚本启祥著，页89，1989年。

[3]《成就法鬘》的梵文经卷发表于印度格克瓦德东方丛书(Gaekwad's Oriental Series)第36卷和41卷，并附有详细的内容介绍，指出其中存在的问题。帕特恰雅的著作见注1。关于这38个版本的保存情况参看日本学者佐久间留理子的日文论文(1990年，页87～102)和英文稿(2001, pp. 27~43)。另外，其博士论文的一部分独立成书，以英文出版，也叙述了同样内容(2002, Introduction)。

[4] 此300多种成就法中仅有55种有作者名字，除去重复者，共42人。经帕特恰雅的考证，认为最早的是生活于公元4世纪的瑜伽行派的著名学者无著(Asaṅga)，最晚的作者是阿帕亚柯罗·笈多(Abhayākaragupta)(1084～1130年)。在现存的各种版本中，英国剑桥大学图书馆所藏的贝叶经上有相当于1165年的尼泊尔纽瓦尔的年号，因此，此书的成书年代可以推定为12世纪中叶。这个丰富的成就法汇集文献始终受西藏学者的重视，他们通过在印度学法带回很多的相关经典回藏，并译成藏文，现在这些梵文本的大部分经典仍保存在《西藏大藏经》中。

[5]《究竟瑜伽鬘》作者是比哈尔地区(Bihar)著名的大寺超戒寺(*Vikramaśīla*)大班智达阿帕亚柯罗·笈多。他与孟加拉和比哈尔地区的波罗王朝(*Pāla Dynasty*)国王罗摩波罗(*Rāmapāla*)是同时代的人。此经典发表于格克瓦德东方丛书第109卷，并附有详细的前言，介绍经典所录各曼荼罗的概述。

[6] 由于此书广泛流传，所以版本极多。在加德满都国立档案馆(*the National Archives, Kathmandu*)，保存了几个版本的手卷，阿夏档案馆(*Asha Archives*)也保存了两个版本，加德满都的佛教图书馆也有手卷。在日本奈良保存了5个多写卷的胶片，京都大学图书馆还有3个写卷。1991年，日本东洋文化研究所出版了尼泊尔的梵文手卷。

后由竹巴白玛嘎波(*vBrug pa padma dkar po*)(1527～1592年)译成藏文并加注，收在他的著述《瑜伽圆满鬘:法性现观无边利他》(*rNal vbyor rdzogs pavi vphreng ba ji lta bavi mngon rtogs gzhan phan mtha yas*)中。另外，阿旺洛桑却丹(*Ngag dbang blo bzang chos brtan*, 1642～1714年)对此书作了详细的注疏。在西藏，此书成为曼荼罗图像学最重要的参考资料。在藏文大藏经(*Tibetan Tripiṭaka*)中收录了两个译注本。

此书在西方学者中的影响也很大。如摩尔曼(M. T.de. Mallman)于1964年有关文殊菩萨的论著以及1975年完成的《怛特罗佛教图像学入门》(*Introduction à l'iconographie du Tantrisme bouddhique*)一书均采用了此书的内容。

[7]［日］立川武藏等，1989年。

[8] 布顿1986年，页302～332。

[9] 即:1.《巴察百成就法》(*Pa tshab sgrub thabs brgya rtsa*)，也称为一百零八成就法，由巴察族的楚臣坚赞(*Tshul khrims rgyal mtshan*)翻译，收录160多种成就法;2.《巴哩百成就法》(*Ba ri sgrub thabs brgya rtsa*)，由康区(Khams)巴哩地方的林钦扎(Rin chen grags)(1040－1112年)翻译，收录94种成就法;3.《成就法集》(*sGrub thabs kun las btus pa*)(*Sadhāna-Samuccaya*)，由译师扎巴坚赞(Grags pa rgyal mtshan)翻译，收录240多种成就法;4.《诸天成就法》(*lHa so so sna tshogs kyi sgrub thabs*)，杂集类，收录60多种成就法。其中第三部分《成就法集》和第四部分也统称为《成就法海》(*sGrub thabs rgya mtsho*)。

[10]《成就法集》由班智达乔达摩室利(Gautamaśrī)带到萨迦寺本寺，扎巴坚赞(1147～1216年)译出，其中大部分成就法的梵文本都可见于《成就法鬘》。由于梵文本先后传入西藏，陆续译为藏文，故前后编排次序与《成就法鬘》不同，或有部分遗漏未译者。

[11] 七世班禅丹必尼玛允实后题名曰《本尊海成就法宝生总汇:宝生义明》(*Yi dam rgya mtshovi sgrub thabs rin chen vbyung gnas kyi lhan thabs: rin vbyung don gsal*)，分为二卷本。在每叶边均有简写书名《宝汇》。

《宝汇》由一世哲布尊丹巴(1635～1723年)的弟子蒙古著名的佛教学者洛桑诺布歇热作注，分为四卷本。此套四卷本的著作现存美国芝加哥自然史博物馆(Natural History Museum)，提名作《本尊海成就法宝源总汇:显现之明镜》(*Yi dam rgya tshovi sgrub thabs rin chen vbyung gnas kyi lha thabs gsal bavi me long*)。

[12] Tucci, 1949, p.130.

[13] 见《五百佛像集》第三部分藏文题跋，页376～377，由Lokesh Chandra刊出，注15。

[14] 克拉克(Clark, Walter Eugene)所编《两种喇嘛教神系》(Two Lamaistic Pantheons)一书(注24)的梵藏文名号检索部分中遇有后二者的图像时分别以大写字母S和R区别出来。

[15] 德国学者潘德(E.Pander)在北京偶然看到一套，1889年在他有关《三百佛像集》的论文中发表了《五百佛像集》中的一部分图像，西方学术界首次知道有此图像集的存在。最终柏林民族学博物馆收藏了一部《五百佛像集》，虽然始终未曾出版，但格伦威德尔(A. Gründwedel)的名著《佛教神话学》(Mythologie des Buddhismus)以及克拉克编辑的《两种喇嘛教神系》二书均采用了这部资料。

1943年，一位来自欧洲摩拉维亚人(Moravian)传教士弗里德希·A·彼得(Friedrich A. Peter)从拉达克一位喇嘛的手里得到了一个木刻本，并撰文作了介绍。1964年，罗克希·昌德拉(Lokesh Chandra)在他的《一种新藏蒙神系》(A New Tibet-Mongol Pantheon)一书中发表了一部完整的《五百佛像集》刊本，后又于1986年收录于他的《西藏佛教图像学》(Buddhist Iconography of Tibet)一书中。据编者罗克希·昌德拉在前言中的回忆，此刊本是其父罗扈·毗罗(Raghu Vira)1956年冬天从乌兰巴托的一位僧人手里购买到的。但是马丁·鲍恩(Martin Bauern)认为它只是一个新的线描图。

日本学者立川武藏根据他在德国汉堡大学(*Universität Hamburg*)和印度达姆萨拉(*Dharmshala*)的西藏图书及档案馆(*the Library of Tibetan Works and Archives*)发现的一个印刷精美的《五百佛像集》(立川武藏、森雅秀、山口しのぶ编，1995)，发表了全部的图片和真言。不再采用传统的三图一叶的西藏编排方式，而是一图一叶放大出版，极方便研究使用。

1980年，瑞士苏黎世大学民间艺术博物馆(*Völkerkundemuseum der Universität Zürich*)出版了一个新发现的彩绘本《五百佛像集》(*Martin Willson and Martin Brauen*, 1980)，图像色彩鲜艳，特征清晰，尤其是其身色可以完全表现出来，与木版印刷的黑白线条相比，表现了更多的图像学特征，极富研究价值。由于此本有汉字叶码，部分经板的包锦使用了汉地材料，每一卷有汉字“一(部)”、“二(部)”等字样，且在包锦下还发现有汉字题记，推断此绘本极可能是在北京完成的。这是迄今发现的唯一的手绘本《五百佛像集》。

[16]［奥地利］勒内·德·内贝斯基·沃杰科维茨，1993年;Nebesky-Wojkowitz, 1956。

[17] 此书名见章嘉国师所题藏蒙文前言，第8叶上，参阅:中国藏学中心出版社与美国展望图书公司于1994年出版的法源寺中国佛教图书馆藏本。令人不解的是，在编后记中，编者吕铁钢认为西方学者不知道此书有书名，不知是何依据。在他所引的潘德的著作(详见下文)中并未探讨这个问题。在苏珊玛·罗希娅(Sushama Lohia, 1994)所编的《游戏金刚的佛教图像学手册》(*Lalitavajra's manual of Buddhist Iconography*)一书的前言(p. 1)中，有类似的观点，但是很明显她所指

的是此部佛像集的第一叶并没有题书名而不是指书中没有给出书名，因为在随后的行文中她分明指出了藏文的书名，而且印度学者罗克希·昌德拉在《西藏佛教图像学》一书中也将此集全部藏文名转写出来。

[18] 最近，美国伯克利大学（*Berkery University*）的教授贝格女士（B. Berger）对此进行了专门研究，其成果即将发表。贝格的研究有了一些新发现。她认为，从前言是蒙、藏文题写，而图像却只用藏文，且有汉文页码编号推测，此书出于北京，可能是为北京能读藏文的喇嘛修习观想使用。从潘德（E.Pander）的著作开始，西方学者的著作中均将图像集中第52尊定名为：七世班禅，无人置疑（可能雍和宫喇嘛所译汉文名号误导）。贝格根据其藏名khri chen blo bzang stan pavi nyi ma，认为此人并非班禅而是章嘉的上师一世赛赤活佛噶尔丹锡呼图·洛桑丹贝尼玛（1684～1762年）。对于此书的成书年代她的推论也极富成果，因其集中收录了六世班禅像（1738～1780年）和七世达赖像（1708～1757年）。根据二者的生卒年可知，此文集不会早于1738年，不会晚于1757年。也就是说此集应编成并刊行于乾隆三年至二十二年间，也就是章嘉国师22岁～41岁间，是他精力最旺盛，最多产的年龄，《诸佛菩萨圣像赞》也成书于此期间，实不为怪。

[19] 清代末年，德国学者潘德在北京雍和宫发现了一部。与我们现在所见到的不同的是，雍和宫的版本中诸尊由寺中的喇嘛添上了满文和汉文名。

[20] 值得注意的是《三百佛像集》的上师中还包括六世班禅和三世章嘉国师本人（图52、53）。据此，此书是章嘉本人所编的结论值得怀疑，或许更符合逻辑的结论是，此书的编者可能是章嘉弟子，或其他驻京高级喇嘛，章嘉作序而已。

[21] 他在两本著作中发表了他收集的北京木刻刷印（xylograph）《三百佛像集》：*Pander, E.*, 1889, 1890。

第一篇著作中，他仅作了一般的描述；第二篇著作中他选择了一部分图片作为插图，并对300尊神作了详尽的考证。根据作者的回忆，他是在雍和宫找到的这个图像集的，上面还有寺内喇嘛译出的各尊汉文名号和从汉文名号译出的满文名号。在他的文章里引用了一部分汉文名号，显然，并不是所有的尊神都译出了汉文，也可证明此集确实一直没有汉文名号。

[22] 1903年，俄国佛学家欧登堡（S. F. Oldenburg）于圣彼得堡出版的《佛学丛刊》卷五上发表《三百佛像集》中所有尊神（Oldenburg, 1903）。

1955年，印度学者罗怚·毗罗（Raghu Vira），应中国总理周恩来的邀请到中国访问，为他的巨著《百藏丛书》（*Śatapiṭaka Series*）收集资料。他花了3个月的时间访问了很多的寺庙、洞窟、图书馆和古籍书店。在他收集的大量文献中就包括木版刷印的《三百佛像集》。

1991年罗克希·昌德拉在《西藏佛教图像学》（pp. 685～784）一书中发表了300尊神全部图像，并且包括每一尊的真言（咒）（Chandra, Lokesh, 1986）。

1994年《百藏丛书》第379卷发表了由苏珊玛·罗希娅女士编辑《章嘉的三百图像手册》（Sushama Lohia, 1994）。此书不仅将《三百佛像集》再次出版，而且将Pander的两篇德文著作的英译本以及每尊图像背面的真言与格伦威德尔精美的线描图也一同发表。

同年中国也出版了法源寺中国佛教图书馆所藏的版本。图像相当精美。

另外，在纽约美国自然史博物馆（*the American Museum of Natural History, New York*）还保存了三百佛像的三幅唐卡（Cat.no.70.2/8377 ABC）。这三幅作品在苏珊玛·罗希娅女士的《章嘉的三百图像手册》一书中提到。

《三百佛像集》在中国还有其他的版本流传。例如，故宫博物院收藏了一个刊本，从未发表过；四川德格印经院的经库里还保存着一套《三百佛像集》的桦木雕版，据说是根据旧版重雕，旧版已经找不到。目前见印本流传。青海尕藏也收集了一个残本，但图像线条极为粗简，可能是另外一个版本。相信在世界还散布着众着的刊本，很多都未公布。

[23] 苏珊玛·罗希娅女士在前言中将勇士空行母分为两类，不知西藏传统中有将二者连称的习惯，故当为一类。

[24] 这本图像集最早在1937年收于哈佛－燕京丛书卷三、卷四中。1928年，当时在燕京大学教授梵文和印度古宗教史的前沙俄教授钢和泰在应邀前往哈佛大学作为访问学者时将他在中国收集的一批图像学资料交由美国哈佛大学图书馆出版，名为《两种喇嘛教神系》（Clark, 1965）。直到他去世才得以出版的这部具有重要意义的图像学著作包括两部最新的图像学资料（梵华楼的铜造像以及《诸佛菩萨圣像赞》）和四部图像学资料（梵华楼、《诸佛菩萨圣像赞》、《三百佛像集》和《五百佛像集》）的诸尊梵藏汉名号检索。《诸佛菩萨圣像赞》共收录360尊神，有前言和一神一赞（出版时前言和赞辞被略去）。每尊神的画面中均有满、蒙、汉、藏四体文字佛号，上下为汉、藏文、左右为满、蒙文。克拉克在出版时省略了蒙文和满文名号的检索，尽可能地复原了梵文的名号，以方便西方学者的使用。

在钢和泰拍摄照片时，这部《诸佛菩萨圣像赞》还保存在北平的一位商人手里，后由国立北平图书馆收藏。钢和泰撰文介绍，认为此书的编者就是编辑《三百佛像集》的三世章嘉若必多吉（钢和泰，1928年，页1～4）。

有关钢和泰的生平，参见钱文忠的文章：《男爵和他的幻想：纪念钢和泰》，《读书》，1997年第1期，页49～54。

随后印度出版了由德国学者哈尔穆特·瓦拉文斯编辑的全本《诸佛菩萨圣像赞》（Walravens, 1981）。这个版本是罗怚·毗罗整个收集资料中的一部分。

[25] 相关考证详见罗文华，2005年。

[26] 在所有八座六品佛楼中，唯有梵华楼中的绝大部分佛像、唐卡和佛塔保存至今，其他各处或毁于战火，如圆明园的梵香楼、承德的众香楼；或毁于火灾，如紫禁城慧曜楼、淡远楼；或楼虽在，内中一切供器、佛像、佛塔已荡然无存，如承德的普陀宗乘之庙及须弥福寿之庙的西配楼；或文物流散在外，难获镜圆，如紫禁城慈宁花园中的宝相楼虽保存了楼上供案上的九尊佛像，楼下的佛塔及唐卡，但楼上佛格中的732尊铜佛像在抗日战争时期随大批文物南迁，后留存于南京博物院，其详情难以知悉。唯有故宫梵华楼基本完整。

[27] 宫中珍宝被太监偷盗而流入市井在溥仪的小朝廷时期已十分猖獗，建福宫、中正殿的突然失火使得溥仪的怀疑无处查实（庄士敦原著，秦仲龢译写：《紫禁城的黄昏》，第238～245页，跃升文化产业有限公司，1988年），但却使两座最重要的六品佛楼化为灰烬。当时深宫之中尚且如此，远在承德避暑山庄的大批文物更明目张胆成为当地军阀古董店里的倾销品，而且价格极为便宜，随便就可以买到六品佛楼中的小铜佛像。

《密宗塑像说略》（吴世昌，1984年）一文中提到："乾隆时，宫中曾制铜佛两大套，一套存在热河，一套存北平故宫。每套都八千尊，差不多喇嘛教的一切佛像全备了。（中略）据钢和泰教授对我说：在故宫的一套已散失，因为前几年汤玉麟将军在承德设了一个古玩店，专向外国的旅行者售卖佛像，他在那儿也顺便买了一些。我在他寓中见到的二尊——一尊名'精进军佛'，另一尊名字忘记了，（中略）这类像坐高不足一尺，镂制甚工，座上都刻有佛名。"

[28] Von Schroeder, 1981, p.547, pls.155B, 155C, 155D, 155E; Gordon, 1952, p.52~61.

[29] 当时钢和泰教授得到故宫负责人庄蕴宽的允许到宝相楼拍摄，后来受到种种干扰，被迫中断了工作，所以我们现在所见到的只是宝相楼楼上的佛像与题记照片，收录在克拉克所编《两种喇嘛教神系》图片第一部分。

[30]田中公明将第五间德行品的研究结果先行发表（田中公明，1984年）。次年，田中公明将全部六间的研究成果发表（田中公明，1985年）。本文所引均见此文。

The Development and Perfection of Tibetan Buddhist Pantheon

Wenhua Luo

1. Emergence of Mahāyāna Deities in India(circa the 1st~ 6th century C.E.)

In *Hīnayāna* Buddhism there was no pantheon in which worship was offered by any Buddhist. As an initiator, *Śākyamuni* did not believe in gods or worship. In the earlier schools of Buddhism at *Sañchi*, Bharhut, and *Amaravatī*, images of the Buddha are not represented. Instead of the *Buddha*, images like the *Bodhi* Tree, his head-dress, his foot-prints and the rest were freely represented, but the actual likeness of the Buddha was regarded as too sacred to represent. Bedsides the sacred symbols connected with the *Buddha's* life and teachings, worship was offered by the Buddhists to numerous other objects. One of the most important among these objects is the stūpa which is regarded as the embodiment of the Buddhist Universe with all the heavens as conceived in Buddhism. The Buddha was deified in *Mahāyāna* Buddhism which considered him to be *Lokottara*. In the Graeco-Buddhist style of the *Gandhāra* and *Mathūra* schools of sculpture, his image was carved out in stone nearly at the same time (at the beginning of the first century). Later, a number of gods and goddesses are described in *Prajñāpāramitā, Sukhāvativūha, Saddharmapuṇḍarīka, Avataṁsaka*. Two Chinese monks, the great pilgrims *Fa-Xian* (394~414 C.E.) and *Xuan-Zang* (629~645 C.E.) mentioned many names of gods and goddesses, such as *Avalokiteśvara*, Mañjuśrī, *Maitreya, Vaiśravaṇa* and so on. The characteristics of immature Bodhisattvas found at *Ajaṇṭā, Elora, Kāṇherī* and the cave temples of Western India indicate that at this time had no conception of a well-defined and well-calssified Buddhist pantheon.

2. Boom of Tantric Deities in India and Nepal (circa the 7th~13th century C.E.)

The *Mañjuśrimūlakalpa* and the *Guhyasamājatantra* which are accepted as the very first works of the *Vajrayāna* school and are put down in circa 2 or 3 century C.E. by Indian scholar are deemed much later than the 7th century by Japanese. Even so, it is believed that the *Guhyasamājatantra* first set up the system of Five Tathāgatas and has exerted immeasurable influence on the subsequent development of Buddhist pantheon. Here for the first time are found the descriptions of *Five Tathāgata*, their mantras, their maṇḍalas and their *Śaktis*.These *Tathāgatas* are described as the "fathers" of five *kulas* of gods and goddesses. It is in this way that nearly all the gods and goddesses are classified into the kulas and accordingly bear the characteristics of their own "fathers".

Many gods and goddesses in *Hinduism* and *Jainism* were introduced into the Buddhist pantheon, whilst letters of *mantras*, ritual instruments and processes of *maṇḍala* practices and its meditation image and philosophic terms were deified. Along with the popularity of *sādhanas*, more and more new deities were produced and incorporated into the Buddhist pantheon. The two significant works, *Sādhanāmālā* (incluing 312 *Sādhanas*) and *Niṣpannayogāvalī* (including 26 *maṇḍalas* in total) show a great deal of light on this obscure path of *Buddhism* which was current in India from 7th to the 13th century C.E.

In Nepal the tradition of iconography and pantheon from India succeed to the development and flourish. Plenty of elaborate sculptures on temples and exquisite paintings and manuscripts still remain available for scholars to study the transformation of the Buddhist pantheon after the 13th century when *Buddhism* was annihilated in *India*.

3. The Further Development of the Pantheon in Tibet (circa the 8th~19th century C.E.)

The Tibetan Buddhist schools constituted their own systems of Pantheon after the idea of *Bu ton's* the History of *Buddhism*. The gaps among their pantheons, However, seem not to be so serious as they stressed.

Many *sādhana* collections translated from *Indian Sanskrit* into Tibetan occur in Tibetan Tanjur and divided into four sections according to the authorships, viz. *Pa tshab sgrub thabs brgya rtsa, Ba ri sgrub thabs brgya rtsa, sGrub thabs kun las btus pa, Lha so so sna tshogs kyi sgrub thabs*, among which *sGrub thabs kun las btus pa (Sādhana-Samuccaya)* is the most famous.

In the sixteenth century the *Yi dam rgya mtshovi sgrub thabs rin chen vbyungs gnas* was compiled by the polygraphist *Tāranātha* (born 1575) by supplementing some new translated *sādhanas*. This work was again complemented successively by the 7th incarnation of *Panchen Lama bsTan pavi nyi ma and Čin süjügtü qaγan Blo bzang nor bu shes rab*, a disciple of *Jebcundampa I* (1635~1723 C.E.), in four volumes under the title: *Rin lhan*. This work was illustrated by Mongol artists entitled *Rin vbyung snar thang brgya rtsa rdor vphreng bcas nas gsungs pavi bris sku: mthong pa don ldan bzhugs so* with three marginal subtitles *Ring vbyung, snar thang, rdor vphreng* in the 15th year of Emperor Jia Qing (1810). This is known as the 500 Icons.

300 Icons under the Tibetan title *Bla ma yi dam mchog gsum bkav sdod dang bcas pavi tshogs zhing gi sku brnyan sum brgyavi grangs tshang ba* are definitely xylographed in *Beijing* during 1738~1757. Its preface, written by the famous *lCang skya Huthugtu Rol pavi rdor rje*, informs us that this collection describes seven groups of deities. The *300 Icons* shows a new idea of compilation of the pantheon other than the Indian tradition based on *Sādhanas* like the *500 Icons*.

4. The Materials of the Tibetan Pantheon in the Forbidden city (the 18th century)

Two of the significant materials of the Tibetan Pantheon which were compiled in the Qing court are the *Zhu-Fo-Pu-Sa-Sheng-Xiang-Zan* and the 788 bronze statuettes in *Bao-Xiang-Lou* and *Fan-Hua-Lou*.

The compiler of the *Zhu-Fo-Pu-Sa-Sheng-Xiang-Zan* is ascribed to an unnamed *lCang-skya Huthugtu*, whom the new archives of *Qing* court confirm to be *Rol-pavi rdor rje* and the *Zhuang-Qin-Wang (Yunli)*, the uncle of Emperor *Qianlong*. They had the illustrations painted around 1757 according to a set of plaques which are bestowed by Emperor Qianlong. It contains 360 figures accompanied by 360 eulogies in *Chinese*. All the figures are classed into 23 divisions with the *Tibetan* and *Chinese* names of the deities given below and above, and the *Mongolian* and *Manchu* names at the two sides. It appears that the refined Chinese names of deities were only popular in *Qing* court. So it was just a practical addition for the imperial temples.

Such buildings, with 786 bronze statuettes (such as *Bao-Xiang-Lou, Fan-Hua-Lou* and other resemble six ones), are entilted *Phun sum tshogs pavi gtsug lag kang* in Tibetan inscriptions and *Liu-Pin-Fo-Lou* (the Building of Six classes of *Mahāyāna* Buddhism) in the Qing archives. Here below, are the centre deities of Six classes of *Mahāyāna* Buddhism on the first and the second floor (see the table below for details):

The bronze statuettes are believed to be the illuminations of many important three-dimensional *Maṇḍalas* although some questions still remain to be answered.

Main Deities of Each chapels on the 1st and 2nd floors

Chapels / storeys	1	2	3	4	5	6	7
	Pāramita	*Anuttara-yogatantra (pha rgyud)*	*Anuttara-yogatantra (ma rgyud)*	*Centre*	*Yogatantra*	*Caryātantra*	*Kriyātantra*
2 (statuettes)	*Śākyamuni*	*Guhyasamāja-Akṣobhya*	*Cakrasaṁvara*	*bTsong kha pa*	*Sarvavid*	*Vairocanā-bhisaṁbodhi*	*Amitāyus*
1 (thankas)	*Sita- Mahākāla*	*Ṣaḍbhuja-Mahākāla*	*Gur Mahākāla*	*Śākyamuni*	*Śrīdevī*	*Rakta-Mahākāla*	*Siṁhavāha-na-Mahākāla*
1 (stūpas)		*Guhyasamāja-Akṣobhya*	*Cakrasaṁvara*		*Seven Bhaiṣa-jyagurus*	*Mārīcī*	*Uṣṇīṣavijayā*

造像特征释图

Sketches of Main Mudrās, Āsanas and Symbols of the Deities

手　印 Mudras

汉文名	梵文名	图像
禅定印	dhyāna	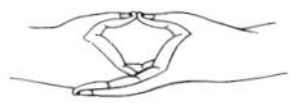
触地印	bhūmisparśa	
金刚吽迦罗印	vajrahuṁkāra	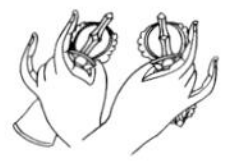
礼佛印	buddhaśramana	
礼敬印	namaskāra	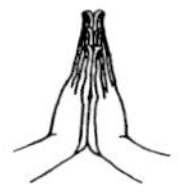
期克印	karaṇa	
说法印	vitarka	
威慑印	tarjanī	
无畏印	abhaya	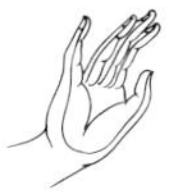
降伏部多印	bhūtaḍāmara	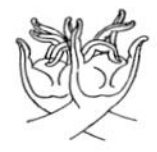
与愿印	varada	
智拳印	bodhyagrī	
轮法轮印	dharmacakra	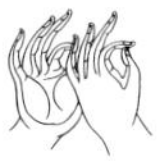

坐立姿势 Āsanas

汉文名	梵文名	图像
半跏趺坐	ardhaparyaṅkāsana	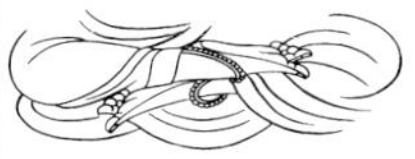
垂足坐	bhadrāsana	
单腿舞蹈立姿	cāpasthānāsana	
全跏趺坐	dhyānāsana/ vajrāsana/ vajraparyaṅkāsana	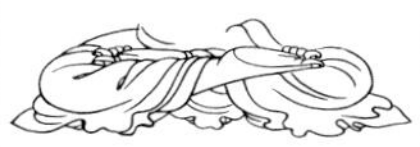
游戏坐	lalitāsana	
右展立姿	ālīḍhāsana	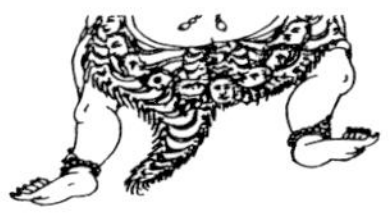
转圣轮王坐	rājalīlāsana	
左展立姿	pratyālīḍhāsana	

法　器 Symbols

汉文名	梵文名	图像
钵	ātra	
禅杖	khakkhara	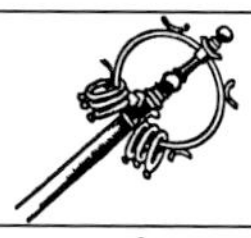
法轮	cakra	
拂尘	camara	
斧	paraśu	
嘎布拉鼓	ḍamaru	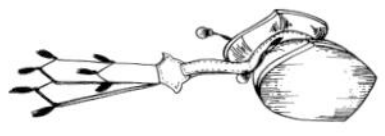
嘎布拉碗	kapāla	
甘露寿瓶	kalaśa	
弓	cāpa	
供养塔	caitya	
海螺	śaṅkha	
箭	śara	
剑	khaḍga	
金刚杵	vajra	

汉文名	梵文名	图像
金刚钩	aṅkuśa	
金刚橛（普巴）	phur bu	
金刚铃	ghaṅṭā	
金刚索	pāśa	
经卷	pustaka	
净瓶	kamaṇḍalu	
喀章嘎	khaṭvāṅga	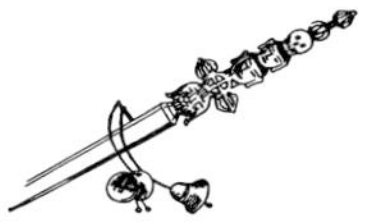
孔雀羽毛	mayūrapiccha	
骷髅杖	daṇḍa	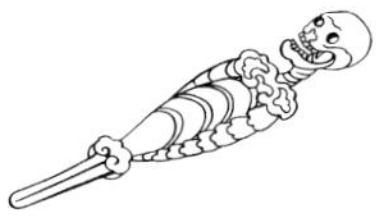
莲花	padma	
摩尼宝	cintāmaṇi/ ratna	
念珠	mālā	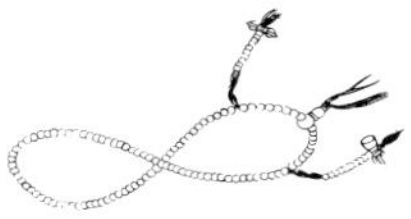
柠檬果	jabhara	

汉文名	梵文名	图像
琵琶	vīṇā	
日轮	sūrya	
三叉戟	triśūla	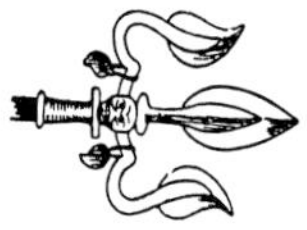
伞盖	ātapatra	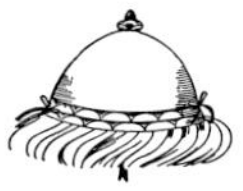
蛇（或龙）	nāga	
胜幢	dhvaja	
十字交杵	viśvavajra	
吐宝鼠（食蛇鼠）	nakula	
无忧花	aśoka	
药果	harītakī	
钺刀	karttṛkā	
月牙或月轮	candra	
杖	gadā	

图版目录

祖师

本初佛和五方佛

本初佛

五方佛

本尊

般若佛

菩萨

女尊

五保护佛母

护 法

LIST OF THE PLATES

Master and Adept

Ādibuddha and *Tathāgathas*

Ādibuddha

Five Tathāgatha

Yi dam

Buddha

Bodhisattva

Feminine Divinities

Dharmapāla

图　版

Commentary on Plates

祖 师

藏传佛教的祖师可以分为两类，即印度祖师和西藏祖师。印度祖师又分为般若祖师和秘密祖师，般若祖师即所谓的印度大乘佛教哲学家，如龙树（*Nāgārjuna*，约二三世纪）、世亲（*Vasubandhu*，约四五世纪）、法称（*Dharmakīrti*，约六七世纪）等；秘密祖师主要指印度历史上或传说中因修行密法获得成就者，如西藏传统所崇拜的八十四大成就者等。西藏祖师主要包括西藏各教派所推崇的本门显密祖师、译师，如噶当派的阿底峡（*A tī sha*, 982～1054年）、大译师仁钦桑布（*Rin chen bzang po*, 958～1055年）、嘎举派的米拉日巴（*Mi la re pa*, 1040～1123年）、萨迦派的八思巴（*Phags pa*, 1235～1280年）等。

在藏传佛教神系中，上师居于首位，对于上师的崇拜达到无以复加的地步。他们说，如果佛法是一座金矿，上师就是引导你找到金矿的路；如果密法是一座宝库，上师就是打开宝库的钥匙；如果佛法是彼岸的圣境，上师就是通往彼岸的桥梁。没有上师，在面对浩瀚的佛法海洋，普通的佛徒像童蒙未开的小孩会迷失方向，找不到门径，一无所成。尤其是佛教密宗重修行甚于理论的研讨，多以师徒之间的口耳相传，弟子的个人体验为主，除了少量的经典诵读和理解之外，大多依靠上师的指点、咒语和及时的棒喝，舍乎此，密法修行根本不可能，更无成功的可能。

西藏各个教派由于教法的不同会有不同的本派上师，但所有的教派都要求弟子对上师要像对佛一样，他的身体、语言和思想都要全部毫无保留地交给上师（即所谓的三皈依），完全信赖、依靠、听从上师的指导，如果稍有犹疑，不仅会影响自己的信心，更对于修行不利。所以弟子对于上师修为有信心很重要，上师对弟子有慧根的信心也很重要。二者如父子一样完全相应才是最佳的师徒关系。尽管上师教导很重要，但弟子也不能盲目崇拜所有上师，在决定皈依一位上师之前，先要考察3年再决定是否拜师；上师也应对弟子进行全面考察，再决定是否收徒。

在西藏众多的绘画作品中，总是将上师画在上方，与佛同一高度，甚至上师还在佛之上，这就是藏传佛教重上师高于一切思想的体现，也是我们能正确识别某尊造像或某幅绘画属于某个教派的主要手段。

Master and Adept

In the Tibetan Buddhist pantheon, Indian and Tibetan Masters as the first class of all the deities play a most particular and important role.

According to *lCang skya Rol pavi rdo rje's* system, the Indian masters comprise both the *Mahāyāna* and Tantric masters. The former indicates great Indian philosophers and teachers, the most popular as *Nāgārjuna* (ca. the 1st century BC to the 2nd century AD), *Āryadeva* (ca. the 2nd to the 3rd cenury AD), *Asaṅga* (ca. the 4th century), *Vasubandu* (ca. the 4th to the 5th century), *Diṅnāga* (ca. the 5th century) and *Dharmakīrti* (ca. the 6th to the 7th century), namely *Six Ornaments (rGyan grug)*, and *Guṇaprabha* (ca. the 5th to the 6th century) and *Śākyaprabha* (ca. the 7th century), namely *Two Superoirs (mChog gnyis)*; the latter includes historical or legendary great adepts, such as the well-known group of eighty-four *Mahāsiddhas: Nāropa, Virūpa, Sahara* and so on.

Most of Tibetan masters comes from various sects: *rNying ma pa, Sa skya pa, bkav rgyud pa, dGe lungs pa*, etc with the exception of the small parts of common ones who was worshipped by most, even all the sects, such as *Santarakṣita* (ca. the 8th century), *Rin Chen bzang po* (958~1055), the great translator *A tī sha* (982～1054), etc. We are able to successfully classify some paintings or statues into their respective sects due to the hints identifying the Tibetan masters represented on top of the central figures.

For the Buddhist, especially the esoteric practioner, the masters are considered as their spiritual father, teacher and sacred guide to access to the knowledge and wisdom, secret experience and finally attainment of Buddhahood in traditional consecration. Without doubt to your master, without hesitation to your master, you have to deliver your heart, voice and soul to your master before you formally get permission to enter the practice.

1

印度祖师像

内地　17～18世纪
青玉　高15.3厘米，宽9.3厘米

Indian Master

China inland 17th~18th century
Grey Jade H. 15.3 cm, W. 9.3 cm

祖师头戴班智达帽，面部泥金，墨线绘眼眶及髭须。身披袒右肩式袈裟，袈裟表面有凸起的条棱线表现规则排列的衣褶。头向左侧，右手撑身后，左手上举，掌心向外，身体左扭，似乎正在辩论之中，表情沉静而不激烈，精神饱满，一副大家风范。坐双层高垫上，右腿平放，左腿竖起，左肘支左腿上，姿态优雅，左侧身后有印度祖师随身的圆盒，作为其游学的标志物。

整个作品人物形象刻划细致，写实。通体打磨光滑，左臂一侧及身下衣褶较多，工匠于此处表现尤其用力，通过流畅灵动的线条，将袈裟轻飘柔滑的质感表现得十分生动，有亲手触及的感觉，颇有汉地作品的特色。底板装脏，有细线刻划的十字交杵（*viśvavajra*）系帛丝图案，不易察觉，精致生动。

这是一位不知名的印度祖师像，可能是属于西藏普遍崇拜的“六庄严二胜”（*rgyan grug mchog gnyis*）组合中的一位。西藏传统将古代印度大乘佛教哲学家中著名的龙树（*Nāgārjuna*，约公元1～公元2世纪间）、圣天（*Āryadeva*，约公元2～3世纪间）、无著（*Asaṅga*，约公元4世纪）、世亲（*Vasubandu*，约公元4～5世纪）、陈那（*Diṅnāga*，约公元5世纪）和法称（*Dharmakīrti*，约公元6～7世纪）六位大师称为“六庄严”，严持戒律的两位大师功德光（*Guṇaprabha*，约公元5～6世纪）和释迦光（*Śākyaprabha*，约公元7世纪）称为“赡部洲二胜”。

2

大成就者喜乐和

西藏中部 18世纪
红铜 高13.5厘米

Mahāsiddha Saraha

Central Tibet 18th century
Copper 13.5 cm

喜乐和头戴五骷髅冠和三叶宝冠，佩精美的耳珰，裸上身，饰十字交叉精美珠络，双肩披络腋，左肩挂弓，右肩背箭囊，暗示他看见新造的箭后立即产生觉悟，认识到空色无分别，因其本质不二。他双手施转法轮印，表情微怒，以奇特的瑜伽姿坐于圆形莲台上。身下垫羚羊皮，象征他的厌世出离心。台座上右边供兽角，左边置金刚杵，表明了他密法修行的成就。底板上刻划十字交杵纹。整个作品虽然体量较小，但颇有震撼力。

大成就者（*Mahasiddha*）是专对以修习密法获得成就并对密法传播那些印度上师的称呼。由于身份特殊，又多惊世骇俗之举，他们的身上往往笼罩着神秘的色彩，西藏一直将大成就者作为密教上师崇拜有加。虽然西藏传统有八十四大成就者的说法，并有一本有关他们传记的书，但实际绘画和文献中，对于大成就者的数量一直并不确定，有80、84、100多位等各种说法，大成就者的特征也不统一，除了几位大家耳熟能详的之外，很多都要靠藏文题记来辨认。

根据西藏《八十四大成就者传》的记载，这些大成就者或出身低微，或就是贱种阶级，也有出身高贵的王胄之家或是婆罗门阶级的；他们从事的行业也各不相同，有渔夫、屠夫、小偷，也有一国之君或修行已有所成的异教徒。但他们都在从事同一项事业就是通过神秘的方式（瑜伽），采取与当时社会普遍道德相左的行为（喝酒、性乱等），在怪异的场所（坟场）进行独特的瑜伽体验。他们并不仅仅是身怀绝技的高级瑜伽师，而是一群充满理想主义色彩的佛教徒，是探索一切有情（除了人类以外，还包括一切有生命的存在）脱离生、老、病、死的在世之苦和无限轮回的永恒之苦的先驱和思想家。他们利用现世短暂的生命，追求永恒存在的精神，达到永恒快乐的彼岸，精神永存的家园。喜乐和就是其中广为人知的成员之一。

喜乐和是婆罗门种姓（*Brahmin*），生活在公元8世纪下半叶的东印度。他白天遵守婆罗门规范，晚上则遵循佛教的行持，尤其专注密法，同时遵守婆罗门和佛教的戒律。他喝酒，被众婆罗门告发到国王面前，称其喝酒破坏婆罗门教规，要求将他逐出教门。为了表明自己的清白，他在众人面前，将手放入滚烫的油中，毫发无伤。众人不服。他又徒步走过水面而不沉，再次证明他的清净无污。最后他的体重较其他人重，说明他未曾饮酒。经过三个回合的较量，国王宣布，他既然有这样高的成就，就应当允许他喝酒。全国百姓都信服了他的密修成就，皈依于佛门。

后来喜乐和大师和一位制箭铁匠15岁的女儿结婚，一同在荒远之地隐修，曾一次入定12年之久，出定之时还想起入定前妻子为他做的萝卜。他的妻子立即对他入定修行的效果表示怀疑，认为他的妄念分别还没有消除。他虚心地接受妻子的批评，认真摒除分别与执着妄想，专注地禅修，彻底断除了烦恼，得到了大手印的成就。他是古印度实践大轮上乐（*Cakrasaṃvara*）密法的上师之一，他创作的道把（*Dohā*）行歌阐述了俱生欢喜（*Sahajānanda*）观修的基本原则，对西藏文学产生过巨大影响。他与上乐金刚和佛陀嘎布拉金刚（*Buddhakapāla*）的教法有关系。也有人认为他是密教大师龙树的上师。

3

莲花生像

蒙古地区　18世纪末至19世纪
红铜鎏金　高29厘米

Padmasaṁbhava

Mongolia　Late 18th Century~early 19th century
Gilt copper　H. 29 cm

莲花生上师头戴宁玛派独特的莲花帽，这种帽式在宁玛派中只有高级喇嘛才允许佩戴，成为宁玛派标志性的帽式。面部泥金，双目圆睁，双眉上扬，长发披肩，带有嗔怒的表情，表现了他作为密教大师的身份。卷曲髭须，长耳珰，一幅生动的印度大师的面相。披宽厚的袈裟，右手持金刚杵，左手托嘎布拉碗，碗内有象征长寿的瓶花，左肩原倚靠喀章嘎，现已丢失，这些都是他的标志性法器。全跏趺坐于单层仰莲座上。

造像线条粗重，衣褶凌乱，是18世纪后期的造像特点。通过耳珰和莲瓣的形式，可以推测它是出自蒙古地区的作品。

莲花生大师对于西藏佛教产生过巨大而深远的影响。他是乌仗那国(*U-ryan*)的太子，后出家，在印度四处游学，遍访名师，曾苦修密法，获得证悟，成为一名密法大师，擅长咒术。后由先期入藏的印度佛教大师寂护(*Santarakṣita*，公元8世纪)推荐，西藏吐蕃赞普赤松德赞(*Khri srong lde btsan*, 742～797年)派人邀请来藏弘扬佛法。他一路之上，以密教咒法收服许多本教(*Bon*)的神祇，化为佛教的护法神，同时吸收了西藏本土信仰纳入佛教教义中，使之成为具有西藏特色的佛教，即今天所说的“藏传佛教”。在战胜西藏本土宗教本教的势力，扩大佛教影响之后，约于779年创立了西藏历史上第一座寺庙桑耶寺(*bSam yas dgon*)。佛教寺院建成之后，莲花生和寂护共同主持了盛大的开光仪式，由寂护担任堪布，选派7名藏族青年出家，莲花生任密法教师，与其他12位印度班智达一起给他们剃度出家，这是吐蕃第一批出家弟子。二人在给这些藏族僧人讲法的同时，还教授翻译技巧，将一些印度密法翻译成藏文，为卫藏佛教前弘期的发展打下了基础。

据说，莲花生离开西藏前，将一些密宗法要和他的史传等多部典籍秘藏在湖滨岩山之隐蔽处，待后人发掘传播。后来这些经典被发掘出来，称为“伏藏”(*gter ma*)，西藏也出现了很多掘藏师。

由于莲花生传奇的经历和神通以及对西藏佛教建立和发展的贡献，后弘期宁玛派尊奉他为该派的开山祖师，在西藏其他教派中，他也受到广泛崇拜。

4

阿旺诺布像

西藏中部　16世纪末至17世纪初
黄铜，错嵌红铜　高13.5厘米，宽9.5厘米

Ngag dbang nor bu

Central Tibet　Early 16th century to late 17th century
Brass with copper inlay　H. 13.5 cm, W. 9.5 cm

上师头戴夏帽，用红铜做成，可能代表帽子为红色。眼眸嵌细小黑珠，左眼珠丢失。双目睁开，面含微笑，双耳竖立，颇有写实效果。右手当胸施无畏印，左手施禅定印(*dhyāna*)，持经书，表现他睿智的内在气质。身着厚重袈裟，衣缘袖口均错嵌红铜，这种装饰方法十分独特。坐于莲台上。莲台上部无莲瓣，为圆弧形台面，可能表现的是莲台的坐垫。祖师身下铺坐羚羊皮，暗示上师在密教教法方面的修为和慈悲的精神。

底板嵌红铜版，十字交杵图案粗糙，与底座不合，可能是后补。整个造像表面处理不够精细，莲瓣形式和人物表现均反映出16世纪后半叶，甚至更晚的特点。

这是一位西藏佛教祖师，在其莲台背后有藏文题名：*Ngag dbang nor bu la na mol*，汉语译为"礼敬阿旺诺布！"据此可知，此祖师叫阿旺诺布。现在所知，在西藏大师中叫阿旺诺布的人有数个，其中一位16世纪的宁玛派(*sNying ma pa*)掘藏师就叫这个名字。这个名字是西藏比较常见的名字之一，加之题记中也没有提到这位祖师的其他尊号，因此很难断定他的准确身份。

5

宗喀巴像

西藏中部　乾隆四十五年（1780年）
金　高50厘米

Tsong kha pa
Central Tibet　45th year of Qianlong Period (1780)
Gold　H. 50 cm

此尊造像用材名贵，装饰华丽。宗喀巴身体、肩花和华盖均为金质，大师颊颐丰满，面含微笑，下颏鼓出，虽为祖师形象，但并不写实，与我们所见释迦牟尼佛、弥勒佛等像面容并无区别。此面相模式的使用是为了彰显宗喀巴大师至高的成就。披袈裟，双手施转法轮印，肩头莲花上分别供智慧剑和梵箧，与文殊菩萨所持法器一样，暗示他作为文殊菩萨的化身，具有无上的智慧弘扬佛法。单层仰莲，为银间鎏金，底座为红铜鎏金方台，周围有狮子支撑。垂帘正面嵌大颗松石，周围嵌珊瑚、松石、珍珠，华丽高贵。背光和枝叶均是红铜鎏金，上缀嵌珊瑚珠和珍珠各36颗。宗喀巴头顶莲台上为其密教本尊神之一面二臂双身上乐金刚像，最上面竖立华盖，两边树枝上各立紫金空行母24尊，均作一面四臂，各执法器，座前供金质嵌珍珠石宫灯式幡杆一对。

此造像来源极为独特。其背光后板上刻有四体字记录其缘起。汉文云："乾隆四十五年七月二十日，班禅额尔德尼瞻仰天颜，恭进十二上乐王，座藏释迦牟尼舍利，大利益宗喀巴像。"藏文与汉文稍有不同，称班禅额尔德尼当日所进为"上乐金刚与十二空行母、有释迦牟尼佛舍利的大利益宗喀巴佛像一尊"。所以这件金质造像的主题是黄教祖师宗喀巴，配合上乐金刚及12尊空行母的曼荼罗成员，其座内还装有释迦牟尼佛的舍利。1780年是乾隆帝70岁万寿，普天同庆。六世班禅亲自来京祝嘏，这件礼物是他第一次正式送给乾隆帝的大礼。在他的传记和档案中都提到此事。根据档案和汉藏文文献记载，此像并不是七月二十日送给乾隆帝的，而是七月二十二日，因此题记的年代有误。由于天降大雨，道路阻断，班禅原定于七月二十日抵达承德的行程受阻，推迟两天到达。当时军机处的藏文奏折也证实了这一点。但当此像送进内务府时，随从带来的热河信帖却误为七月二十日，后来造办处工匠在背板上刻年款时自然采用了这个错误的日期。

清宫档案记载，当年八月初一日，此像奉旨送到内务府造办处收拾。除了将肩花和枝叶上的小像排列加固之外，另将其中假珍珠6颗换成真珍珠，增添带座小挑杆一对，在菩提树背光后加添铜鎏金背板一块，上面刻上四体字题记，在宁寿宫花园佛日楼楼上中间安供。因此，此像的大部装饰都是西藏原装，并未改动。题记中只提到12空行母，实际背光的枝叶上却有24尊之多，其中只有最外缘枝叶背后的8位空行母才是上乐金刚曼荼罗的成员，而宗喀巴两侧菩提树上各有8位供养天母和8位守护天母，均为舞蹈姿，他们都不属于上乐金刚曼荼罗的成员，只是常见的两组供养佛母。最外缘枝叶背后两侧上下各有4位空行母，她们分别是13尊上乐金刚曼荼罗中台和四隅的8位空行母，作右展姿。13尊上乐金刚曼荼罗除主尊为上乐金刚之外，其余12尊均为空行母。题记中所谓"十二上乐王"可能指的就是这种上乐金刚曼荼罗吧。

此件作品并不是一般供奉的造像，而是六世班禅专门为北京之行所造。宗喀巴造像配置上乐金刚曼荼罗的尊神，可能与三世章嘉若必多杰为乾隆帝施过上乐金刚灌顶有关。此次进京过程中，六世班禅曾多次进献同一题材的唐卡都是同样的目的，即赞扬乾隆帝对于密法修行的成就。

此后，乾隆帝反复下旨内务府造办处用各种金属复制此像，供奉在宫禁廷苑大小佛堂中。目前所见保存的有三尊，两件为紫金琍玛像（"琍玛"即藏文*li ma*的读音，"响铜"之义），一件为金质。前二件均藏故宫博物院，最后一件藏台北故宫博物院。台北故宫这件作品完成最早，其背板后四体文字中，汉文云："乾隆四十六年孟夏月，卫藏贡有大利益金宗喀巴佛像，奉旨照式范金，造此宗喀巴佛，宣扬黄教，普利众生。"虽然未提到原作为六世班禅贡献，但比较二者几无二致，可证此像就是仿照六世班禅所贡宗喀巴像的作品。现供奉在紫禁城内梵华楼明间楼上，红漆雕宗喀巴像前的供桌上一尊紫金宗喀巴造像，背光四体字的汉文云："乾隆四十六年，岁在辛丑，冬十月吉日，奉旨照西藏扎什伦布式成造紫金利益琍玛宗喀巴，永兴黄教，普证圆成，吉祥如意。"第三尊背后并没有题记，根据档案记载，应造于乾隆四十八年。由于四十六年初，造办处试验紫金琍玛配方成功，乾隆帝采用这种珍贵的新铜合金配方仿照金质宗喀巴像前后造了两尊宗喀巴像。类似的作品在宫中一再成造，反映出乾隆帝对此尊造像的珍重和喜爱。

乾隆四十五年七月二十日班禪額爾德尼瞻仰
天顏恭
進十二上樂王座藏釋迦牟尼佛舍利大利益宗喀巴佛

6

宗喀巴像

西藏中部　18世纪末
铜鎏金　高24厘米

Tsong kha pa

Central Tibet　Late 18th century
Gilt Bronze　H. 24 cm

宗喀巴头戴黄色通人冠，双手施转法轮印，各牵优钵罗花枝，花蕾在肩头开敷，右肩花蕾上供智慧剑，左肩供般若经，与文殊菩萨所持法器一样。在宗喀巴大师的传记中，不断提到宗喀巴大师是文殊菩萨的化身。所以头戴通人冠祖师，具文殊特征者，往往被认定为宗喀巴大师，这种看法虽然不一定准确，但比较容易被人所接受。

此像金色沉稳，表情从容，与宗喀巴饱学多识、深沉博大的精神世界十分吻合。其莲座上仰覆莲上下均有竖痕，表示其莲蓬的形式。这种表现形式多见于清代以后，结合其金色和做工应是明清之际的作品。

宗喀巴(*Tsong kha pa*, 1357～1419年)不仅是西藏格鲁派(黄教)的创立者，也是藏传佛教界最为重要的宗教改革家，精神领袖之一，被藏族人民誉为“第二佛”，即释迦牟尼之后的另一位世间佛尊。因为他是出生在青海宗喀地方(今天塔尔寺所在地)的圣人，所以尊称他为宗喀巴。他的本名叫罗桑扎巴(*Blo bzang grags pa*)，出生于官宦之家。从小跟随噶当派大师学习，打下了深厚的基础，16岁离开家乡，开始了在前后藏游学的生活。在西藏，他遍访各教派名师，广泛学习佛教显密经典和教法，学识日进。从29岁开始，收徒授业，逐渐崭露头角。随着思想日趋成熟，他开始建立自己的佛教思想体系，先后著书立说，宣扬自己的观点，著名的《菩提道次第广论》和《密宗道次第广论》都是标志其佛学思想成熟的里程碑式的著作，直到今天仍是格鲁派必修的本门经典，他最终创立了格鲁派。如果他只是埋头于著书立说，宣传自己的学说，那么他充其量只能算是西藏众多著名祖师中的一位。他对于藏传佛教的贡献还在于他对佛教实践的身体力行。与此前众多教派重密教修行，轻显教理论修学的弊病不同，他极力主张由显入密，先显后密。学显宗以确立正确的菩萨救度世人的慈悲思想，然后修密以达到即身成佛的同时，仍以慈悲心救度众生为最终目标。他还主张，僧人应当有别于世俗人，严格遵守佛教戒律。这些主张都是对当时佛教界思想和行为混乱现状的批评和纠正。所以他的主张一经提出，便得到僧俗各界很多有识之士的广泛支持，格鲁派在西藏的名声鹊起，最终在17世纪40年代获得了西藏宗教的最高地位。

7

三世达赖喇嘛像

西藏中部　17世纪上半叶
银　高32.7厘米，连龛高87厘米

The third Dalai Lama bSod nams rgya mtsho

Central Tibet　First half of the 17th century
Silver　H. 32.7 cm, H. 87 cm (Shrine)

达赖喇嘛面容瘦削，鼻梁挺直，双耳直立，面含微笑，颇有写实特点。内着两层短衣，外披肥大的袈裟。衣缘、袖口有细线刻划的装饰图案，与我们常见的西藏上师的形象十分相似。坐于三层坐垫上，右手施无畏印，左手施禅定印。头戴织金班智达帽。人物造型简洁，但气质非凡，线条简略明快，很有西藏造像风格的特点。

这件银像供在一座黑漆描金殿式龛内，龛后有四体字，汉文作："乾隆四十四年七月初十日，钦命章嘉胡土克图认看供奉利益银造三辈达赖喇嘛。"

此像创作的年代大致可以推测在17世纪上半叶。它的造型与中国国家博物馆所藏一件1650年左右，专门为朝觐顺治帝而造的五世达赖喇嘛的银像极其相似。除了风格上的判断之外，这一点也可以观察达赖坐垫的数量而知。1672年五世达赖喇嘛阿旺洛桑嘉措（*Ngag dbang blo bzang rgya mtsho*, 1617～1682年）规定了西藏各界以及北京来的钦差大臣的等级坐次高低，其中达赖喇嘛坐五层坐垫，钦差大臣铺五层薄坐垫外，其余都是四层以下。此像中达赖喇嘛只坐了三层坐垫，显然与五世达赖喇嘛的规定不符，因此，此像当是在此前成造的。

三世达赖喇嘛索南嘉措（*bSod names rgyal mtsho*, 1543～1588年）对于格鲁派有特别的贡献。16世纪，蒙古土默特部的俺答汗（阿拉坦汗）率部进入青海湖附近时，派人进藏延请索南嘉措来青海会面。1578年二人相会于青海湖畔仰华寺。索南嘉措劝请俺答汗皈依佛法，获得支持，同时二人互赠尊号。索南嘉措赠俺答汗"咱克喇瓦尔第彻辰汗"，俺答汗赠索南嘉措"圣识一切瓦齐尔达喇达赖喇嘛"的称号。从此，索南嘉措这一转世系统有了"达赖喇嘛"的称号。他又将前二世转世追认为第一世、第二世达赖喇嘛，此后的转世遂形成了格鲁派达赖喇嘛的系统。因此，达赖喇嘛这个转世系统是从索南嘉措开始的。由于得到势力强大的土默特蒙古的支持，格鲁派的名望和地位得到较大的提升。

乾隆四十四年七月初十日
欽命章嘉胡土克圖認看供奉利益銀造
三輩達賴喇嘛

8

咱雅班第达像

西藏中部　1663年
铜鎏金　高34厘米

Zaya Paṇḍita
Central Tibet　1663
Gilt copper　H. 34 cm

此像为红铜片拍打成型，外表鎏金。祖师右手施说法印，左手施禅定印，跏趺坐于三层坐垫之上，面容清癯，皱纹满布，慈颜含笑，双耳直立，一副饱经沧桑但意志坚定的睿智老者形象。肥大的袈裟裹住全身，下摆垂落于坐垫之上，线条流畅生动。从其面部表情的栩栩如生以及内在气质的强烈感染力上可以找到15世纪以来典型的西藏风格祖师像模式，但是从一些工艺特点，如用铜片拍打成型，鎏金明亮，线条准确自如以及一些表现手法，如鼻梁修直、鼻尖略勾等方面看，都具有尼泊尔艺术的特点。

祖师像座底板中心刻划的是十字交杵图案，两边各起数行托忒文题记，原文转写如下（由左向右）

(1) *saidi altaci blamatani*
(2) *gegei bosghoghson ene buyan-*
(3) *-yēr ecüstü ghorban*
(4) *moi jiyātan khōson*
(5) *bolōd tani shajinai barul*
(6) *-dan toroji dēre ügei*
(7) *bodiyin khutugh*
(8) *ötör olkhu*
(9) *boltughi*

汉译为：

贤者所立鎏金上师像福德，由是来世免坠三恶途，同您教法结因缘，速证无上菩提果。

咱雅班第达（1599～1662年），原名南喀嘉措（*Nam mkhavi rgya mtsho*），出生于卫拉特蒙古和硕特部的望族桑噶斯（*Sangkhas*）家族。17世纪初，藏传佛教格鲁派开始影响到卫拉特蒙古。1615年，和硕特部的首领拜巴噶斯皈依黄教，并让自己年满16岁的义子咱雅班第达替自己出家。随后，咱雅班第达到西藏留学，很快精通了显、密教法，获得格西学位后返回故乡。在此后23年的弘法生涯中，他先后向东传法到喀尔喀蒙古的扎萨克图、土谢图、车臣等部，向西远及伏尔加河下游的土尔扈特部，为王公贵族和平民百姓诵经、祈福、主持葬礼、举办法事，使黄教在卫拉特蒙古和喀尔喀蒙古地区的影响进一步扩大，也为自己赢得了很高的地位，深受蒙古族社会各阶层的尊敬。

1644年，他着手翻译了著名的藏族文献《玛尼全集》，1648年，他创制托忒文，在沟通蒙、藏文化，保存卫拉特民族历史文献方面具有显著作用，迄今仍为我国新疆地区蒙古族所通用。他利用这种文字翻译了170余部藏文文献，其中包括佛典、伦理、历史、文学、医学等多方面著作，并记录下卫拉特蒙古著名的英雄史诗《江格尔》，推动了卫拉特蒙古族文化的发展。

咱雅班第达圆寂之后，在拉萨举行了隆重的葬礼。1663年夏，遵照达赖喇嘛的指示，由莫尼达尔玛、阿木幸、咱塔那等16位尼泊尔工匠分别成造密集金刚、大威德金刚、弥勒佛和咱雅班第达像。两个月之后顺利完工。咱雅班第达像先在达赖喇嘛身边存放3天后，由其弟子们带回卫拉特蒙古，供人们瞻仰礼拜。

故宫博物院保存的这尊咱雅班第达像极有可能就是1663年夏由尼泊尔工匠成造的那一尊，从面部看是一老者形象，应是咱雅班第达圆寂前面容的写真。《咱雅班第达传》中还提到咱雅班第达像高1尺，当时蒙古的1尺与此像的实测高度（34厘米）相当。这是目前世界上保存的唯一的一尊咱雅班第达塑像。

(1) (2) (3) (4) (5) (6) (7) (8) (9)

9

三世章嘉国师像

北京，清宫内务府造办处　乾隆五十一年（1786年）
银间鎏金　高75厘米

The Third lCang skya Hutuktu Rol pavi rdo rje

The Imperial Workshop in Beijing
51th year of Qianlong Period (1786)
silver, partly gilt　H. 75 cm

章嘉像为银间鎏金，颊颐丰满，是典型的福寿之相。头戴班智达帽。帽子、衣领缘和莲座均鎏金，银色已氧化，发黑，想象当时刚完成时，银白色与明亮的金色相映生辉，一定令人赞叹不已。据说，章嘉的面颊上有一个鼓包，这也被工匠塑出，可见人物面相非常写实。莲座较高，莲瓣均匀，瓣尖略挑，属明显的清宫造像特点。

此像供于雨华阁东配殿影堂。档案记载，此像因章嘉国师于乾隆五十一年去世而造，像重六百九十九两一钱。故宫还收藏了一尊六世班禅坐像，是乾隆四十六年特造供奉，原供于雨华阁西配楼班禅影堂。二者体量大小相当，风格相近，堪称双璧。

章嘉呼图克图这一系统从二世阿旺洛桑却丹（*Ngag dbang blo bzang chos brtan*, 1642～1714年）就开始驻京，并深受清廷的推崇。康熙四十五年受封为国师，成为清代历史上唯一的一位国师。至三世若必多吉（1717～1786年）时，因与乾隆帝有同窗之谊，加之乾隆帝笃信佛教，且章嘉国师学识超人，故深受器重。他对于清宫佛堂建设、法物成造的贡献无人能及。他编纂《诸佛菩萨圣像赞》一书，成为今天研究宫廷藏传佛教的图像学指导书籍，又参与蒙、藏、满文《大藏经》的编译、刊刻出版，帮助乾隆帝将《首楞严经》翻译成满、蒙、汉、藏四种文字刊行，赐给蒙藏各地。他还是清宫藏传佛教寺庙、经堂建设、内部陈设以及法器、佛像、唐卡创作的艺术顾问。他还作为乾隆帝的特使赴西藏参与达赖转世、坐床的工作，对于稳定西藏的政局贡献颇巨，是清代最有名的藏传佛教一代宗师。

本初佛和五方佛

约在10世纪左右，本初佛的理论起源于古印度名寺，重要的金刚乘佛教中心——那烂陀（*Nālandā*）。金刚乘（*Vajrayāna*）的分支时轮乘（*Kālacakrayāna*）首先采纳了这种思想。根据其教义，本初佛无碍，全能，自生，自在，无始无终，是万物的源泉，是最高的佛，也是唯一的佛，其余诸佛由他而生。约在11世纪或稍早，尼泊尔教派也各有建树，创立了自己的本初佛体系，如著名的自性派（*Svābhāva*）等。这些体系或在尼泊尔自生自灭，或影响很小。虽然时轮怛特罗的思想体系在西藏得以流传，直至今日。但是时轮金刚作为本初佛的身份并未被西藏所普遍接受。由于本初佛的思想在印度尚未成熟，印度佛教就被消灭了。所以当这种思想在尼泊尔和西藏进一步发展时，对于本初佛的真正含义，甚至本初佛尊神的认识都出现了分歧。不同的地区、不同的教派主张并采用了不同的本初佛。尽管他们对本初佛的见解不同，但是，他们都主张本初佛是世间唯一的佛，是一切佛的源泉。

本初佛思想的流行很可能与来自中亚的佛教徒有关。当时穆斯林军队在中亚、西北印度势力强大，这些传统佛国的臣民或被灭国后改变信仰，或逃离家园，来到中印度。本初佛思想的发展就是他们对伊斯兰教的一种思想上的抗争。他们并非从根本上否定伊斯兰教教义，而是在反思佛教多神教的基础上，提出与伊斯兰教相对应的一神教的统一思想，是思想界对现实的一种反动。

根据本初佛的理论结构，世界众神是这样产生的：当世界处在完美虚空的状态下时，象征佛法僧的神秘音节*AUM*开始显现，本初佛按照自己的意愿从中而生。开始，本初佛是一团火焰，自莲心而出，作为本初佛的象征。通过它的五种智慧（*prājña*）之能和禅定（*dhyāna*）之行，生出五方佛（*Five Tathāgathas*）。本初佛与五方佛均不下到凡俗世间，真正创造世界和教导世间的是五方佛之子——五方菩萨。而五方菩萨在世间化现为众生的道德导师和佛教领袖则被称为世间佛（*Mānuṣibuddha*）。五方佛住于涅槃（*nirvāṇa*）中，成为抽象化身，是为法身（*Dharmakāya*），五方菩萨"住于净土，体同虹霓"，是为报身（*Sambhogakāya*），其所现的世间佛住在人世间，形象与正常人相同则是应身（*Nirmāṇakāya*）（或称化身）。通过三身佛的介入，五方佛、五方菩萨与世间佛的关系由父子关系变成了完全的统一体。

在西藏，由于本初佛思想输入的时期不同，系统不同，各教派并没有接受统一的本初佛。古老的宁玛派（*rNying ma pa*）以普贤（*Samantabhadra*）为本初佛，嘎举派（*dKar brgyud pa*）和格鲁派（*dGe lugs pa*）更崇尚大持金刚（*Vajradhara*），金刚萨埵（*Vajrasattva*）成为噶当派（*bKav gdams pa*）的最高佛。

五方佛思想的出现代表了从空间上扩大对佛的理解的多佛多佛国思想。怛特罗佛教形成时期，五佛与五蕴、五大（要素）、五识等思想结合，使整个五方佛系统进一步复杂，结构更加严整。加之，五方佛各配明妃，从而构成一个庞大的佛教哲学构架和万神殿。具体列表如下：

五方佛体系

尊名	毗卢佛	阿閦佛	宝生佛	阿弥陀佛	不空成就佛
方位	中央	东	南	西	北
部族	佛	金刚	宝	莲	羯磨
身色	白	青	黄	红	绿
三昧耶形	塔	金刚杵	宝珠	莲花	羯磨杵
印相	智拳或转法轮	触地	与愿	禅定	无畏
台座	狮子	象	马	孔雀	金翅鸟
五蕴	色	识	受	想	行
五大	空	风	地	火	水
五识	眼	耳	鼻	舌	身
五境	色	声	香	味	触
五智	法界体性智	大圆镜智	平等性智	妙观察智	成所作智
明妃	金刚界自在母	佛眼佛母	嘛玛基佛母	白衣佛母	度母
五方菩萨	普贤菩萨	金刚手菩萨	宝手菩萨	观音菩萨	交杵金刚手菩萨
世间佛	拘留孙佛	拘那含牟尼佛	迦叶佛	释迦牟尼佛	弥勒佛

Ādibuddha and *Tathāgathas*

The theory of the *Ādibuddha* originated from the famous Indian monastery *Nālandā*, one of the most important centres of *Tantric Buddhism* around the 10th century. *Kālacakrayāna*, a branch of the *Vajrayāna* Buddhism accepted for the first time the novel idea. According to its teachings, *Ādibuddha* is known as indestructible, omnipotent, self-creative, self-existent, without beginning and without end, and the source and originator of all things. He is regarded as the one sole and supreme god, in himself the first cause of all, the creator and the preserver of the Universe. All of *Buddhas* are looked upon as emanations or derivations from him.

It is believed that the systems of the *Ādibuddhas* was successively established no later than the 11th century in *Nepal*, such as *Svābhāva*. In the course of the time, some of these systems died out on one hand, the spread of some were just restricted to some small schools, even in *Tibet* where the system of *Śrikāla-Cakra-Tantra* was introduced and become hitherto widespread, the concept that *Kālacakravajra* is looked upon *Ādibuddha* is never generally accepted by the schools of Tibetan *Buddhism*. The diversities appeared when the Buddhists in *Nepal* and *Tibet* began strictly to probe into the really philosophic conception of *Ādibuddha* since *Buddhism* was destroyed before the theory of the *Ādibuddha* was consummated. So various gods are worshipped as *Ādibuddhas* in different Buddhist schools or in different areas. In *Tibet*, for instance, *rNying ma pa* worshipped *Samantabhadra* as Ādibuddha; *dKar brgyud pa* and *dGe lugs pa* offered their prayers to *Vajradhara* as the *Ādibuddha*; *bKav gdams pa* held that *Vajrasattva* was the *Ādibuddha*.

According to the system of *Ādibuddha*, all the Buddhist pantheon was created as follows:

When all was perfect void, *Ādibuddha* issue from the mystic syllable AUM at his own will. The first manifestation of him is in the form of a flame of fire emerging on a lotus. By his five *prājñas* and meditation he evolved *Five Tathāgaths*. It was, however, believed that neither *Ādibuddha* nor Five *Tathāgaths* ever descended to the earth. It is *Bodhisattvas*, the spiritual sons of the *Five Tathāgaths*, who possesses the creative and preaching function. *Mānuṣibuddhas*, the incarnation of *Bodhisattvas*, are mortal *Buddhas* who live for a time on earth in order to teach mankind the doctrine. The *Five Tathāgaths* reside in *nirvāṇa* in abstract body called *Dharmakāya*. The *Bodhisattvas* reside in Heaven like rainbow in *Sambhogakāya*, *Mānuṣibuddhas* reside on earth like mankind in *Nirmāṇakāya*.

The pantheon of the *Five Tathāgaths* seem to have evolved in later Buddhism with some influence form the *Sāṃkhya* philosophy. Incorporating with five *skandhas*, five *bhūtas* and five sense-organs. In the Tantric Literature these *Five Tathāgaths* are described with their *śaktis*.

本初佛
Ādibuddha

10

大持金刚

西藏中部　15世纪

铜鎏金，嵌绿松石、青金石和珊瑚　高19厘米

Vajradhara

Central Tibet　15th Century

Gilt bronze with turquoise, lapis lazuli and coral insets

H. 19 cm

大持金刚面如童子相，双手施金刚吽迦罗印(*vajrahuṁkāra*)，各牵莲花(*padma*)一支。莲枝倚双臂外侧到肩头。左肩莲心横置金刚杵(*Vajra*)，右肩莲心置铃(*ghaṇṭā*)。菩萨装束，头戴五叶宝冠，正中冠叶宽大，以松石和青金石嵌成莲心状。耳珰嵌松石。身上璎珞、臂钏、手镯、脚镯等均以精细连珠纹表现，并嵌石，做工精美。上身袒裸，以项链饰，下身着裙，薄衣贴体，不见衣纹。全跏趺坐(*dhyānāsana*)，莲座略扁平，上下沿饰连珠，莲瓣均匀，座面平滑光亮，反映出加工的精细和鎏金水平的高超。带有明显的尼泊尔工艺的影响，可能出于后藏工匠之手。

大持金刚，梵文义为持金刚者。汉文或译为持金刚、金刚持、秘密主等；双身大持金刚也称为秘密大持金刚。从其所持法器铃和杵看，他的起源与著名的金刚手菩萨有密切的关系(详见下文：金刚手菩萨)。在印度最迟到10世纪上半叶大持金刚已经正式有了本初佛的身份，成为印藏佛教中最被广泛接受的本初佛。在西藏的造像或绘画中通常能见到两种形式，单体或双身(*yab yum*)，体色为蓝色，有时为金色。单体时，左手持铃，右手持杵，双手交持胸前，施金刚吽迦罗印。金刚杵象征本初佛所本有的不可破坏，最为坚实的“空”，即终极真理，铃象征智慧(*prajñā*)，像铃声四处传遍。有时大持金刚双手各持莲枝，莲上分立铃和杵。双身时，拥明妃般若佛母(*Prajñāpāramitā*)。佛母右手持钺刀(*Karttṛkā*)，左手持嘎布拉碗(*Kapāla*)。钺刀象征破除无知，嘎布拉碗象征绝对统一。双身拥抱表达了分别与无分别的思想都是错误的，二者的统一如水乳交融，持金刚是最高真实“空”的化身，般若佛母代表慈悲，他们的结合意味着进入了空的境界，同时慈悲出现，虚妄分别消失。这就是密教修行所达到的所谓悲空双运的最高境界，也就是所说的涅槃。

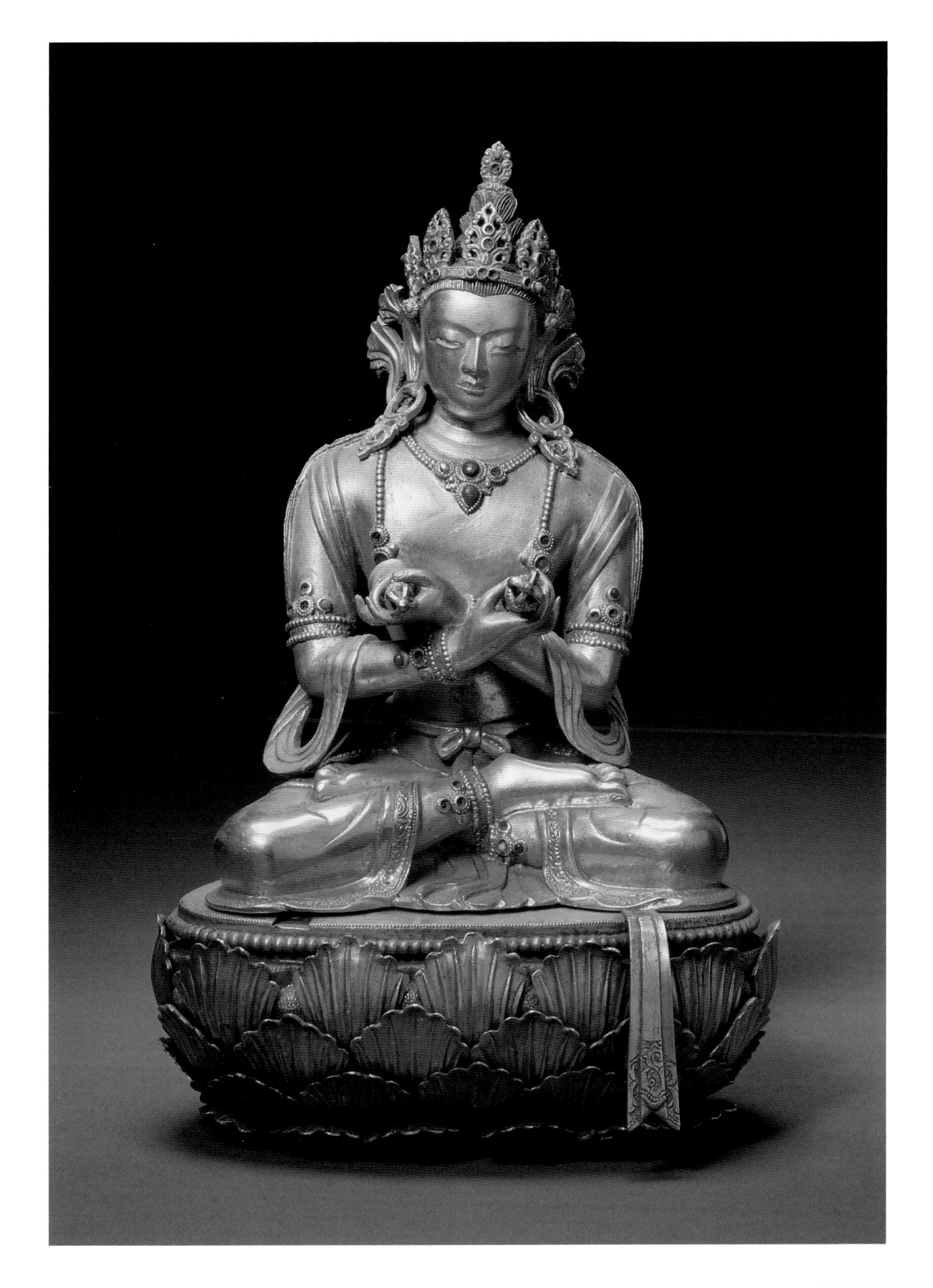

11

大持金刚

北京，清宫内务府造办处
17世纪下半叶至18世纪初
铜鎏金，嵌绿松石、青金石、珊瑚石　高16.5厘米

Vajradhara

The Imperial Workshop in Beijing
Second half of the 17th to early 18th Century
Gilt bronze with turquoise, lapis lazuli and coral insets
H. 16.5 cm

此尊大持金刚与图10在图像学特点上的显著不同是，双手施金刚吽迦罗印，左手持铃，右手持杵，而不是将它们置莲花上。大持金刚额部窄短，呈弧形，鼻梁高直，双目细长，微微下视，表情沉静，身上肌肉平滑有弹性，充满青年人的朝气。头戴五叶宝冠，冠叶分散，互不相连。每叶呈卵形，花瓣图案，中心嵌石两颗。高发髻，发丝清晰。长耳珰垂至肩下，上部是圆圈，下部呈缀珠状。上身袒裸，项链分长短两部分，短的绕项部，嵌石；长的垂至腹部，在乳部嵌石。天衣自双肩而下，过腋下，从肘部绕双臂下至身后座上，再从身下而过，到座前垂落（右边的天衣已经丢失），是典型的明代后期出现的天衣模式。清代康熙以后的造像中均采用了此形式。下身着裙，腰带系扣，而不是尼泊尔式的珠宝腰带。腿上和脚下衣纹简略，裙边有一宽边，阴线刻花为饰。臂钏、手镯、脚镯连珠饱满圆润。最具特色的是它的莲座。莲瓣为立体造型，共分上下四层，均为仰莲式。在最上一层莲瓣间露出细密的莲蕾。座上沿有一圈精美的连珠装饰。他的面相已经有了清代宫廷造像的特点，可以从康熙时期的造像中见到，它的莲座上莲瓣是单片铆上，形式独特，类似的作品存世有数尊之多，在承德避暑山庄，康熙时期所建寺庙内的造像上莲瓣也有相同的做法。其天衣形式，鎏金的亮度以及耳珰的形式与清康熙时期的铜造像相近，又有喀尔喀蒙古的影响，是康熙时期内务府造办处的代表性作品之一。

12

金刚萨埵

西藏中部　14世纪
黄铜嵌石，嵌饰已失　高30厘米

Vajrasattva
Central Tibet　14th Century
Brass, with insets (missing)　H. 30 cm

这是一尊典型的东北印度波罗王朝后期的作品。菩萨装束，面庞方正，鼻梁粗短，双目圆睁，低头垂视。头戴五叶冠，每个冠叶中心原有嵌石。高耸的发髻，顶上饰珠宝。耳后发笄两头呈扇面形，极富特色。其耳珰为双层环形，显得很厚重。上身宽厚，肌肉有力，腰部收细。右手持杵指心，左手持铃置腰间腿上。全跏趺坐于莲台上，莲瓣肥厚。莲台在高方台之上，方台正面有二象，二象间有八辐法轮，象征佛法，形象生动。此像的背光很有特色。拱门式大背光，顶上有佛塔造型；靠佛头部有一大莲花开敷，靠肩部两边各雕类似于鹌鹑的鸟，口中似衔珠串。通常这种形式的背光在这个部位多见摩竭鱼(*makara*)形象。这种背光样式在东北印度波罗风格(*Pāla style*)的造像中最为常见，而且在黑水城发现的西夏唐卡上也可以见到，反映出12世纪的印藏佛教艺术的基本特点。但金刚萨埵的身体匀称而不是东印度的壮硕，五叶冠、缯带的加工略嫌粗略，嵌石过多，背光外圈的火焰纹和头光部份的莲花均缺乏古印度造像中的典雅之气，表明此像可能是14世纪西藏仿波罗风格的作品。另根据清宫原系黄纸签云："大利益番铜旧琍玛金(残)。"此处"番铜旧利玛"指西藏造旧像，代表了当时清宫，准确地说，代表了章嘉国师本人对此像的认识，是比较正确的。

金刚萨埵，在清宫中的名号常译为"金刚勇识佛"，也有意译为"金刚心"的，但很少使用。从其梵文名号看，*Vajrasattva*，*vajra*(金刚，金刚杵)代表"空性"，*sattva*(根本，精神，灵魂)象征纯粹的知识，二者合而为一，表明了此神的本质是纯粹(真正的，永恒的，纯净的)的知识，就像不具有主观性和客观性的空性一样。金刚萨埵在大乘佛教神系中的角色很难界定。从密教无上瑜伽部教义上看，他从阿閦佛(*Akṣobhya*)而生，同时统领五方佛，也被称为第六佛。从图像学上看，他持金刚杵和铃，显示出他的出身与古老的金刚手有密不可分的联系，同时也导致了他与大持金刚经常混淆。藏传佛教中，他有本初佛和菩萨双重身份。在西藏，某些教派认为，大持金刚和金刚萨埵是同一神的不同形象，金刚萨埵更积极活跃，更加关注众生。在《诸佛菩萨圣像赞》和《宝相楼》的众神中，金刚萨埵还有菩萨身份。金刚萨埵菩萨，在前者的神系中，他位居众菩萨之首，在十六大菩萨的组合中，他也是排在第一位的。随着佛教的密教化，他的地位越来越高。在许多怛特罗经典中，面对无数佛、菩萨、天众讲授密法者即是金刚萨埵。在他的宝冠中常有阿閦佛的形象。如果金刚萨埵是立像，那么他的右手掌心立金刚杵于胸前，左手下垂，持铃靠腿。他的本初佛双身形象极少见，多被秘密供奉，鲜为人见。所持法器与单身形象一致，拥明妃*Vajrasattvātmikā*，她左手持嘎布拉碗，右手持钺刀。日本学者认为，白色金刚萨埵，是菩萨而不是本初佛；单身本初佛应是金色。

13

金刚萨埵

西藏中部　15世纪

黄铜嵌石，嵌石已失　高25厘米

Vajrasattva

Central Tibet　15th century

Brass, with insets (missing)　H. 25 cm

金刚萨埵面庞方正，方棱形高眉，鼻梁修直，垂目睇视，面含微笑，表情慈和。头戴五叶冠，正中冠叶为圆形花瓣，两侧冠叶修长，均作花瓣形。值得特别注意的是他双耳上部的花朵装饰，这种装饰从西北印度到藏西的造像和壁画中均比较常见。耳珰上部为圆形，图案是花瓣，下部垂花坠，明代北京的造像正是使用这种耳珰。其胸部过窄，比例失准，上身络腋斜披左肩，衣纹生动，璎珞垂挂，着重写实。天衣自双臂而下，一头飘落身后，一头垂在座前，线条生动流畅。胸前璎珞为连珠缀珠宝形式。下身着裙，裙带是连珠璎珞形式，双腿并不见衣褶，双腿下有简单的衣纹安排。全身除了耳珰，正中冠叶有嵌石痕迹外，其余珠宝璎珞均是铸出，具有浓郁的古典主义气息。全跏趺坐于卷草纹装饰的坐垫上，纹饰刻划很深，反映出做工的精细。下面的莲座莲瓣紧凑，排列整齐。

此像右手并未按传统样式持杵，而是施一种很奇特的手印。根据《造像量度经续补》的解说，不空成就佛有一种手印，右手向上扬掌，拇指与无名指相捻，余三指竖起，手靠胸前，掌心向外，“如幡相”，谓“拔济众生印”，也称为三宝严印。这种手印在不空成就造像中极少见到，美国斯帕尔曼艺术公司（*A&J Speelman, Ltd.*）的一尊立像金刚萨埵右手即施此印，不过同时手中还持金刚杵。此尊造像中，金刚萨埵右手所施的印相掌心向外，大拇指与小指相捻，与“拔济众生印”有些细微的不同。在《造像量度经续补》的解说中，工布查布明确指出：当时所流行的造像经典中描述的这种大小指相捻是一种错误的指法。但是根据此尊造像，我们可以肯定，这种指法的记载并非空穴来风，而是古已有之。这种手印的存在是长期造像中形成的一种习惯性的错误，抑或是工布查布在未能引证更多的资料或者见到更多的早期造像的情况下的想当然之词？无论如何，这种手印与无畏印（*abhaya*）的意义相当，或者可以认为它就是金刚杵的象征。

五方佛
Five Tathāgatha

14

金刚界毗卢佛

西藏西部　11世纪
黄铜　高21.8厘米

Vajradhātu-Vairocana
Western Tibet　11th Century
Brass　H. 21.8cm

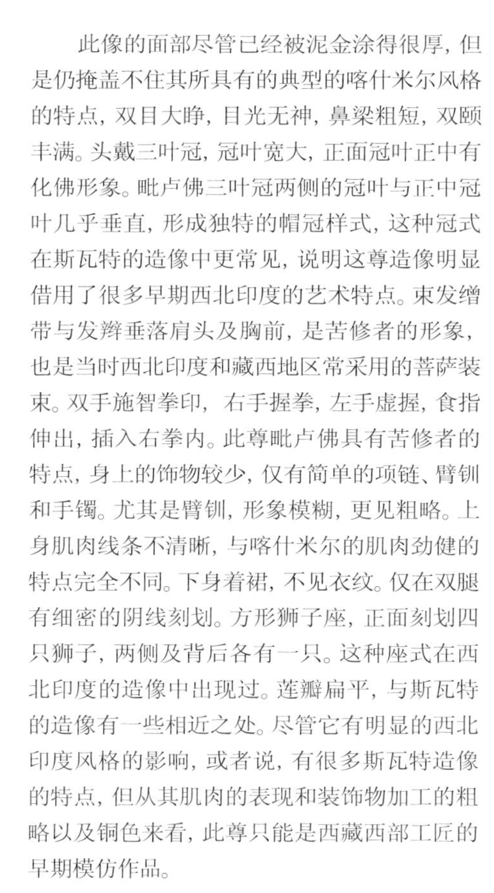

此像的面部尽管已经被泥金涂得很厚，但是仍掩盖不住其所具有的典型的喀什米尔风格的特点，双目大睁，目光无神，鼻梁粗短，双颐丰满。头戴三叶冠，冠叶宽大，正面冠叶正中有化佛形象。毗卢佛三叶冠两侧的冠叶与正中冠叶几乎垂直，形成独特的帽冠样式，这种冠式在斯瓦特的造像中更常见，说明这尊造像明显借用了很多早期西北印度的艺术特点。束发缯带与发辫垂落肩头及胸前，是苦修者的形象，也是当时西北印度和藏西地区常采用的菩萨装束。双手施智拳印，右手握拳，左手虚握，食指伸出，插入右拳内。此尊毗卢佛具有苦修者的特点，身上的饰物较少，仅有简单的项链、臂钏和手镯。尤其是臂钏，形象模糊，更见粗略。上身肌肉线条不清晰，与喀什米尔的肌肉劲健的特点完全不同。下身着裙，不见衣纹。仅在双腿有细密的阴线刻划。方形狮子座，正面刻划四只狮子，两侧及背后各有一只。这种座式在西北印度的造像中出现过。莲瓣扁平，与斯瓦特的造像有一些相近之处。尽管它有明显的西北印度风格的影响，或者说，有很多斯瓦特造像的特点，但从其肌肉的表现和装饰物加工的粗略以及铜色来看，此尊只能是西藏西部工匠的早期模仿作品。

毗卢佛冠中带化佛形象并不很常见，反映的是佛教密宗思想中法身与报身关系。菩萨装的毗卢佛代表报身，小化佛为佛装像，代表法身。这种五方佛冠中出现化佛的情况在台北鸿禧美术馆收藏的一尊明代成化年的毗卢佛造像中也可以见到。在密教后期，当毗卢佛被当作本初佛崇拜时，智拳印的解释如下：右手五指象征构成人的五大基本要素，地：小指；水：无名指；火：中指；空：食指；其他：拇指。左手的食指是本初佛佛焰的象征，代表第六要素末那识(*manas*)。所以此印又称为"第六大印"。

毗卢佛，为梵文音译，全称毗卢舍那佛，又意译为大日如来。此尊最常用的名称是金刚界毗卢佛。在清代宫廷以及各种图像学书中他的译名出入很大，如金刚本性佛、金刚性、金刚性佛、金刚界性佛、金刚界毗卢佛、遍照金刚界等。如此多异名的产生，主要是由于译者对此神梵文名字词义的取舍及译法不同引起的。梵文中，金刚界毗卢佛作*Vajradhātu-Vairocana*。*vajra*，藏文译作*rdo rje*，汉文译作金刚，没有什么分歧。但*dhātu*有"根本要素"、"主要部分"、"灵魂"、"最高精神"等多重词义，因此，产生了"界"、"性"两种译法，连它的藏文对应词"*dbyings*"也一样有这两种含义。*Vairocana*的音译是"毗卢遮那"或"毗卢"，意译是"遍照"等，表现的是太阳神的性格。它可能与中亚地区的太阳神崇拜有关。最早的密教经典《密集金刚怛特罗》首次描述了五方佛曼荼罗的结构，提到了毗卢佛。在尼泊尔，他被认为是五方佛中最早出现的成员，无上瑜伽部密教的五方佛中，他的中心位置有时被阿閦佛所替代。本初佛的概念出现以后，他又成为重要的本初佛成员，但是这种思想在藏传佛教中并没有被采用。随着佛教的发展其变化身增多，最著名的有宏光显耀菩提佛（即胎藏界毗卢佛，禅定印*Dhyāna*）、普慧毗卢佛（禅定印托法轮）、金刚界毗卢佛（智拳印），有佛装与菩萨装两种形象，也有无上瑜伽部的双身毗卢佛。

15

金刚界毗卢佛

东北印度　12世纪
黄铜，嵌绿松石、珊瑚、青金石、珍珠，错嵌银、红铜
高22.5厘米

Vajradhātu-Vairocana

Northeastern India　12th century
Brass with silver and copper inlay and turquoise, lapis lazuli, coral insets
H. 22.5 cm

毗卢佛施智拳印，全跏趺坐。由于涂抹过厚，此尊造像已经变得眉目不清。但是还可以看到鼻梁修长，眉眼细长，面庞宽厚。头戴典型的波罗王朝晚期特点的高且尖锐的三叶冠，冠叶为三角形，周边以细连珠纹装饰，中间是嵌石花枝图案。两边耳上各戴花朵。这种装饰从西北印度、西藏西部直到东北印度、西藏中部均十分流行。项链有两道，最外一道悬挂珠饰。双肩宽厚，腰部细收，身体健壮有力。臂钏和手镯均装饰华丽。腰部的系裙带以一道阴线表示出来，是这一时期波罗风格的特点。双腿光滑，不见裙褶，下摆处厚衣纹以银线错嵌。坐垫很厚，四边嵌次宝石及珍珠，如此大面积使用嵌石装饰在波罗王朝十分罕见，因为波罗风格中只是偶尔使用嵌石作为装饰。更令人惊叹的是它的半圆形台座形式。在一层层向外伸展的台座正面镂空雕出一组形象，其中最明显的是毗卢佛的坐骑——两头狮子(立姿)。两头狮子的中间及两边是圆柱环绕式的回廊，每两柱间坐一菩萨形象，背面为莲枝圆圈8个，每个中也各坐一菩萨形象。可能是毗卢佛的眷属。这种带有写实倾向的台座形式可以使人联想到印度现存的大型寺庙建筑和石窟寺的回廊。台座下沿有一圈阴刻填黑漆梵文题记，内容包括对毗卢佛的赞词及诸品咒。它属于一组五方佛造像，是目前所见到的波罗风格中最精美的作品之一。

16

金刚界毗卢佛

西藏中部　14～15世纪
黄铜，嵌绿松石、青金石、珊瑚石　高32.7厘米

Vajradhātu-Vairocana
Central Tibet　14th to 15th century
Brass with turquoise, lapis lazuli and coral insets　H. 32.7 cm

毗卢佛施智拳印，右手食指、左手小指伸出持法轮（*cakra*）。面庞清秀，眉眼细长，垂目睇视，白毫嵌松石。头戴三叶冠，准确地说，是一种介乎于三叶冠与五叶冠之间的冠式，中叶两边分出两枝，在两边冠叶间还有珠饰，像小冠叶，反映出一种新的审美趣味。上身袒裸，肌肤光滑，代表青年的形象。天衣从头部后面呈环形而下，绕双臂飘落身体两侧，其两端均以细条固定，这种天衣形式以及天衣两端的加固形式是典型的西藏中部风格的特征，有一种独特古典气息。但是从这件作品本身却可以明显感受到新的艺术影响正在改变西藏艺术古拙的特点，或者说，此件造像出现了新的艺术特点 。项链尽管十分简略，但是连珠细长，珠粒精致，臂钏菱形图案，精美而不失典雅。从袒裸的上身看到的是青春光滑、富有弹性的肌肤。短裙紧贴双腿，绝无衣纹，仅在双腿间有规则的重叠衣褶，下摆有宽边，以阴线刻划装饰。莲座表面光滑平整，莲瓣宽厚规则。从冠叶到莲座，整件作品加工精细，线条明快柔和，尤其是人物所散发出来的青春气息，则是尼泊尔艺术中所独有的，可以相信，这件作品有尼泊尔艺术影响的存在，反映出这一时期，西藏艺术变化的新趋势。

佛教传统中，毗卢佛的形象尽管变化不大，但是其宗教思想却随着密教的进展而不断丰富，表现在图像学上，不同阶段的毗卢佛变化主要体现在其手印的变化。图14、图15和图17毗卢佛主要是代表瑜伽部金刚界毗卢佛的思想，以智拳印为特征；在行部密教中，此尊为禅定印捧法轮的形象。而此尊造像中毗卢佛施智拳印，同时持法轮，这可能与金刚界毗卢佛即有智拳印又有转法轮印有关，是极为独特的图像学特征。

17

金刚界毗卢佛

西藏中部　17～18世纪
黄铜　高16厘米

Vajradhātu-Vairocana

Central Tibet　17th to 18th century
Brass　H. 16 cm

此尊毗卢佛具有喀什米尔艺术的主要特征：双目大睁，鼻梁粗短，面含稚拙的微笑。头戴三叶冠，冠叶以及冠沿均饰以细密连珠纹，佛冠线条柔和，雍容华贵。耳后的缯带对称飘荡，耳上及耳珰饰花成为这一时期的风气。上身几乎赤裸，项链珠粒历历可数，臂钏靠上臂，接近腋下，装饰华丽精美，显然是印度教造像影响的结果。下身着裙，阴线刻划衣纹，此风直接影响到后期造像。双手施智拳印(*Bodhyagrī*)，全跏趺坐于垫上，下面是山石座。山石座由大小不一的山石不规则地排列而成，正面两角各跪一位供养人，穿不同样式的袈裟，似为僧人形象。正中一狮伸出头来，作窥探状，极为生动。这种座式是这一时期最主要的两种座式之一，属喀什米尔艺术家的独创，采用此座式的佛造像多属精工细琢之作。细察此尊造像铜色新，有明显黄铜烧古痕迹，线条绵软，很可能是拉萨雪堆白作坊的仿古之作。

此像进入清宫廷后配有紫檀木龛，龛后有满、蒙、汉、藏四体文题记，汉文云："乾隆十七年六月初九日，钦命章嘉胡土克图认看供奉大利益梵铜琍玛毗卢佛。"清宫当时辨识年代产地有误。

18

阿閦佛

东北印度　12世纪

黄铜，嵌绿松石、青金石、珊瑚、珍珠，错嵌银、红铜

高19厘米

Akṣobhya

Northeastern India　12th century

Brass with pearl, silver and copper inlay and turqoise, lapis lazuli, coral insets　H. 19 cm

对比图15，可以肯定二者是五方佛中的成员，且艺术风格也完全一致。最明显的区别是台座正面代表阿閦佛的坐骑——两头大象，大象均正面朝外，长鼻垂地，二獠牙突出，十分生动。其背面做工也极为精美。台座下沿有一圈阴刻填黑漆蓝扎体的梵文咒。

阿閦佛，也译为不动佛，其起源可以追溯到初期大乘佛教经典，后来并入五方佛系统，代表大圆镜智，居东方妙喜国土(*Abhirati*)。金刚族诸神之主尊、大多数金刚忿怒尊神(本尊或护法)均被认为是此尊的化现。其典型的图像学特征：右手触地印(*bhūmisparśa*)，左手禅定印，全跏趺坐。

19

阿閦佛

北京　明宣德时期（1426～1435年）
铜鎏金　高25.8厘米

Akṣobhya

Beijing　Xuande Period (1426~1435), Ming Dynasty
Gilt bronze　H. 25.8 cm

此尊阿閦佛右手施触地印，左手施禅定印，掌心立金刚杵，表明他作为金刚部主的身份，是典型的明代永乐、宣德时期的作品，其特征很明显，面庞方正，鼻梁修直，双目细长，垂眸睇视，面含温厚的笑容。头上的五叶冠正中一叶特别肥大，两侧各出一支珠串。耳后的束发缯带呈S形上卷，线条十分生动。耳珰上部分圆形，中心为八瓣花形式，下部还有珠坠。胸前的项链分为两部分，靠近项部的短项链最为复杂，中间垂下三根珠串，两边对称悬挂U字形珠串，两边外侧还各有一长珠串，再向外两侧又悬挂U字形珠串，较短，排列的规律性很强。呈倒葫芦形的长璎珞，垂落到腹上部。这种璎珞的布局是典型的永乐宣德时期的模式。天衣自双肩而下，绕臂后垂落身后座上。裙带是尼泊尔式的璎珞宽带式，双腿衣褶对称，但并不呆板，线条更近写实，这是汉族工匠的技术特点。莲座宽大，上下沿连珠纹装饰，珠粒匀称精圆，莲瓣头部上卷，出卷草纹，是永宣时期造像较常用的形式之一。座前台面上有六字款："大明宣德年施"。特别值得注意的是，此像有背光，这是明代造像中比较少的例子，背光周边以大而疏朗的卷草纹装饰，整体呈葫芦形，与15世纪的风格完全不同，年代偏晚，可能是后配。整件作品，通体鎏金明亮，加工精细，代表了明代宫廷造像艺术的最高水平。

20

宝生佛

东北印度　12世纪

黄铜，嵌绿松石、青金石、珊瑚、珍珠，错嵌银、红铜

高22厘米

Ratnasambhava

Northeastern India　12th Century

Brass with silver, copper inlay and turquoise, lapis lazuli, coral, pearl insets　H. 22 cm

此尊宝生佛与图15毗卢佛、图18阿闳佛同是一组五方佛的成员，整个作品的精美程度也毫不逊色，应是同一工匠所做。冠叶、冠边、眸子、白毫、项链、束发的缯带、脚踝裙摆处错银，下唇、胸前袈裟衣缘及圣索部分错红铜丝，均反映出当时波罗风格晚期十分流行的装饰样式。右手施与愿印（*varada*），手心有法轮标志。由于没有泥金，所有面部特征可以看得很清楚，双眉为深阴线，双目细长，面庞浑圆，下颏微凸，线条圆润丰满。眉间的错银白毫十分醒目，鼻翼很窄，愈显鼻翼修长，眉宇间庄严温厚。双肩宽，胸肌厚，腰部结实，身体健壮有力。其莲花座下面的半圆形台座的形式和装饰内容也基本相同，正面两匹马的形象代表宝生佛的坐骑。台座下沿有一圈梵文咒。整个作品的嵌石和嵌珍珠以及错嵌银丝和红铜丝的华丽仍是引人注目的特点。

原清宫所系黄纸签云："大利益梵铜琍玛昭释迦牟尼佛。嘉庆四年十月十六日收，班禅额尔德尼进。""昭"字是藏文*jo bo*的音译合声，现在出版物中也读作"觉卧"，义为尊者，或指报身像的佛。嘉庆四年是1799年，此班禅额尔德尼当指第七世班禅丹必尼玛（*bStan pavi nyi ma*，1781～1853年）。

宝生佛或名宝胜佛，五方佛中居南方，是五方佛中宝族诸神的主尊。代表平等性智，佛装或菩萨装。基本手印是右手施与愿印，左手施禅定印，全跏趺坐。

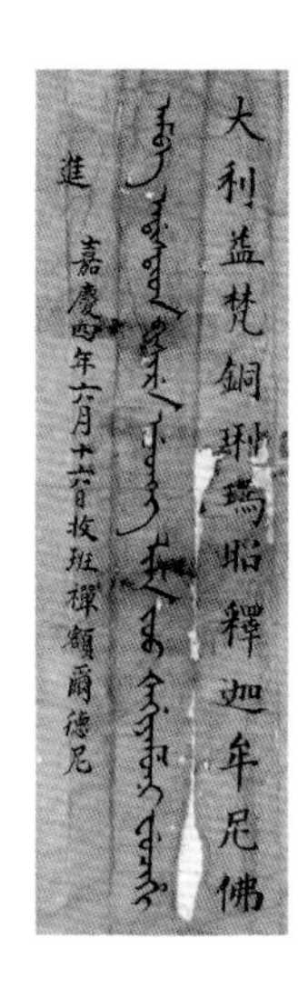

大利益梵銅琍瑪昭釋迦牟尼佛

嘉慶四年十月十六日收班禪額爾德尼進

21

宝生佛

西藏中部　14世纪

黄铜，嵌绿松石、青金石、珊瑚石　高33.5厘米

Ratnasambhava

Central Tibet　14th century

Brass with turquoise, lapis lazuli, coral insets　H. 33.5 cm

此尊宝生佛像具有典型的西藏中部风格特点。面部因为泥金过厚特征已经不太明显，但是它的发髻高耸，显得十分夸张，高冠叶，正中冠叶的中心是花饰，两边出串珠，冠叶之间有线条相连接，是西藏中部早期造像艺术最重要的特色之一，与拉萨附近聂唐卓玛拉康造像风格一致。束发缯带上卷，离开头两侧较远。天衣与背光似乎有混同的趋向，从头后部飘起，呈拱门式，在肘后部固定，经身体两侧飘落到两腿外侧。天衣上阴线刻划条格，条格中间刻划小花朵为饰。这种僵直的天衣形式与背光一样，是一种程式化的模式。项链分三层。第二层项链缀璎珞，璎珞分布十分疏朗，线条简约而不失典雅，双臂钏以大花为饰，也有同样的效果。项链、臂钏、手镯、脚镯以及裙摆均是连珠装饰，连珠细密精致，代表了西藏中部艺术成熟时期的风采。莲花座宽扁，莲瓣肥大，莲座下沿有一圈大的连珠装饰。整个作品铜色润泽，表面平滑，反映出极高的艺术水平，同时也可以看出西藏早期造像艺术中稚拙的审美趣味。

22

无量光佛

东北印度　12世纪

黄铜，嵌绿松石、珊瑚、青金石、珍珠，错嵌银、红铜

高21.5厘米

Amitābha

Northeastern India　12th century

Brass with silver, copper inlay and turquoise, lapis lazuli, coral, pearl insets　H. 21.5 cm

从图片上可以清楚地看出来，此尊造像与图15、图18和图20是一组五方佛的成员，据此我们断定，它是无量光佛而不是无量寿佛。双手禅定印，全跏趺坐。从其半圆形台座正面的雕饰中我们可以找到他的坐骑两只孔雀。孔雀作回首欲啄状，十分生动。两孔雀间坐四臂观音，为无量光佛的法子。尽管我们对其他各位的形象研究还没有十分深入，但是可以认为这些手持各种法器的菩萨可能表现了以无量光佛为中心的曼荼罗。

无量光佛和无量寿佛，在汉文译名中均称为阿弥陀佛。无量光佛的起源可以追溯到大乘佛教时期，是一尊古老的具有太阳神神格的尊神，其出生地可能是在西北印度或中亚地区。无量光佛和无量寿佛起源不同，随着佛教的发展，二者的概念重合，印度后期经典中二者已经混同，在印度、中国和日本，他们均被看作是同体异名，但在藏传佛教中，他们是不同的两尊神。

在五方佛系统中，无量光佛侧身其间，无量寿佛是其化身，代表寿命的延长，因而广受信仰，因其世俗的功利性较无量光佛大得多，所以其名号广为人知。二者的图像不易区别，一般来说，无量寿佛双手禅定持盛满不死甘露的寿瓶（*kalaśa*）。但是，应当注意的是，仅从这个特征来区别他们有时是不够的，因为很多的无量寿佛不持甘露寿瓶，而有些无量光佛也持甘露寿瓶。只有当无量光佛居五方佛中，或者他们各有伴神时才能将他们区分开来，如：无量光佛的伴神为金刚手菩萨，莲花手菩萨；无量寿佛的伴神为尊胜佛母和白度母。无量光佛只有红色身，由于无量寿佛广受信仰所以变化身颇多，除了常见的红色身外，还有白色和黄色等。

23

无量寿佛

西藏中部　15世纪

铜鎏金，嵌绿松石、青金石、珍珠　高23厘米

Amitāyus

Central Tibet　15th century

Gilt bronze with turquoise, lapis lazuli and pearl insets

H. 23 cm

无量寿佛双手施禅定印，并特别强调他的两个拇指相触。全跏趺坐于莲台上。鼻梁窄而修直，双眉高挑，双目细长。头戴精致的五叶宝冠，宝冠正中一叶是金翅鸟的形象，极为罕见。按照《造像量度经续补》的观点，金翅鸟代表慈悲，与无量寿佛的神格正好相应，但是这种独特的形式可能多少与尼泊尔密教有关系。耳后束发缯带自然飘落，轻盈优雅。上身袒裸，由于鎏金明亮，表面润泽，加之肌肤线条柔和而且富有弹性，表现出青春的身躯。项链及所缀璎珞精美和细致程度足以与明代永乐和宣德时期的作品相比。只是前者镶嵌珍珠和绿松石，而明代造像所有璎珞部分均是铸出，并不是镶嵌，反映出汉藏审美趣味的不同。裙衣贴体，身上不见衣纹，只是在双腿下的座上有很少的衣褶表现出来。脚踝处的裙摆按照传统以连珠纹表现，与脚镯混为一体。从背后看，头后部的一绺头发挽起，别在束冠带后，又垂落下来，生动有趣。系裙带在腰下部两侧各系一活扣，完全写实，线条自然生动，不觉其繁琐。莲座为椭圆形，莲瓣饱满。其底板有交杵图案，并施以泥金装饰。这种装饰方法表明此像极有可能来自后藏地区。从整个作品鎏金明亮，做工细腻，线条流畅的特点来看，有明显的尼泊尔艺术的影响，是这一时期西藏艺术代表性的作品之一。

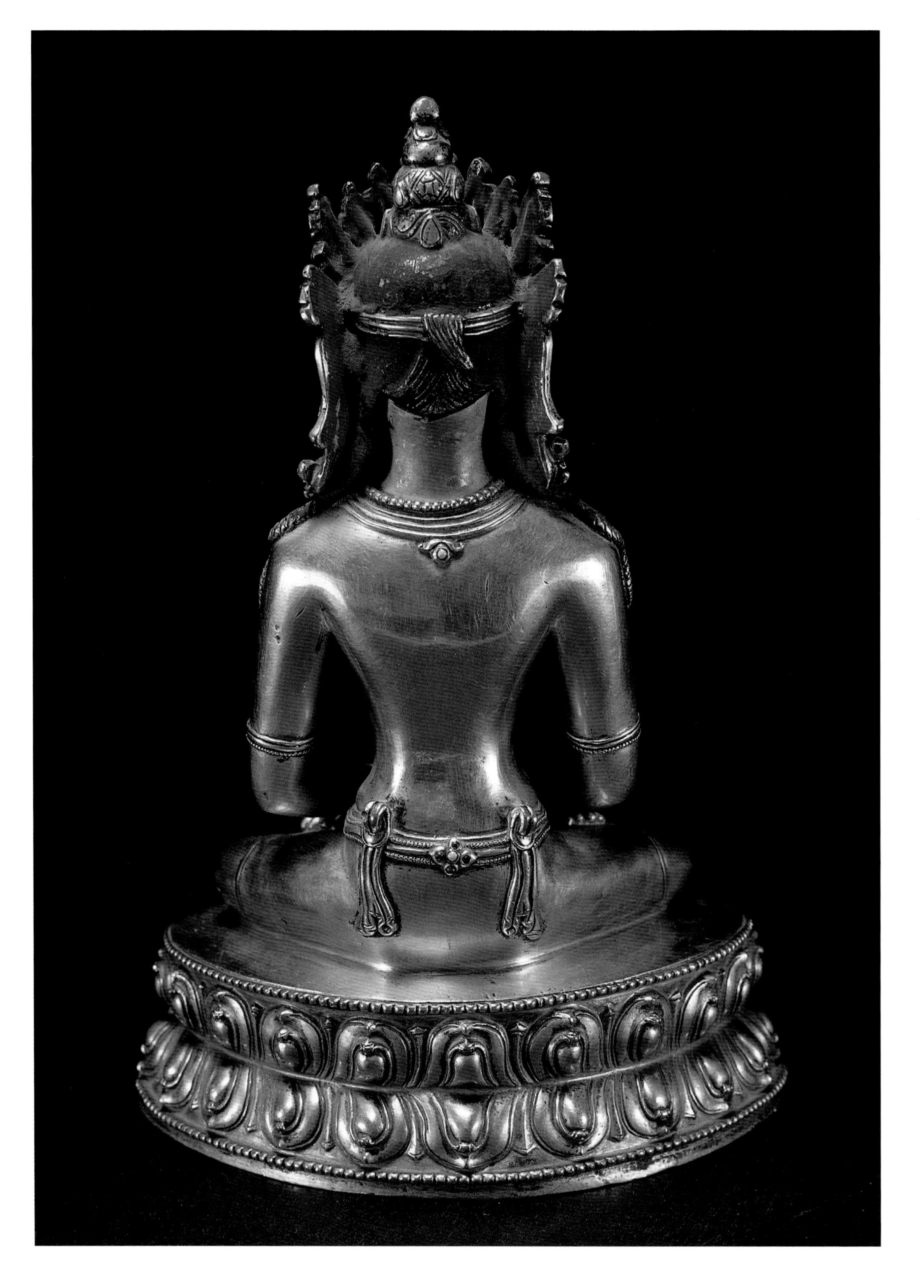

24

无量寿佛

内地　15世纪
黄铜鎏金　高26厘米

Amitāyus

China inland　15th century
Gilt bronze　H. 26 cm

无量寿佛面庞方正，垂眸下视，面含微笑，表情庄严慈和。头戴五叶宝冠（正中一叶损坏），葫芦形发髻，顶上有宝珠，这是汉地佛陀发髻形式化的造型。圆形花朵式的耳珰是明代永乐和宣德时期铜造像经典的形式之一。长发披落肩头，上身袒裸，胸前缀满繁复的璎珞。双手施禅定印，捧精美的甘露瓶。天衣从两肩而下，绕双臂肘间飘起，再绕臂而下，垂落身后，线条轻盈，质感强烈。下身着短裙，全跏趺坐姿，裙摆在腿上形成富有变化而又自然写实的褶痕，这正是永乐和宣德时期造像最体现功力的细节之一。座面阴刻："大明宣德年施"，字体粗劣，为伪款。莲台为双层仰覆莲式，莲瓣头上有卷草纹，非常精细。底板失，内膛刻有"三"字，很可能是当时工匠刻划的记录件数的符号。

此像是1949年以后故宫博物院新收藏的，与清宫旧藏的作品基本没有作假，伪款少的情况有所不同。从宣德年题刻来看，明显是后人添刻；但从整个作品的艺术风格和水平来看，却与明永乐、宣德时期的造像接近，因此，此像很可能是明代宫廷的原作，由后人加刻题款，以提高身价。

25

立像无量寿佛

西藏中部　18世纪末至19世纪

红铜，错金银丝，天衣、宝冠鎏金　高85厘米

Amitāyus

Central Tibet　Late 18th to 19th century

Copper, with silver and gold inlay and gilt crown and veil　H. 85 cm

菩萨装的无量寿佛双手捧甘露寿瓶，赤足直立于莲台上，造型更像一位佛身边的供养菩萨，而不像是无量寿佛。五叶冠很高，冠叶为花枝状，涂色以像珠宝之形，这是晚期西藏及蒙古地区造像中常用的装饰方法，可能是为了降低成本。耳后束发缯带U字形上扬，离开头部较远。大耳珰垂到肩部，耳珰拉长是晚期造像的一个特点。天衣从双肩而下，先绕大臂，后绕小臂，垂落身体两侧，然后再向上卷起，有临风飘曳的感觉，但是由于两边完全对称，略显呆板。下身着双层裙，外层短裙长至膝部略上部分，从裙带垂下的璎珞直到裙下摆；里层长裙直到脚踝上部。内外长裙均紧贴双腿，身体两边的裙边也粘连在一起。裙面上阴线刻大花枝图案，并错嵌金银丝。这种错嵌金银的工艺在拉萨雪堆白作坊的造像中十分流行。圆形莲座，单层覆莲。

清宫廷所系黄纸签云：“达赖喇嘛呼毕勒罕另进扎什琍玛无量寿佛一尊。共五尊。”这是当时达赖喇嘛的转世灵童进贡的五尊铜造像之一。无量寿佛的造像很多，但是立像却极为罕见。此像有清宫旧配的披肩和裙子，当是进宫后奉旨装饰的。

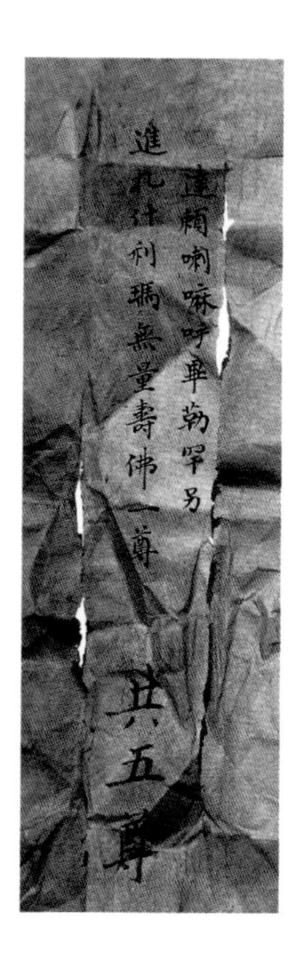

達賴喇嘛呼畢勒罕另
進扎什利瑪無量壽佛一尊
共五尊

26

同侍从无量寿佛

西藏中部　16世纪
黄铜，错嵌金、银　高27.5厘米

Amitāyus with attendants

Central Tibet　16th century
Brass with gold and silver inlay　H. 27.5 cm

无量寿佛双手禅定印坐莲台上。莲台在粗壮的莲枝主干之上，主干正面所出的旁枝卷曲成如意宝珠形。主干立在圆盘形的"地面"上，地面四周以规则的"石块"堆砌而成。在"地面"上，主干两侧分别长出另外两支莲枝，令人联想到它们可能是从主干上生长出来的。在两支莲枝上分别坐着手印、法相完全相同的菩萨，双手合十施礼敬印(*namaskāra*)，游戏坐(*lalitāsana*)，可能是供养菩萨的身份。主干上的无量寿佛面部泥金很厚，显得面庞丰满。络腋自左肩斜披至右肋部，天衣自肩而下，绕大臂至身后，然后再飘然而起于身后两侧。身上和手上的璎珞都很小，但连珠细腻。双腿的裙面上，以阴线刻划并错金银丝，将裙面分成几部分，每部分中有错金银点组成的花朵图案，这种工艺明显与尼泊尔艺术有关。莲座的上下均是单层扁平莲瓣。特别引人注目的是其具有波罗风格的背光形式。背光分为三部分，最上面是佛塔形式，佛塔下方，佛头部背后是圆形头光，头光以下共两层，显然是仿照印度传统大佛塔建筑前所立的栏楯的建筑形式，栏楯的两头各有供养小佛塔，上下共六座。这种形式的座式在印度并不多见，可能是西藏工匠对印度传统背光的改造变化形式。总的看来，这尊造像铜色新，表面有烧古痕迹，应当是拉萨雪堆白作坊仿早期古代印度造像的作品。

此像上有清宫所贴满、蒙、汉、藏四体文字白绫签，汉文云："利益番铜琍玛同侍从无量寿佛。"

27

莲花式无量寿佛曼荼罗

西藏中部　18世纪
黄铜　高31厘米

Amitāyus Maṇḍala
Central Tibet　18th century
Brass　H. 31 cm

根据西藏俄寺的曼荼罗唐卡，无量寿佛的曼荼罗属于密教事部最常见的曼荼罗之一。此件是西藏流行的莲花式曼荼罗，上部为莲蕾形式，中空，分为8瓣，可以开合，内藏曼荼罗。莲蕾在莲台之上，莲台两侧有日月之形，以示天界。天界与圆形地界或水界的连接是粗大的莲枝主干，主干两边各出两支干，支干卷曲成优美的圆形，最上两枝向上托起日月之形。下面的地界和水界代表六道轮回中的人世间，实际上，这种构图与西藏常见的须弥山图一样，只不过将最上面的须弥山换成了内含无量寿佛的曼荼罗而已，二者在宗教意义上也是相通的。

无量寿佛曼荼罗构成比较简单，由9尊无量寿佛组成，中心坐菩萨装无量寿佛一尊，其余8瓣内侧也各坐无量寿佛一尊，均施禅定印，双手捧甘露寿瓶。9尊无量寿佛虽然形象一样，但名号各异，根据曼荼罗的方位，排列如下：

中心为宏光无量寿佛（*rNam snang tshe dpag med*），他所面对的一瓣为金刚无量寿佛（*rDo rje tshe dpag med*），代表正东方向，以下依顺时针方向，各瓣所供分别是：德行无量寿佛（*Yon tan tshe dpag med*），代表东南方向；珍宝无量寿佛（*Nor bu tshe dpag med*），代表正南方向；智慧无量寿佛（*Ye shes tshe dpag med*），代表西南方向；莲花无量寿佛（*Pad ma tshe dpag med*），代表正西方向；不动无量寿佛（*Mi g-yo tshe dpag med*），代表西北方向；智行无量寿佛（*Las kyi tshe dpag med*），代表正北方向；普明无量寿佛（*Kun gzigs tshe dpag med*），代表东北方向，从而构成一个完整的曼荼罗世界。

28

九尊无量寿佛树

西藏中部　18世纪
黄铜，错金、银丝　高39厘米

Nine *Amitāyuses*

Central Tibet　18th century
Brass with gold and silver inlay　H. 39 cm

在一棵大树的旁枝上坐着9位无量寿佛，大树根部立在大海之中，大海四周环绕着高山。与我们见到的须弥山的模型　样。与图27的曼荼罗形式结构一致。旁枝上坐着的9尊无量寿佛也与图27的曼荼罗可以对照，只是一个是立体，一个更近于平面。正中坐的是宏光无量寿佛，正下方，即无量寿佛所面对的方向，是曼荼罗的正东方，背后是正西方，它的左边是正北方，右边是正南方，其余方向可以依次推断出来，各尊名号也就依次排定。在藏传佛教艺术中，平面的组合神往往表现了具有立体曼荼罗同样的象征，并且蕴含着丰富的宗教内容，需要特别去领会。

29

不空成就佛

西藏西部　11世纪
黄铜，错嵌金丝　高25.6厘米

Amoghasiddhi

Western Tibet　11th century
Brass with gold inlay　H. 25.6 cm

不空成就佛右手施无畏印，左手禅定印置全跏趺坐的双腿之上。阴线刻双眉，双目细长，鼻梁窄长，下颏鼓出，笑容古拙。戴三叶冠，冠叶呈三角形，并与发髻相连。耳后束发缯带沿双臂外侧而下，长至肘部，与身体两侧飘然上扬的天衣相连，形成一道奇特的曲线环绕在身体两侧。袒裸的上身，胸肌劲健有力，小腹部的四块肌肉突出，表现出很强的肌肉感。这与喀什米尔风格中的人物肌肉表现方式完全一致。项链和臂钏很简单，只以一根短连珠代表，鎏金。下身着短裙，裙面上以不同的宽条带状的花纹装饰，其间错金。从双肩披落的长发、简单的装饰来看，不空成就佛的形象更接近苦修者。苦修思想与密宗、密法在西北印度的广泛传播有不可分割的联系，西北印度佛教神秘主义色彩很重，且多出密宗大师也与这种文化背景不无关系，著名的如莲花生大师就来自这一地区。莲座近圆形，莲瓣饱满。莲座置方形高台上，高台如石窟寺的入口形式，四根柱子支撑四角。正面雕一只金翅鸟，代表不空成就的坐骑。背光高大但很单薄，上面部分是头光，有阴线刻划的火焰纹装饰，下半部分圆弧是素面，这种简化的背光形式在西藏西部广泛使用，与喀什米尔的造像完全不同。此像很有可能是西喜马拉雅山地区喜马偕尔邦一带的作品。

清宫所系黄纸签云："大利益梵铜琍玛成就佛。乾隆六十年十二月二十五日收，留保住进。""留保住"是活计档中的不规范写法，在官方文件中写作"留保柱"，清代驻藏大臣，在乾隆四十一年至四十四年，五十年至五十二年两次驻藏。此像是他二次驻藏回京以后所进。

30

不空成就佛

东北印度　12世纪
黄铜，嵌绿松石、青金石、珊瑚、珍珠，错嵌银，红铜
高21.5厘米

Amoghasiddhi

Northeastern India　12th century
Brass with silver, copper inlay and turquoise, lapis lazuli, coral, pearl insets　H. 21.5 cm

很明显此尊不空成就佛与图15的毗卢佛、图18的阿閦佛、图20的宝生佛和图22的无量光佛均是一组五方佛的成员。其造像的艺术特点与上面四尊完全相同。三叶冠中左侧的冠叶残断。半圆形座下的浮雕形象与前面几尊不同，正面有不空成就佛的坐骑——金翅鸟。金翅鸟为人面鸟身，双手合十，施礼敬印，身后有二翅，足为鸟爪。这种形式的金翅鸟在西藏拉萨的建筑上和一些装饰上均被采用。

不空成就佛在五方佛中居北方，羯磨杵（交杵）为其象征，是羯磨部众神的主尊，代表成所作智，一般施无畏印。左手掌心立交杵，此尊不见交杵，但有八辐轮。

本尊

*Yi dam*这个藏文词译为“本尊”，日本学者常译为“守护尊”。本尊是佛教神系中很独特的一个群体。从《三百佛像集》、《诸佛菩萨圣像赞》二书的分类看，本尊的地位在印度和西藏祖师、本初佛之下，五方佛、般若佛之上，地位极高。在清宫，本尊名号后面经常冠以“佛”字，表明本尊神地位的崇高，与佛同属一类。但是在西方出版物中，本尊的位置常排在护法神的前面，这种安排在学术界很有代表性。本书的编法主要遵从章嘉国师的体例，将其列在本初佛之后。

在佛教金刚乘时期，密教修行中某人或某寺院或某教派依止的某一位尊神或主要观想的曼荼罗中的主尊均成为本尊。在西藏佛教中，每位喇嘛都有自己专门的本尊，作为自己的保护神。本尊可以分为“限于特别要求的祈愿”和“一生持念”两种。如果修行者想请某尊神作为自己的本尊，必须经过隐居、禅定或苦修，本尊神接受请求之后，他就会在喇嘛的禅定中或梦中出现。世俗信徒也可以通过喇嘛的请求得到本尊的保护，他们不能直接向本尊神对话，只有经过喇嘛的帮助才能实现。

几乎所有本尊都有青色身，忿怒相，多面多臂或多足，原则上都有自己的明妃，即双身形象，但是并非所有的本尊都是双身形象，如威罗瓦金刚就有单身形象的独雄威罗瓦金刚，也是本尊。另有些女尊也常常作为本尊，如：咕噜古列、空行母、摩利支等。普遍观念认为，双身本尊更威猛，能给崇奉者提供更强有力的保护，满足更多的意愿。多臂多足的忿怒形象则是威力和功能的外在表现。

由于本尊是个人或教派所选，所以，本尊神的范围变得很宽泛，概念容易模糊。有些神，如大黑天、金刚亥母、摩利支等，属于低级神，但是时常又是本尊，这在西藏传记和史书中每每可以见到。本尊神的来源主要有两种，一种是专职的本尊神，如时轮金刚、上乐金刚、密集金刚、喜金刚、大幻金刚等，另一种是兼职本尊神：其是否是本尊神要视情况而定，当他属于曼荼罗的主尊，或处于双身状态，或者被某人或某教派独尊为本尊时，他就是本尊，在其他情况下，他只是一位普通的尊神。这些神主要包括双身像的五方佛、金刚手菩萨化现的大轮金刚手、文殊菩萨化现的阎曼德迦、库贝罗化现的布禄金刚等。本尊神中，双身五方佛、密集金刚和大白上乐等尊均着菩萨装，面呈慈和相；其他以护法神的装束为主，面呈忿怒相。

在佛教后期，西藏本尊的范围有扩大的趋势，成员越来越多，情况越趋复杂。从密集金刚开始的本尊神显教的色彩还十分浓厚，但是在上乐金刚、喜金刚等嘿鲁迦系(*Heruka*)的守护尊形成以后，印度教湿婆神的成分被大量使用，如象的生皮、虎皮裙、盛满鲜血的嘎布拉碗、身上绕蛇(*Nāga*)等，神秘主义的色彩进一步加重。

这里所选的只是西藏各派最为重要的本尊。一般而言，西藏各派对本尊神有所偏爱，宁玛派以马头金刚(及其化现的橛金刚)为最重要的本尊；嘎举派更崇拜上乐金刚，将它列为首选本尊神；萨迦派的喜金刚地位最高，是此派无可替代的本尊；格鲁派以密集金刚、上乐金刚和大威德金刚作为本派最重要的三大本尊等。

Yi dam

Yi dam is a special group of the pantheon in Tibetan *Buddhism*. As far as its status in Buddhist pantheon is concerned, it is catalogued behind Indian and Tibetan priests and *Ādibuddhas* and in front of Five *Tathāgatas* and *Manuṣibudhas* according to the 300 Icons and *Chu-Fo-Pu-Sa-Sheng-Xiang-Zan* by *Lalitavajra*, the third incarnation of *lCang skya Hutuktu*. In the imperial temples, *Qing Dynasty*, at the end of the Chinese name of each *Yi dam*, *"Buddha"(Fo)* is added, implying that they equally match the rank of *Buddhas*. In western publications it is always a representative tradition to assign them before *Dharmapāla*. In this book the tradition of Tibetan pantheon introduced in the *Lalitavajra*'s two works will be abided. In the process of the practice of the esoteric *Buddhism* a lama, a school or a monastery choose his own *Yi dam* as his protector. If a lama in *Tibet* wish to put himself under the protection of a special *Yi dam*, either for his lifetime or for some special undertaking, he has to prepare himself for the event by solitude, meditation and asceticism. Once *Yi dam* accepts his desire, he will reveal at the proper time in his dream, or his meditative state. It is possible for a layman to put himself under the protection of a *Yi dam* through the intercession of a lama instead of through his own invocation directly.

Most of *Yi dams* have the same form: blue or red body, angry expression, multi-face, -arm, and –foot, almost invariably represented with their śakti. Such form is believed to be the embodiment of the strength and function of the mighty protection of the *Yi dams*, in particular those in *Yab Yum*. Some of them are wrath forms of the feminine divinities, such as *Kurukullā, Naro-Ḍākinī, Mārīcī*, etc.

The *Yi dam* are tutelary divinities of the rank of *Buddha*. Strictly speaking, the concept of the *Yi dam* became more and more unclear along with the increase in the membership of the *Yi dams*. Except the famous *Yi dams*, such as, *Kālacakravajra, Cakrasaṃvara, Guhyasamāja, Hevajra* as well as *Mahāmāyā*, others always play double roles in the pantheon, in other words, they are the normal divinities on the one hand, for instance, *Mahākāla, Vajravārāhī and Mārīcī*, etc., on the other hand, they are conceived as *Yi dams* only when they appear in the centre of maṇḍalas or stay in *Yab Yum*. All these *Yi dams* are divided into two classes: the mild and the angry. The mild *Yi dams* wear *Bodhisattva* ornaments and garments, whereas the angry wear the *Dharmapāla* ornaments and garments, some of which apparently show the mysterious influence from *Hinduism*, such as, elephant hide, tiger hide, *Kapāla* full of blood, snake ornaments etc.

Here in this part, are a selection of the most important *Yi dams* for the main Tibetan Buddhist schools. Generally speaking, different schools have their preference for the *Yi dams*. That is to say, *Hayagrīva* is considered as the most important *Yi dam* in *rNying ma pa*. *dKar brgyud pa* prefers *Cakrasaṃvara*. *Hevajra* is the chief *Yi dam* in *Sa skya pa*. In *dGe lugs pa Guhyasamāja, Cakrasaṃvara* and *Vajrabhairava* are looked upon as primary *Yi dams*.

31

双身二臂上乐金刚

西藏中部　16世纪
铜鎏金，嵌松石　高26厘米

Cakrasaṁvara in *Yab Yum*

Central Tibet　16th century
Gilt bronze with turquoise insets　H. 26 cm

此尊上乐金刚为一面二臂双身像，主尊上乐金刚双手施金刚吽迦罗印，各持铃、杵并拥抱明妃金刚亥母，二者处于神秘交合的状态中，象征达到成佛境界时悲智合一的极乐状态。同时手持铃和杵正是这种境界的外化表现。上乐金刚头戴五叶冠，高发髻正中交杵装饰，左侧有一轮月牙(*candra*)，作为神秘的护持和修行特征。表情是忿怒与喜悦交汇。右展立姿(*ālīḍhāsana*)，右脚下踏威罗瓦(*Bhairava*)，左脚下踏黑夜女神(*Kālarātri*)，所披鲜人首和骷髅组成的长项鬘垂至两腿间，下身着虎皮裙。明妃金刚亥母右手持钺刀上举，左手持嘎布拉碗绕主尊头后，双腿缠绕主尊而住。面部表情与主尊相同，裸身，下身以网状嵌松石璎珞装饰。莲座表面平坦，莲瓣肥厚。此造像全身鎏金明亮，线条圆柔典雅，体现了西藏16世纪成熟的风格。

上乐金刚，在清宫也译作胜乐金刚、上乐王佛，是藏传佛教无上瑜伽部母续最重要的本尊之一。其根本经典是《上乐金刚怛特罗》，代表了母续中的最高成就，所以在母续诸本尊中，他最受西藏各教派的崇奉。清乾隆帝还向他的国师章嘉胡土克图学习过上乐密法。据传说，释迦牟尼佛曾在西藏西南恒河源头的冈底斯山山顶现形成曼荼罗和本尊上乐金刚，向湿婆和雪山女神传授密法。在他十二臂的形象中，上方二手持象皮于背后，其他手持钺刀和喀章嘎(*khaṭvāṅga*)等与湿婆的法器相同。另外，上乐金刚的头发上罩有一顶瑜伽行者的小帽，同时饰有一轮新月。新月为他最初受到中世纪游方苦行僧崇拜的痕迹。作为嘿鲁迦的成员，他始终是一位佛教神祇，但他的神格特点明显带有印度教湿婆神的影响，除了法器相同外，他的名号与湿婆的另一个名号*Shamba*(幸运)有关。在佛教传说中，他居住在须弥山——冈底斯山，也是湿婆的住处。这种上乐金刚也称为本生上乐金刚(*Sahaja Saṁvara*)

32

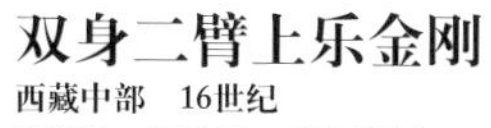

双身二臂上乐金刚

西藏中部　16世纪
铜鎏金，嵌松石　高18.5厘米

Cakrasaṁvara in *Yab Yum*
Central Tibet　16th century
Gilt bronze with turquoise insets　H. 18.5 cm

此尊上乐金刚与图31在图像学上唯一的不同之处在于明妃金刚亥母不是双腿缠绕主尊的腰部，而是采取了与主尊相反的左展立姿(*pratyālīḍhāsana*)，右腿盘在主尊腰部，这也是上乐金刚双身像中明妃较常见的姿势之一，也被称为本生上乐金刚。

可能是由于涂金过厚，上乐金刚的表情不再像图31那样的复杂激烈，尽管三目圆睁(包括眉间的智慧眼)，但忿怒表情还是有所弱化。头戴五叶骷髅冠，发髻正面有十字交杵装饰。明妃腰部系璎珞，璎珞为悬挂连珠纹，十分规则。上乐金刚和金刚亥母脚下所踏的威罗瓦身体平躺，作臣服状，上乐金刚左脚下所踏的黑夜女神跪伏于地，尽管头部已经踩踏得扭到后背，但仍顽强地举起手中的法器，作挣扎状，神态毕肖。其身体外侧的天衣紧贴腋部，顺身体而下至膝部，线条略显僵化。从细部看，加工略嫌粗略，如臂钏、脚镯等，是16世纪的作品，即西藏古典主义后期作品的特点。

清宫所系黄纸签云："大利益番铜旧琍玛(残)。乾隆五十四年(残)，(残)进。"

33

双身二臂上乐金刚

西藏中部　18世纪
黄铜　高23厘米

Cakrasaṁvara in *Yab Yum*

Central Tibet　18th century
Brass　H. 23 cm

这尊上乐金刚代表的是双身二臂系列中第三种姿势，即明妃与主尊相拥而立，站姿与主尊相对，即左展立姿。这种上乐金刚也可称为本生上乐金刚。以上三种本生上乐金刚在另外一些佛教文献中，并不严格区分，均笼统称为二臂上乐金刚。

此尊与前二图比较有很多地方作了省略，五骷髅冠上的骷髅形象模糊，发髻上既没有交杵图案，也没有月牙装饰，脚下不见所踏印度教的神。但是它也有所创新，天衣在身体右侧贴身而走，在身体左侧绕臂后上扬，颇为生动。上乐金刚不再着虎皮裙，改为短裙，在腰带系挂的连珠之间垂挂金刚杵头和金刚杵为饰，金刚亥母的腰部装饰也同样处理。另外，上乐金刚所挂的长项鬘也不是常见的由鲜人首和骷髅组成，而是改为由金刚杵和十字交杵串接而成，十分独特。莲台较高，莲瓣简略细长。此像应是拉萨雪堆白作坊的作品。

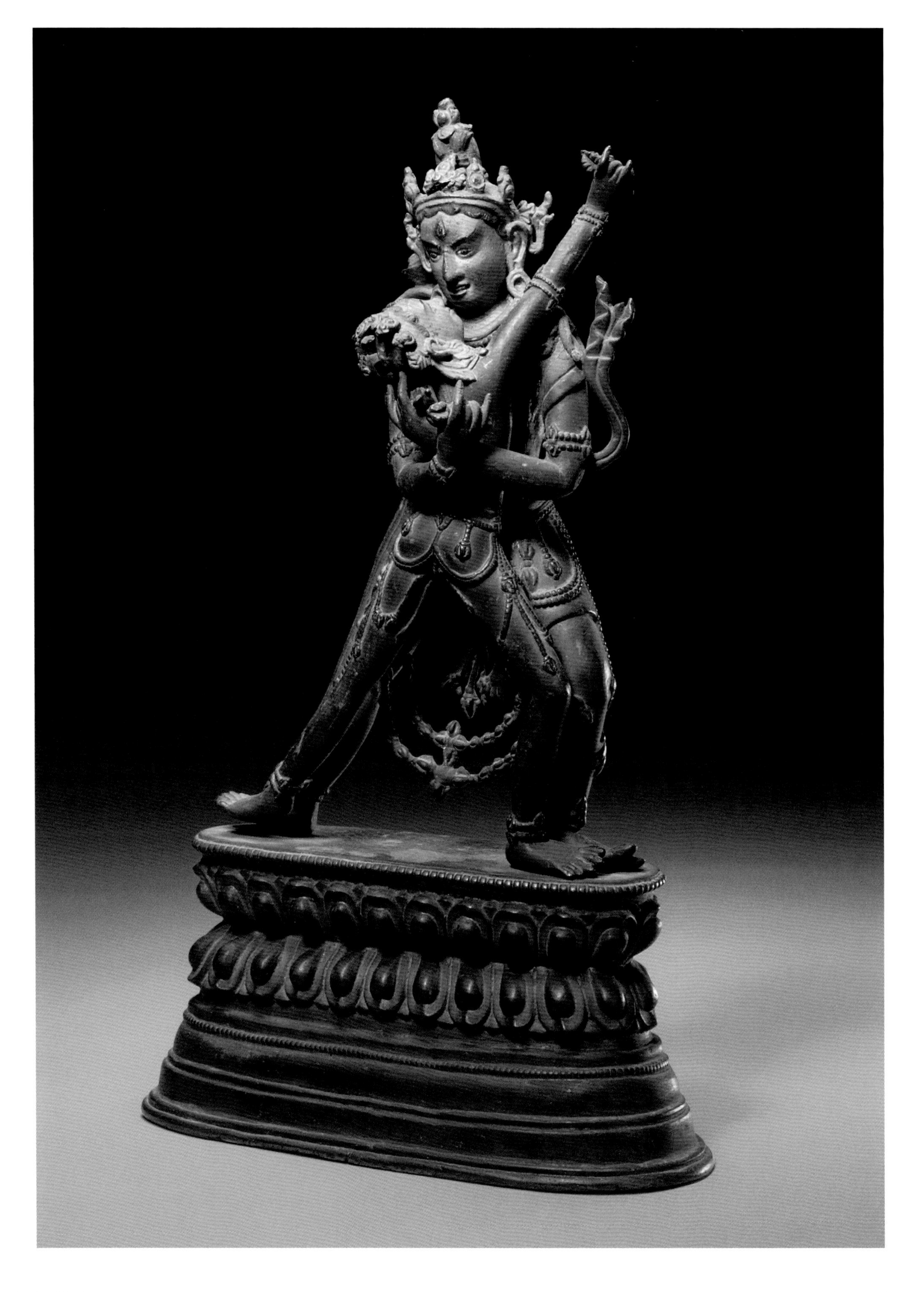

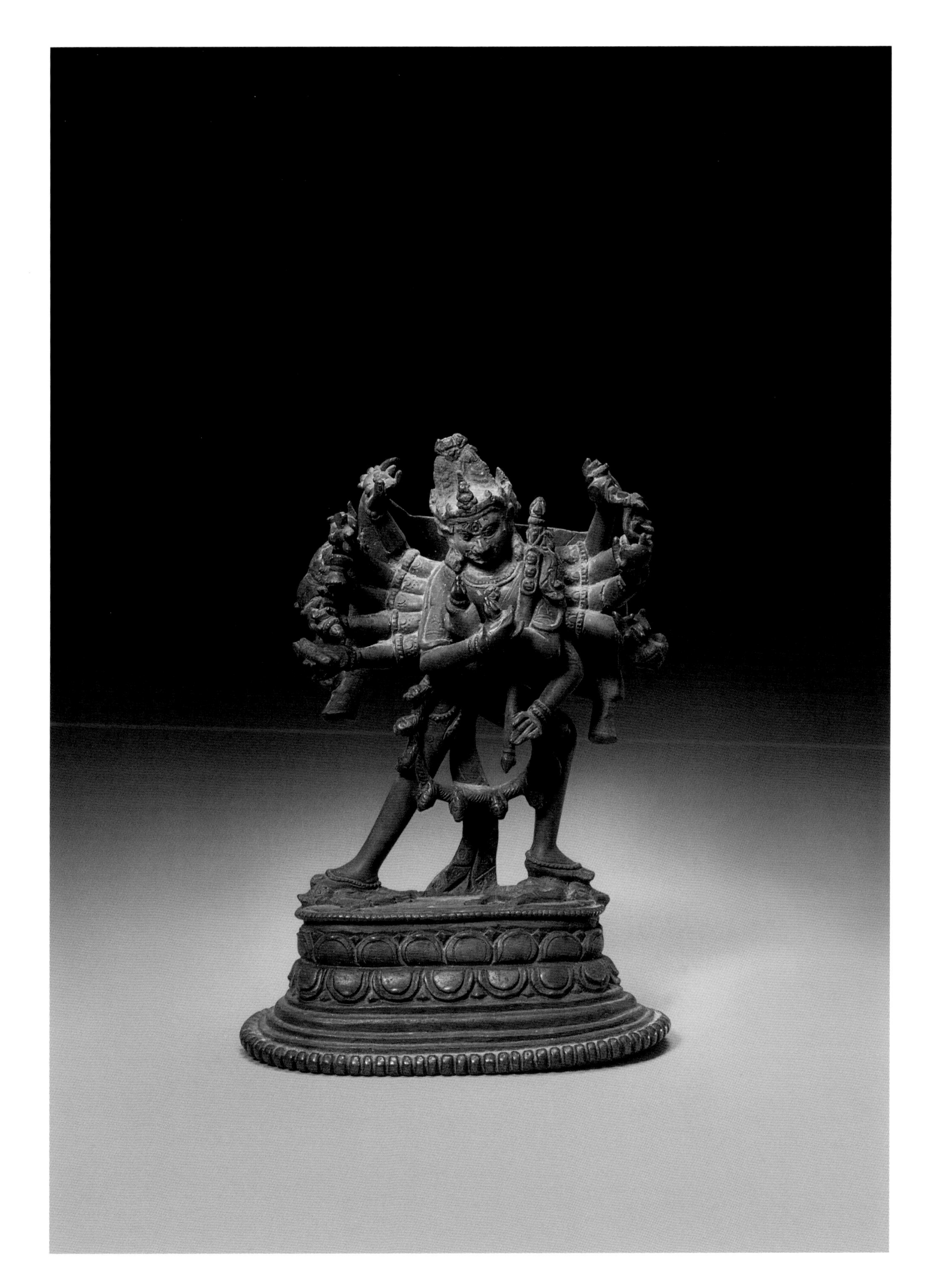

34

十二臂上乐金刚

西藏中部　12世纪
黄铜　高13厘米

Cakrasaṁvara

Central Tibet　12th century
Brass　H. 13 cm

十二臂上乐金刚是上乐金刚常见的变化身之一。头戴三叶冠，发髻高耸。正二手施金刚吽迦罗印，交持铃、杵，右手夹持喀章嘎，最上面二手在背后张开象皮。这是十二臂上乐金刚的新特征。余右手分别持三叉戟（*triśūla*）、嘎布拉鼓（*ḍamaru*）、钺刀，右手最下面的手已折，持物不明；余左手分别持金刚索（*pāśa*）、嘎布拉碗、鲜梵天首，最下手握持正手夹持的喀章嘎。鲜人首项鬘垂至两腿间。下身着虎皮裙，双腿间垂落束发缯带，直到莲座上，十分古拙。从展开的诸臂来看，臂钏的加工极粗略，璎珞也只以阴线表现，并不实铸。双脚下所踏的形象模糊不清。它的莲座配合右展姿作长椭圆形，上下连珠装饰，上沿连珠细小，下沿连珠肥大，莲瓣肥厚，瓣尖略翘起，令人联想到东北印度波罗风格的莲座形式。此像应是西藏艺术家早期仿印度造像的作品。

35

双身十二臂上乐金刚

西藏或尼泊尔　15世纪
铜鎏金　高13厘米

Cakrasaṁvara in *Yab Yum*

Tibet or Nepal　15th century
Gilt bronze　H. 13 cm

上乐金刚4面12臂，正二手施金刚吽迦罗印，拥明妃金刚亥母。明妃持钺刀和嘎布拉碗，抱主尊。这种上乐金刚也称为吉祥轮上乐金刚(*Śrī- Cakrasaṁvara*)。

主尊五叶骷髅冠细小，骷髅形象不清。面庞窄小，如童子面，但因面部涂金过厚，特征不清晰。此像中12臂持物十分清楚，除正二手的铃、杵和上二手持象皮外，余右手持嘎布拉鼓、长把斧(*paraśu*)、钺刀、三叉戟；余左手持喀章嘎、嘎布拉碗、金刚索、鲜梵天首。上乐金刚的骷髅和鲜人首长项鬘垂至双腿间。金刚亥母左展立姿，右腿勾住主尊的腰，裸身，腰部系网状瓔珞，连珠密集。上乐金刚着一种短裙，在小腿上，裙下摆微上卷，动感十足，颇为生动。莲座的莲瓣比较特别，瘦长，密集排列。这种莲座样式在尼泊尔15世纪的造像中较多见，表明西藏对尼泊尔艺术的新发展跟进很快。鎏金明亮，金属表面打磨光滑平整，也反映出尼泊尔工艺的影响。因此不能排除此像就是尼泊尔工匠所造的可能性。

清宫所系黄纸签云：“利益番铜琍玛阴体持兵器喜金刚。嘉庆九年十二月十二日收，济咙呼图克图(即胡土克图—引者注)进。”题记内容与实际造像完全不符，明显为后人误认，这种情况在乾隆晚期以后清宫的黄系签题记中经常可能遇到。嘉庆九年为1804年，此济咙呼图克图当是第九世济咙呼图克图夷喜洛桑贝贡布(*rJe drung no min han sama ti pakshi ye shes blo bzang bstan pavi mgon po*, 1760～1810年)，此时他正在拉萨担任达赖喇嘛的摄政一职。

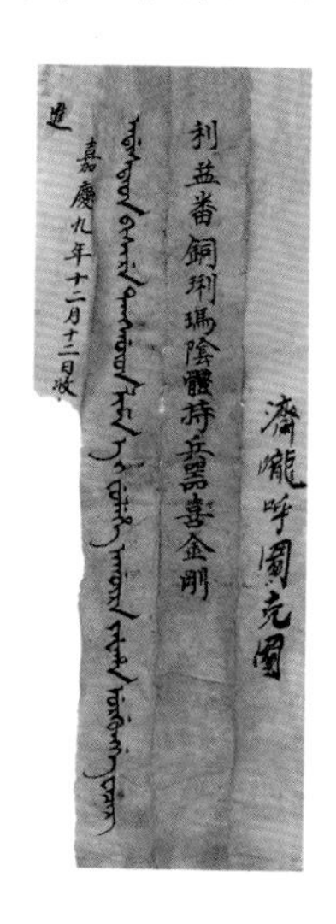

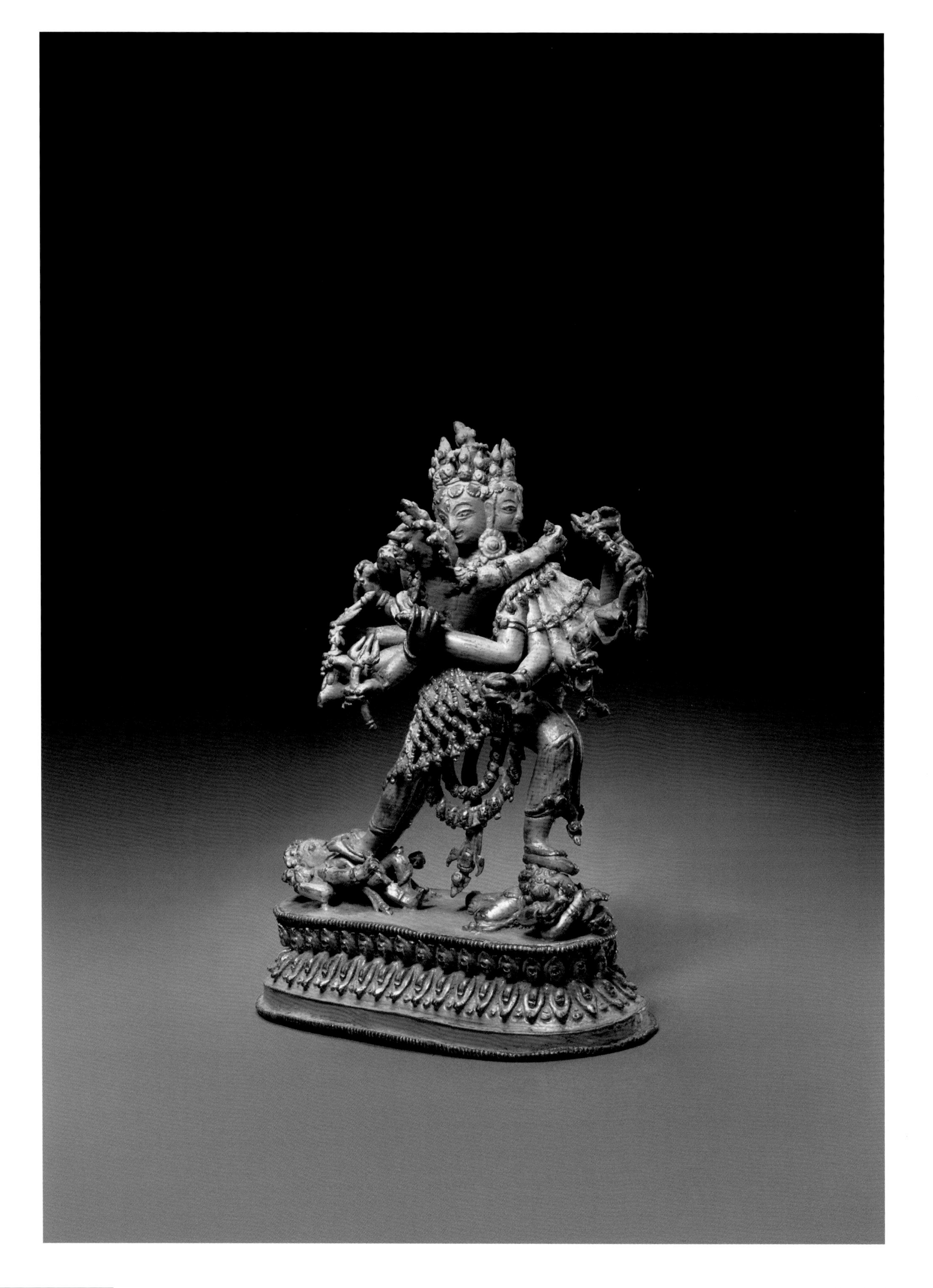

36

双身十二臂上乐金刚

西藏中部　18世纪
黄铜　高39厘米

Cakrasaṁvara in *Yab Yum*

Central Tibet　18th century
Brass　H. 39 cm

此像与图35相比，图像学特征上略有不同。如同二臂双身上乐金刚像所见到的，十二臂上乐金刚的明妃也有与之相对应的几种不同的姿势，如此尊为明妃双腿绕主尊腰部。这种上乐金刚也称为上乐王佛(*Saṁvararājā*)。

主尊发髻正前方有坐佛形象一尊，根据其手印，左手禅定印，右手触地印，结合上乐金刚的身份判断，此佛应是阿閦佛。根据佛教怛特罗中神系的观念，上乐金刚等本尊很多都是阿閦佛的化现;阿閦佛作为金刚族的部主，总摄此类神。另外，我们还可能偶尔见到上乐金刚发髻正中是大日如来的造像。这可能是因为上乐金刚的明妃金刚亥母也是大日如来的明妃。

色彩上，此像主尊的须发眉和明妃的发眉均染成橙红色。也有将发染成深蓝色的例子。在密教中，蓝色表忿怒和降伏，所以很多金刚族的尊神身色均作蓝色，如金刚手等。而此处的红色与无量寿佛的红色和红度母的红色不同，并不表示慈爱，而是火焰的象征，同样也是作为除障和忿怒力量的象征。我们常见到唐卡绘画中，忿怒尊神多立于火焰中即是这种宗教象征意义的表达。由于铜色发暗，红色须发显得格外鲜艳。莲瓣窄厚，有弹性，莲瓣中间有一道阴线将表面一分为二。这是一种独特的莲瓣形式，是西藏晚期出现的一种形式。

37

双身十二臂上乐金刚

北京，清宫内务府造办处
乾隆四十六或四十八年（1781或1783年）
紫金，背光红铜鎏金，嵌松石　高51.5厘米

Cakrasaṁvara in *Yab Yum*

The Imperial Workshop in Beijing
46th or 48th year of Qianlong Period (1781 or 1783)
Dzi-kim, with turquoise insets and gilt copper halo
H. 51.5 cm

此像在图像学特征上与图36一样，均可以称为上乐王佛。背光为大拱门式，火焰环绕，鎏金，与深色的佛像形成鲜明的对照。莲座为单层仰莲，莲瓣肥厚。通常而言，单层仰莲莲座一般都配合着供台或者有小型供座使之保持稳定，或者原本它们就是供在龛中。此像原来的供奉形式也应不会有太大的例外。此尊造像的质地是紫金，一种特殊的合金铜，因为受氧化的原因，色泽灰暗，当时铸造出来时，色彩肯定非常明亮，我们现在还能从它深色的表面看到一些奇特的反射光泽。

紫金是一种西藏引进尼泊尔配方的合金。清代乾隆时期引进宫廷并试验用于造像获得成功，在宫廷造像中留下不少的作品。清代档案记载，乾隆四十六年，下令仿制宁寿宫班禅所供无量寿佛时，发现它所用材料为紫金琍玛，色泽鲜艳，宫人无人能做。于是派人询问京城内西黄寺仲巴胡土克图岁本堪布，并准备派工匠学习。得到的答复是，西藏也没有人能烧炼这种铜，均为尼泊尔工匠所烧制。乾隆帝知道后，很感兴趣，派人要来配方后，下旨令宫廷工匠根据配方试做佛像。它的成分主要包括：红铜一斤，金三钱，银六钱，自然铜三两，钢二钱，锡二钱，铅二钱，水银二钱，五色玻璃面五钱。乾隆五十四年清宫造办处再试验成功了新的配方。所以清宫紫金造像有前后两个阶段。但根据清宫档案记载，只有在乾隆四十六年和四十八年分别铸造过紫金上乐金刚，而此像很可能就是其中的一尊。

38

莲花式上乐金刚曼荼罗

西藏中部　12世纪
黄铜　高43厘米

Cakrasaṁvara in *Lotus Maṇḍala*
Central Tibet　12th century
Brass　H. 43 cm

此造像是以莲枝和莲蕾为形，表现《吉祥胜乐小品》(*Śrīlaghusambara*)为根本经典的62尊神曼荼罗的完整成员。居于莲蕾中心的是四面十二臂上乐金刚拥抱他的明妃金刚亥母，立于单层覆莲圆台上，代表曼荼罗的主尊。每个莲瓣上相间排列着4位空行母和4个嘎布拉碗，代表上乐金刚身边曼荼罗内院4位眷属。上乐金刚及其4位空行母眷属所在的莲台被包围在八瓣大莲叶组成的莲蕾中。莲蕾可以随意开启。上有噶当塔形顶盖，可以固定整个大莲叶。揭开顶盖，曼荼罗随之开启，可以看到每一瓣大莲叶内侧面有4层尊神，由下而上，每一层共有8尊，为一组，分别代表以上乐金刚为中心向外扩展的曼荼罗世界，最下一层的8尊代表内院外的第一层院——意轮(*cittacakra*)，倒数第二层的8尊代表第二层院——口轮(*vākcakra*)，倒数第三层的8尊代表第三层院——身轮(*kāyacakra*)，最上8尊依次代表东、南、西、北、东北、东南、西北、西南四方四隅8位守护空行母。意轮、口轮和身轮的8位尊神均是拥抱明妃的双身形象，四方和四隅的空行母均是一面二臂单腿舞蹈立姿(*ardhaparyaṅkāsana*)。当莲蕾合拢时，大莲叶外侧每瓣上下各有一幅画面，画面表现的是八大成就者与八大尸陀林(*dur khrod brgyad*)。

尸陀林是印度大成就者们秘密修行和集会的场所，与大成就者的神秘修行生活有关密切的关系。所以在一些传统的曼荼罗绘画中，我们还可以经常看到曼荼罗的最外轮是大成就者配八大尸陀林的画框，甘肃永登县妙因寺15世纪天顶画上乐金刚曼荼罗和美国*Jucker*藏品中14世纪上乐金刚曼荼罗就是很好的例证。

莲蕾安置在粗大的莲柱主干上，主干两侧分别出旁枝三道，卷曲成圆形，对称排列。第二排卷莲中各坐一菩萨，左边可能是金刚手菩萨，右边是观音菩萨；第三排卷莲中有二龙子奔跑过来扶持莲干的场景，龙子头上各有三蛇头表明其身份。人物动感十足，生动活泼。主干的下面是二层圆台作为底座，圆台以细腻流畅的线条刻划作为装饰。

八瓣莲花在印度和西藏佛教的传统中，通常都是作为心的象征，同时莲花也是纯洁和高贵的象征，以此题材作为曼荼罗的造型，不仅暗示曼荼罗在瑜伽修行过程中用于观想的作用，也暗喻佛教教法清净无染。

类似造型的作品保存实例颇多，且多以无上瑜伽部本尊曼荼罗为主题。这种模式的曼荼罗原型很可能来自于印度波罗时期的作品。如西藏博物馆保存的一尊喜金刚莲花曼荼罗就很典型，虽然与本尊主尊不同，但基本结构完全一致，具有纯正12世纪印度波罗风格的特点，相比之下，此尊造像做工稍嫌粗糙，明显是西藏工匠模仿波罗风格的作品。这种样式的曼荼罗也影响到明代宫廷，拉萨布达拉宫的一尊大威德金刚莲花曼荼罗，题"大明永乐年施"六字款，也是同样模式的作品。这种模式的创作在西藏一直延续到18世纪。此类造像是比较完整的早期曼荼罗作品，对研究12世纪前后印度无上瑜伽部思想的形成极富价值。

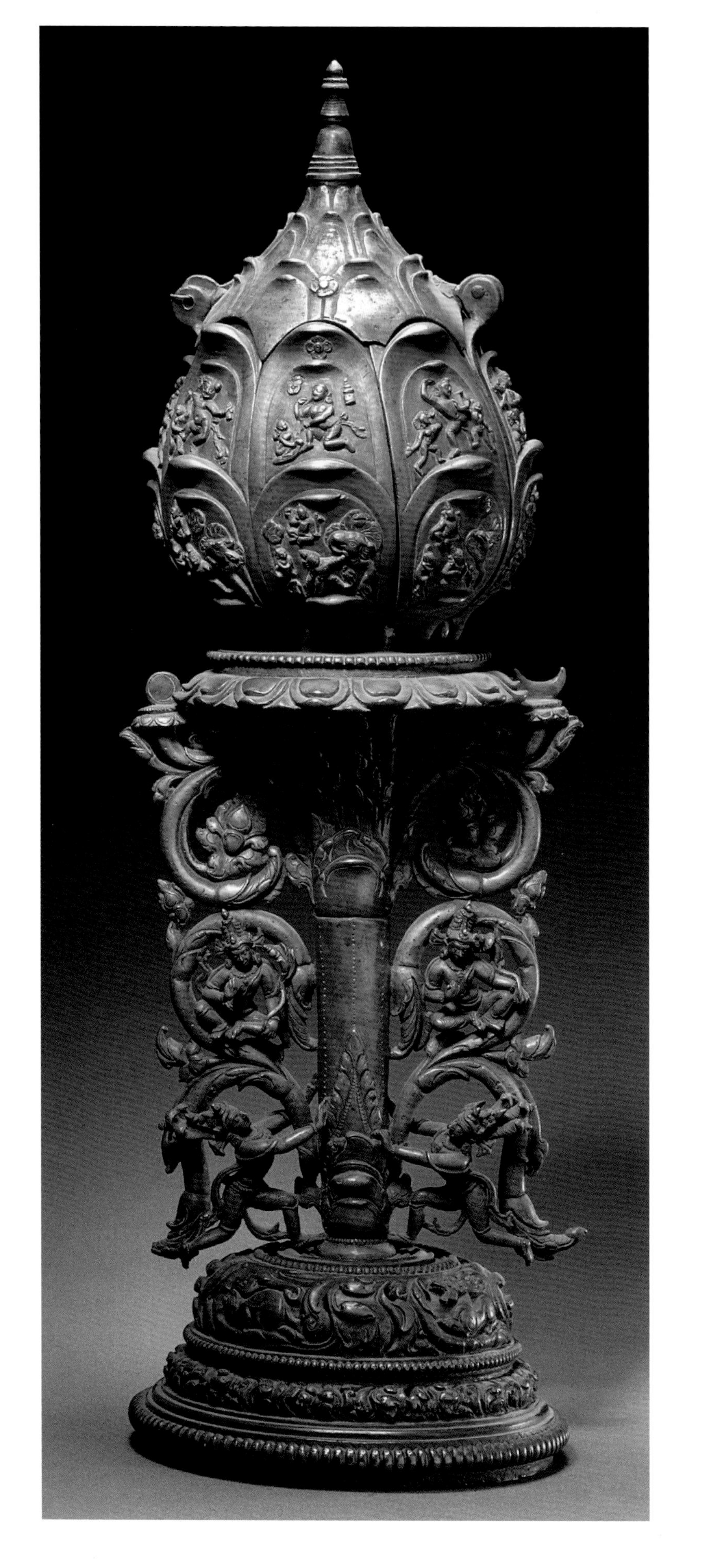

39

白上乐金刚

西藏中部　18世纪
红铜，错嵌金银丝　高20.5厘米

Sita-Cakrasaṁvara

Central Tibet　18th century
Copper with gold and silver inlay　H. 20.5 cm

头戴五叶骷髅冠，三目圆睁，面相忿怒。双手施金刚吽迦罗印，各持甘露寿瓶，拥抱明妃金刚亥母。金刚亥母右手持钺刀，左手持嘎布拉碗与主尊相抱。白上乐金刚的形象比较单一，只有一面二臂全跏趺坐形象。双腿阴线刻划卷花枝图案，以金银丝错嵌其中，形成色彩明亮的图案，与色彩略暗的红铜色配合十分和谐。天衣高出双肩，绕双臂而下，垂落身体两侧后又飘然而起，线条十分优美。莲座很高，莲瓣匀称，很可能是拉萨雪堆白作坊的作品。

清宫所系黄纸签云："利益番造阴体本生上乐王佛，嘉庆十四年九月二十九日收，曹进喜交。"此签可能是误挂，根据章嘉国师所编的《诸佛菩萨圣像赞》所列出的图像看，本生上乐王佛是指一面二臂拥抱明妃的上乐金刚，与白上乐金刚根本不可能混淆。"曹进喜"是养心殿太监。

白上乐金刚是上乐金刚的变化身之一。从其名号可知他的身色是白色，加之双手持甘露寿瓶，可以肯定他的神格与长寿主题有关。可能是由于他进入密教神系时间较短，流行不广，所以变化身不多。

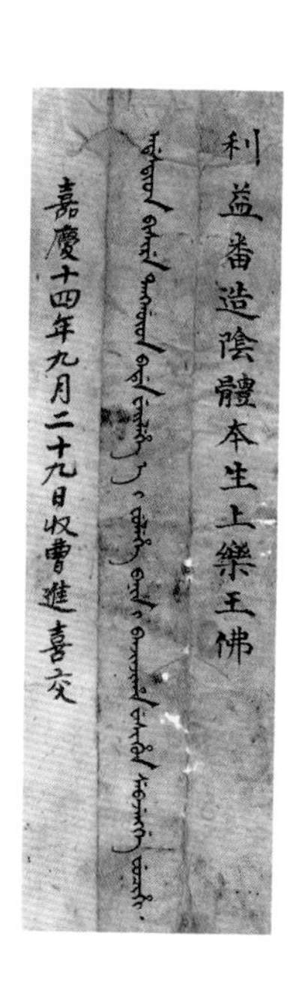
利益番造陰體本生上樂王佛
嘉慶十四年九月二十九日收曹進喜交

40

一勇威罗瓦金刚

西藏中部　16世纪
铜鎏金　高17.5厘米

Ekavīra-Vajrabhairava
Central Tibet　16th century
Gilt bronze　H. 17.5 cm

一勇威罗瓦金刚也雅译为独雄威罗瓦金刚。其变化身只有两种，一种见图41，为多首、多臂、多足的形象；另一种是一面二臂立姿像，如此尊造像。牛头，忿怒面，头戴骷髅冠，发髻上扬，红色，呈火焰形，正中有金刚杵头。右手持钺刀，左手持嘎布拉碗，与阎摩颇多相似处，但是足下不踏牛，暗示了他的威罗瓦系统的出身。上身赤裸，仅有璎珞装饰，下身着兽皮。项鬘为长蛇在双腿间首尾相交，令人想到金刚手身上的装饰。左展姿立于火焰拱形门中。拱门周围的大连珠纹珠粒圆润，火焰纹尽管已带有程式化，但仍有写实效果，莲座面隆起，莲瓣肥厚，瓣尖卷起，反映出藏传佛教古典主义艺术的特点。

威罗瓦金刚，或称大威德金刚、怖畏金刚、阎曼德迦、降阎摩尊、阎摩锐等。这些名号实际上可以分为两类，即前三者的威罗瓦和后三者的阎曼德迦类。从起源上看，阎曼德迦与威罗瓦金刚最初并不是同一尊神，只是后来混同为一。威罗瓦金刚，梵文*Vajrabhairava*，是印度教中威罗瓦神的佛教化尊神，相当于藏文的怖畏金刚*vJigs byed* 的译法；阎曼德迦，梵文作*Yamāntaka*，意曰阎摩降伏者，是佛教对治死神阎摩的尊神，相当于藏文中降阎摩尊*gShin rjes gshed*的译法。很明显，在藏文里，威罗瓦金刚与阎曼德迦是互相区别的两尊神，尽管它们在图像上已经没有明显的不同，尤其是在汉文译名里二者已经完全混同。根据他降伏阎摩的传说，他的形象上有文殊面，表明了他的归属。其变化身中的大威德金刚、独勇威罗瓦金刚来自于印度教的威罗瓦神，与阎摩无关，所以没有站立牛背上的形象，足下多踏鸟兽和印度教尊神。红黑两种阎摩锐则是典型的阎曼德迦的形象，常站立或坐于牛背上。还有一种是守护坛城的十大忿怒明王中的除灭鬼王金刚，或称阎摩敌明王，代表阎曼德迦系统中护法的身份。此尊的地位极为复杂，多数现代学者的著作将其笼统归入护法行列中，但是由于西藏格鲁派特别崇拜此尊，故除去除灭鬼王金刚明确作为护法明王外，其余诸尊均位列本尊行列。

41

一勇威罗瓦金刚

北京，清宫内务府造办处 18世纪
红铜 高93厘米

Ekavīra-Vajrabhairava

The Imperial Workshop in Beijing 18th century
Copper H. 93 cm

大威德金刚（即威罗瓦金刚）是藏传佛教中无上瑜伽部父续的重要本尊之一，极受格鲁派重视，所以在西藏和清宫中他的造像数量很多。从9面的表情来看，忿怒的情绪更加表露无遗。最上的文殊菩萨面带愠色，正中的大牛头一双犄角大而尖锐有力，面孔须发均涂红，极力夸张其忿怒和威猛。其余各面均作忿怒相。34臂所持法器有："于右第一手执钩刀（即钺刀），第二镖枪，第三捣杵（即金刚杵），第四匕首，第五短枪，第六钺斧，第七枪，第八箭（*śara*），第九钩，第十颅棒（即骷髅棒），第十一喀张（或作章）噶（或作嘎），第十二轮，第十三五股金刚杵，第十四金刚锤，第十五剑（*khaḍga*），第十六嘎布拉鼓；于左第一手擎满血颅器（即嘎布拉碗），第二梵天头，第三盾牌，第四人足，第五绢索，第六弓（*cāpa*），第七肠，第八铃，第九人手，第十尸布，第十一人幢，第十二火炉，第十三半头，第十四作期克印（*karaṇa*），第十五三角幡，第十六风帆。"另外，最上二手上举持象皮。16足中"右第一足踏人，第二水牛，第三黄牛，第四驴，第五驼，第六犬，第七羊，第八狐；左第一足踏鹫，第二饕，第三慈鸟，第四鹦鹉，第五鹞，第六鹰，第七八哥，第八鹅。梵王、帝释天、遍入天、自在天、六面童、邪引天、太阴天、太阳天悉皆合掌匍匐而踏于足下之炽盛烈火蕴中俨然而住。"（以上引文均见《米扎金刚鬘各法主尊像》图四十三）。很多印度教的著名尊神都被降伏，反映出佛教神系在建立过程中对印度教诸神的有意贬低和对佛教对治诸神的抬高。

红铜铸造，且布局严整，线条规范，尤其是莲花瓣形式反映出清宫造像的特点，虽然完全忠实于藏传佛教的图像学规定，但是从其严格规范的工艺特点来看，明显具有清代宫廷造像的特色，所以此尊极可能是内务府造办处的作品。

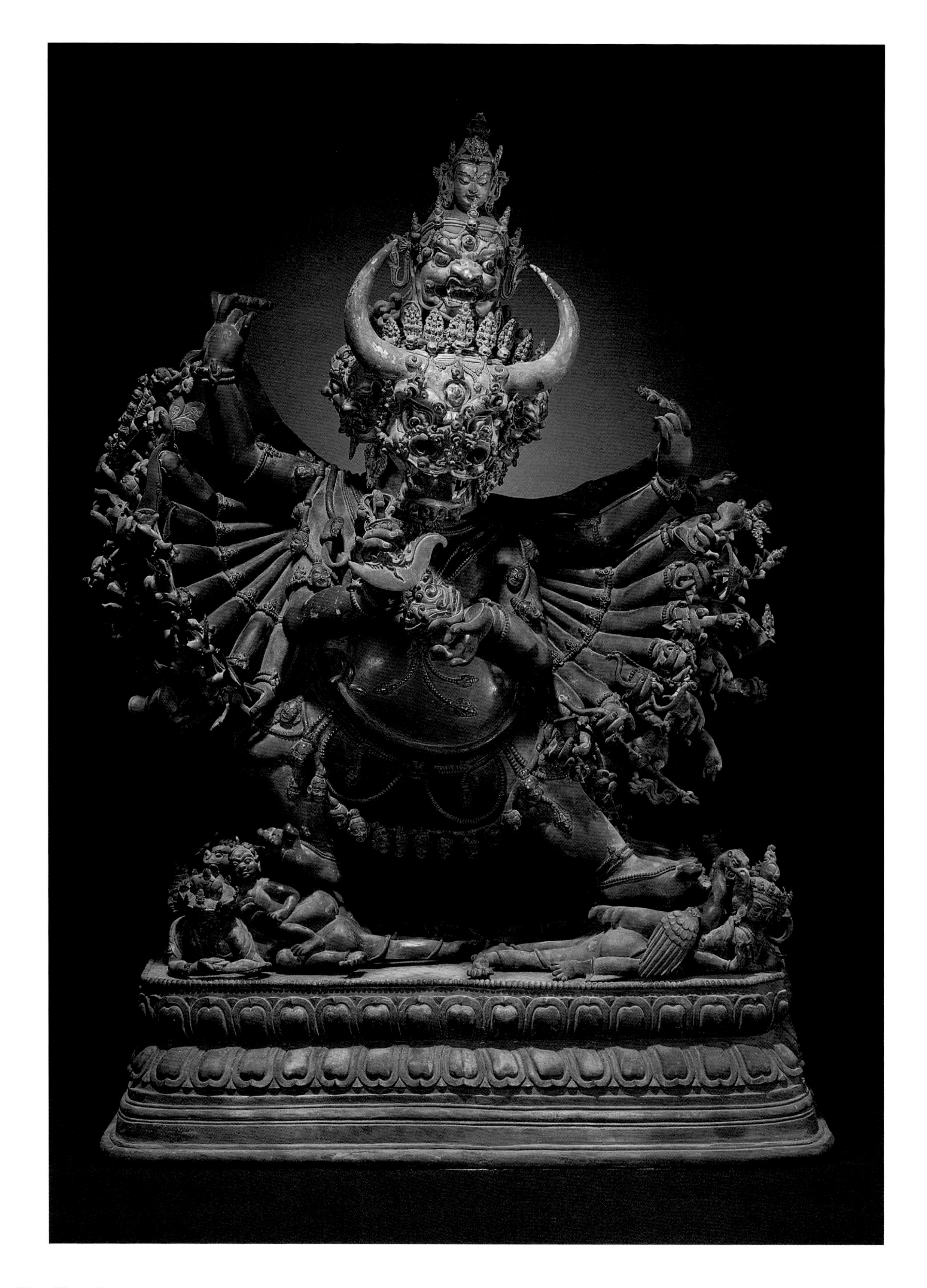

42

双身大威德金刚

喀尔喀蒙古　17世纪下半叶至18世纪初
铜鎏金　高38.8厘米

Vajrabhairava in *Yab Yum*
Khalkha Mongolia
The second half of the 17th to early 18th century
Gilt bronze　H. 38.8 cm

大威德金刚是藏传佛教诸神中形象较为复杂，面目和手足众多的尊神之一。此像布局极为简明，线条清晰，所有细部一丝不苟，但整体效果略嫌板滞，人物缺乏动感。作品整体鎏金明亮，金属表面打磨平滑，具有一世哲布尊丹巴咱那巴扎尔时期喀尔喀风格作品的特点。此大威德金刚有9面，顶上是冷面文殊菩萨。34臂，正二手各持钺刀和嘎布拉碗，拥抱明妃金刚伯达里佛母（*Vajravetālī*，或有认为是持明佛母*Vidyādharā*）。莲座的莲瓣是半圆形，瓣尖略翘，底板十字交杵图案泥金装饰是典型喀尔喀蒙古造像的特点。

哲布尊丹巴（*rJebtsun dam pa*，1635～1723年）是来自于漠北蒙古地区的最大活佛转世系统。一世哲布尊丹巴出身喀尔喀蒙古实力最强的土谢图汗部，得到蒙古各部一致拥戴。他曾到西藏留学多年，被达赖喇嘛和班禅大师看中，着意培养，同时有意提高他的宗教地位和名望，最终他的影响力也被清廷看中，以官方形式确认了他在政教两方面对于喀尔喀蒙古最高的地位。他从西藏回来时，带走了一批优秀的工匠，回到喀尔喀蒙古，开始将藏传佛教艺术风格引进到草原地区，创造出了一批优秀的作品。同时他本人也是一位优秀的艺术家。这些作品中有明显的尼泊尔风格的特点，可能是来自后藏的艺术成分。由于他跟康熙帝私谊颇深，曾驻锡北京达10年之久，所以这种艺术风格对于早期清宫造像产生过一定的影响。

43

同侍从大威德金刚

北京，清宫内务府造办处　乾隆时期（1736～1795年）
铜鎏金　高18厘米

Vajrabhaira with attendants
The Imperial Workshop in Beijing
Qianlong Period (1736~1795)
Gilt bronze　H. 18 cm

此像表现的是以大威德金刚为中心，伴随两位护法神的构图。中心的大威德金刚为9面34臂16足拥抱明妃的本尊像。右边为女护法神吉祥天母，一面二臂侧身坐骡子上，右手持骷髅杖（*daṇḍa*），左手托嘎布拉碗，骑行于血海之中。坐骑前供一嘎布拉碗；左边为外修阎摩护法，右手持骷髅杖，左手持金刚索，左展姿立于牛背上。底座是莲台，座面上为波涛汹涌的大海，从海里长出粗大的莲枝主干，主干上部两侧各出旁枝，上面三尊的莲座就安置在主干和旁枝的莲瓣上。莲座下部正面有铸出的正楷款"大清乾隆年敬造"。

在藏传佛教格鲁派的造像和唐卡中，阎摩和吉祥天母是最为流行的护法神。阎摩的地位在黄教中被大大提升，被称为法王，其角色已经不仅仅限于阴间主，分为外修、内修和密修三种阎摩，职责不同，均参与到密教修行的整个过程中，因而备受青睐。当然阎摩与大威德金刚相互依存的关系也是他出现在大威德金刚身边作为护法神的原因之一。吉祥天母在护法神的重要性是不言而喻的，它同时作为班禅和达赖喇嘛的护法神。此尊造像是以大威德金刚和格鲁派最重要的两位护法神的组合为主题。

44

双身大威德金刚供养像

西藏　19世纪
铜鎏金　高26厘米

Vajrabhairava in a group
Tibet　19th century
Gilt bronze　H. 26 cm

双身大威德金刚的上方，正中的是本初佛大持金刚，双手施金刚吽迦罗印牵莲花，莲花顺双臂而上至双肩开敷，莲心分别置铃和杵；右边是文殊菩萨，右手上举持智慧剑，剑身已折，左手至胸前持般若经卷(*pustaka*)；左边是宗喀巴大师，黄教创始人及精神领袖，双手施转法轮印(*dharmacakra*)各牵莲花，莲花在肩上开敷，右肩莲上置智慧剑，左肩莲上置般若经卷。从下面双身大威德金刚所立的莲座上生长出一根粗大的莲枝，从大威德金刚的身后而上，莲枝的主干托起大持金刚的莲座，它的两根旁枝分别托起文殊菩萨和宗喀巴大师的莲座。这个结构图充分表现了格鲁派观念中本尊大威德金刚与该派的传承关系。

大持金刚是本初佛，不动，自在，无生无灭，是一切的起源和根本，是一个抽象的、形而上的、超越了一切存在的本体。他创造了五方佛，五方佛作为法身存在并不直接创造世界，这个任务由五方菩萨来完成。文殊菩萨是诸佛智慧的化身，虽未能位列五方菩萨之中，但是却肩负佛教神系中开启世间众生智慧引导和教育众生信从佛教的重任。他的法器剑，表示断除思想的障碍，获得真正的智慧；经卷表示真正智慧之所在。他的神格里面有平和的成分，也有降伏和威力的因素，所以文殊菩萨有很多忿怒的化身，大威德金刚就是其中最著名者。而履行文殊菩萨在世间的教育引导之责的则非宗喀巴大师莫属。在藏族的传统观念中，宗喀巴大师本人就是文殊菩萨在世间的化现。所以宗喀巴大师的法器象征跟文殊菩萨完全相同。

四尊形象中，大持金刚作为本初佛，是一切的总摄，文殊菩萨是其精神的化现之一，宗喀巴大师和大威德金刚是文殊菩萨在世间的变化身。这种内容的传承图在西藏格鲁派的造像和唐卡中时常可以见到。

45

双身红威罗瓦金刚

北京，清宫内务府造办处　18世纪
红铜　高68厘米

Rakta-Yamāri in *Yab Yum*

The Imperial Workshop in Beijing　18th century
Copper　H. 68 cm

主尊右手上举骷髅棒，左手持嘎布拉碗拥抱明妃金刚伯达里佛母(或译为金刚起尸母)，左展立姿。明妃右手持钺刀，左手持嘎布拉碗拥主尊右展姿而立，左腿勾主尊腰，足下踏黑色仰面卧神阎摩，阎摩右手持骷髅棒，左手持嘎布拉碗。红威罗瓦金刚的右脚正踏在阎摩的脸上，阎摩面露狰狞，不知是痛苦所致，还是因不甘心屈服而显出忿忿然的表情。阎摩的坐骑红色水牛也被红威罗瓦据为己有，牛似乎背负很重，一副艰难起身的形象，前腿跪起，后腿用力蹬地，尾巴上翘，十分吃力。大牛头忿怒之态丝毫不减，三目大睁，红舌探出，面目可怖。此造像中，红威罗瓦所戴五骷髅冠、所举骷髅杖以及身披的鲜人首鬘上的骷髅形象清晰；身上的璎珞繁复而不凌乱，莲瓣肥厚，排列齐整，很可能是乾隆时期清宫内务府造办处所铸。下身还披有一条黄地黑线绣虎皮裙，应是清宫旧配。

红威罗瓦金刚，也称红阎摩锐，是阎曼德迦系列中的变化身，属于降伏印度教掌管阴间死者的大神阎摩的佛教尊神。

46

黑敌威罗瓦金刚

西藏中部　15世纪
黄铜　高17厘米

Kr̄ṣṇa-Yamāri

Central Tibet　15th century
Brass　H. 17 cm

黑敌威罗瓦金刚三面六臂，下踏牛背。正二手施金刚吽迦罗印持钺刀和嘎布拉碗，余右手持剑和金刚杵，左手持法轮和莲花。面相浑圆，胡须细短，三目圆睁但并不狰狞，还略带憨态。头戴五骷髅冠，发髻是印度教湿婆式的细密发辫盘成，前面正中坐阿闳佛形象，两边各有一蛇护持。身披象皮，腰系虎皮裙，腰带垂落座面，与左展立姿的双腿形成“三足鼎立”的造型，长鲜人首项鬘与腰带连铸更增加了整个作品的稳定感。牛背上设一单薄的单层覆莲座，显得很单薄，牛并没有那种令人怖畏的表情，平静地站立着，尾巴甩到身体侧面，项上还挂有项链。脚下踏两位阎摩形象。整件作品充满了古典主义的平和气氛。

黑敌威罗瓦金刚，也称黑阎摩锐，是阎曼德迦系统的化身之一。

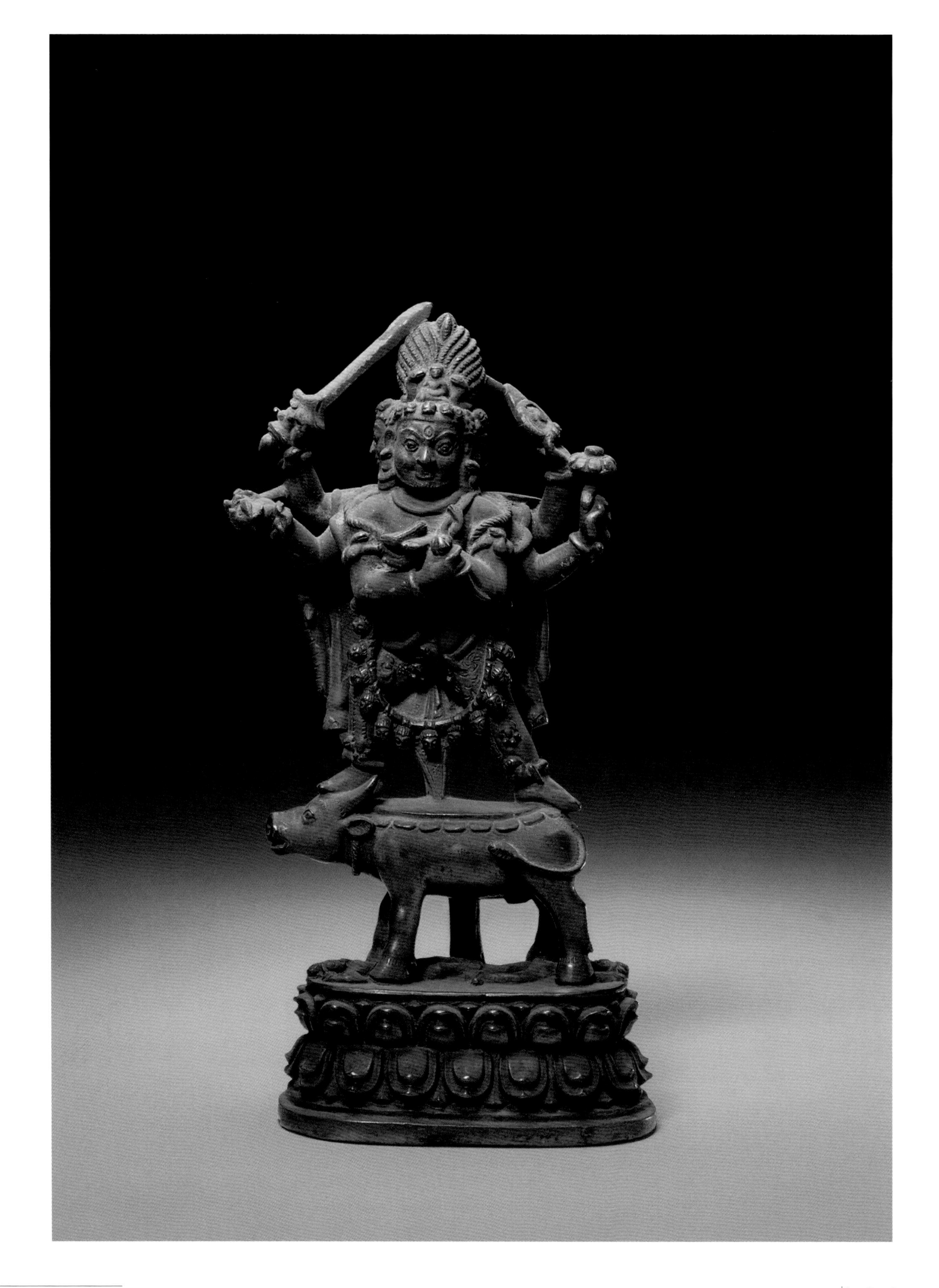

47

双身黑敌威罗瓦金刚

北京，清宫内务府造办处　18世纪
红铜　高68厘米

Kṝṣna-Yamāri

The Imperial Workshop in Beijing　18th century
Copper　H. 68 cm

双身黑敌威罗瓦金刚与前面所述单体像的图像学特征相同，只是正二手拥抱明妃同亡智慧母。阎摩仰卧在牛背上，显然是作为莲座使用，身体两侧垂挂璎珞如莲瓣造型。此造像中牛的表现十分成功。牛前二腿半跪，作挣扎欲起状，后二腿支起，但又似不堪重负，双目鼓出，张口吐舌，似在喘气，似在吼叫。其工艺特点与图45比较在伯仲之间，均是清宫内务府造办处的作品。

48

密集金刚

西藏中部　16世纪
铜鎏金，嵌绿松石　高20.5厘米

Guhyasamāja

Central Tibet　16th century
Gilt bronze with turquoise insets　H. 20.5 cm

密集金刚三面六臂，表情微怒。头戴五叶菩萨冠，菩萨装，与其他本尊、护法装束迥异。正二手施金刚吽迦罗印持铃和杵拥抱明妃可触金刚母（*Sparśavajrī*）。余二右手持花和法轮，余二左手持剑和摩尼宝（*cintāmaṇi/ratna*），全跏趺坐。明妃也是三面六臂，所持法器与主尊完全相同，拥主尊双腿绕主尊腰而坐。此尊造像鎏金明亮，表面打磨光滑，双腿间衣纹线条流畅生动，是西藏古典主义后期的优秀作品之一。

清宫系黄纸签云："利益番铜琍玛阳体秘密佛。乾隆五十八年八月二十六日收，热河带来。""阳体"即指藏传佛教无上瑜伽部父续。

密集金刚又称不动金刚秘密佛*Guhyasamāja-Akṣobhyavajra*，是密集金刚系列中阿閦佛化现出来的形象，是藏传佛教无上瑜伽部父续的本尊。另外，还与观音和文殊结合，出现了密集观自在佛、密集文殊金刚佛等。学术界认为，密集金刚是目前所知起源最早的本尊之一，《密集金刚怛特罗》是其根本经典。所以他的形象较其他本尊而言具有较少忿怒特点，更多的是大乘佛教菩萨的温和端庄。他的一般形象是三面六臂，全跏趺坐，拥抱明妃。此尊位列格鲁派崇奉的无上瑜伽部三大本尊行列中（另外两尊是上乐金刚和大威德金刚）。密集金刚被认为与文殊菩萨有某种明显的渊源关系，他是西藏格鲁派创始人宗喀巴大师的本尊之一，同时清朝皇帝是文殊菩萨在世间的转圣轮王，所以在西藏和清代的宫廷里密集金刚被看作是最高本尊神之一。

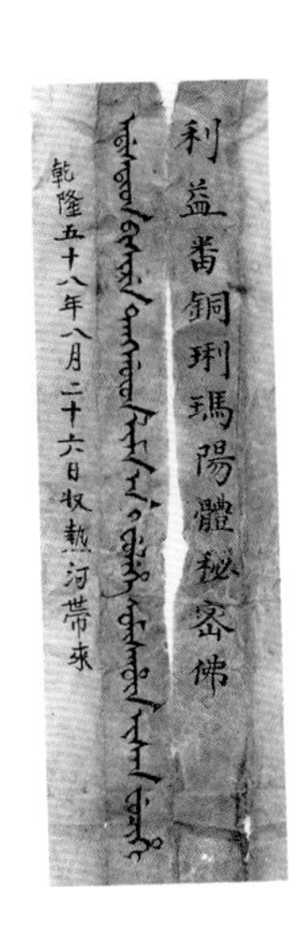

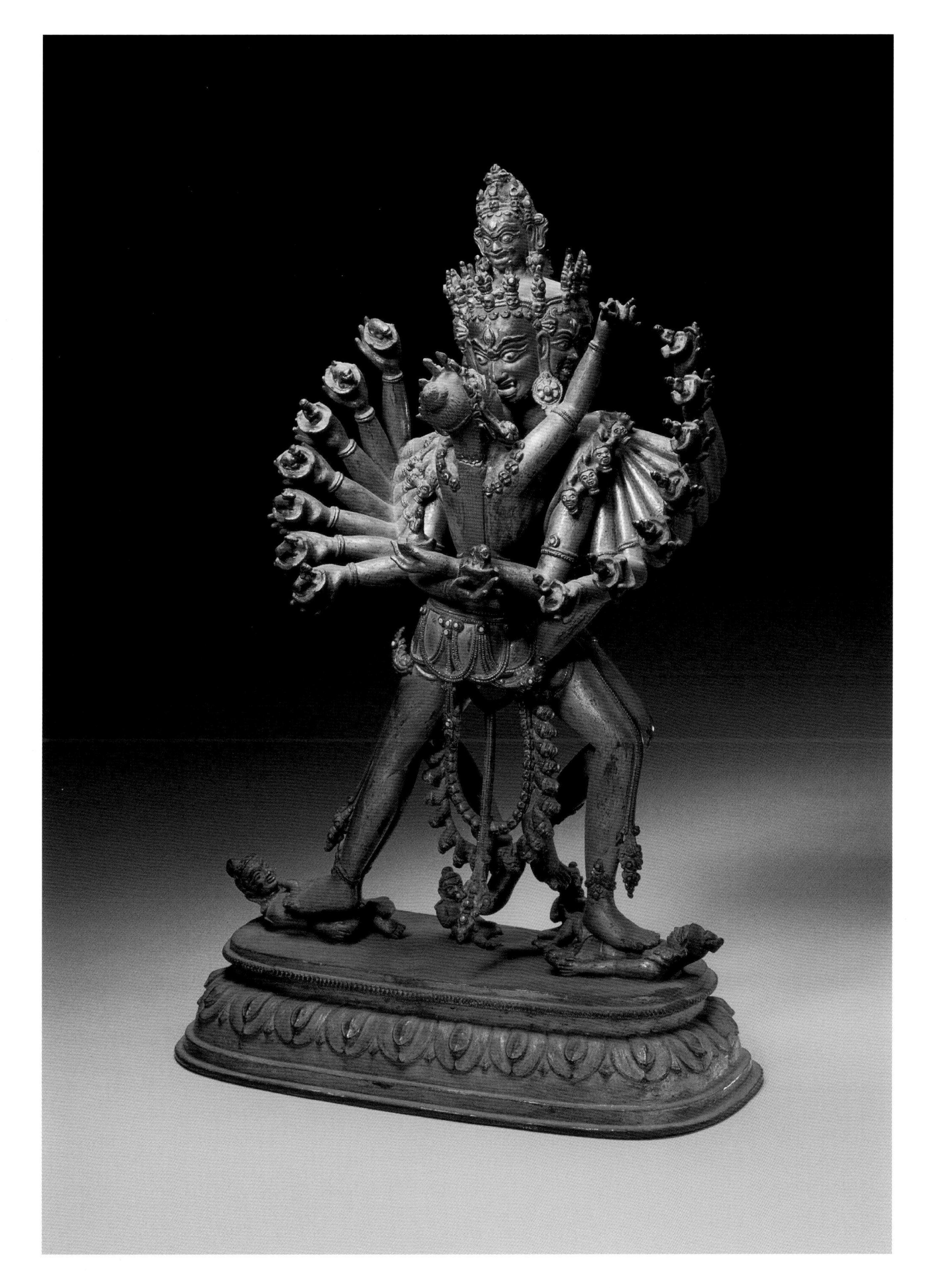

49

持嘎布拉喜金刚

西藏中部　16世纪
铜鎏金，嵌松石　高28.8厘米

Kapāladhara-Hevajra

Central Tibet　16th century
Gilt bronze with turquoise insets　H. 28.8 cm

喜金刚为8面16臂4足，各手均持嘎布拉碗，正二手碗内盛白象神和黄土神拥抱明妃无我佛母（*Nairātmyā*）。明妃右手持钺刀，左手持嘎布拉碗，左展姿与主尊拥抱而立，右腿勾主尊腰。其余右手碗内盛蓝马、白鼻驴、红牛、灰色骆驼、红人、蓝色羚羊、白鼻猫；左手碗内盛白色水神、绿色风神、红色火神、白色箭神、红日天子、蓝色狱主、七足黄色药叉。此像面目狰狞，多臂展开，十分生动。四足中前二足右展立姿，后二足作舞蹈姿，下踏印度教四尊神。这些印度教尊神分别是梵天（*Brahmā*）、大自在天（*Maheśvara*）、遍入天（*Viṣṇu*）和帝释天，他们是印度教的重要尊神，但在佛教的象征中，他们分别代表四魔，即蕴魔、烦恼魔、死魔和天魔，降伏他们就是象征战胜魔障。佛教对印度教尊神贬抑的同时，也从佛教教义上对他们进行攻击。脚下的四位印度教尊神刻划姿态也十分生动。莲座样式规整，莲瓣中间有一脊，这种莲瓣式样基本始于16世纪。

清宫所系黄纸签云：“大利益番铜旧琍玛阴体喜（残），乾隆四年十二月二十七日收，忠进（残）。”这是目前所见清宫最早的带黄签的造像。通常我们都认为这种黄签是乾隆十年以后才挂上的。

喜金刚，或根据其梵文*Hevajra*的发音，译为“嘿金刚”，被认为是阿閦佛的化现，嘿鲁迦系的本尊神，属无上瑜伽部母续本尊，极受噶举派和萨迦派的信仰，其根据经典是《喜金刚怛特罗》。从语义解释，*Hevajra*有 *he*和 *vajra*的含义，是佛教的专用语，但是其所现嘿鲁迦形象却来自于印度教湿婆的从神，换言之，喜金刚借用了很多印度教嘿鲁迦的特征。如典型的右展立姿，这种姿势在嘿鲁迦系的本尊中多可见到。他的变化形象主要有持嘎布拉喜金刚和持兵器喜金刚两种。

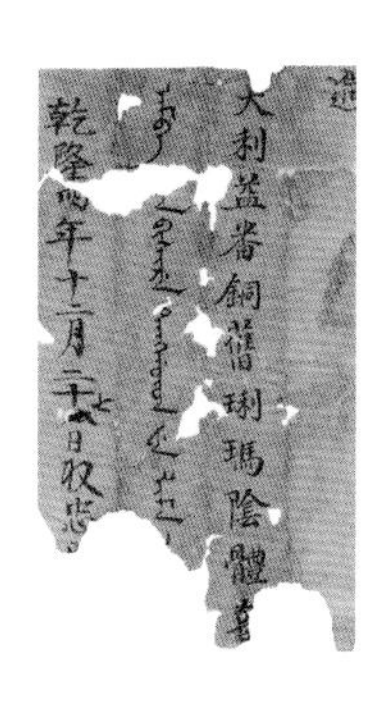

50

莲花式喜金刚曼荼罗

西藏中部　13世纪

黄铜　高19厘米

Hevajra in *Lotus Maṇḍala*

Central Tibet　13th century

Brass　H. 19 cm

此曼荼罗的主尊是8面16臂4足金刚拥抱明妃无我佛母。花蕾部分的八叶内侧各有一空行母，作为金刚的眷属，按曼荼罗的方位排列。以金刚所面对之叶上的空行母为正东方向，按顺时针方向依次安排。这八位空行母的名号及方位分别为：正东高哩佛母（*Gaurī*），东南沙斡里佛母（*Śabarī*），正南造哩佛母（*Caurī*），西南簪达里佛母（*Caṇḍālī*），正西伯达哩佛母（*Vetālī*），西北专必尼佛母（*Ḍombinī*），正北嘎斯嘛里佛母（*Ghasmarī*），东北补嘎西佛母（*Pukkaṣī*）。莲蕾置于粗莲枝主干上，主干的下端各出旁枝，枝条婉转曲折，线条优美。颇有波罗风格的遗风，与图38莲花式上乐金刚曼荼罗不同，它的八瓣莲叶的外面是素面，没有任何图案。

喜金刚的八大侍从空行母是很常见的组合，不仅仅用于喜金刚的曼荼罗中，在其他的曼荼罗中也有出现，而且排列的方位并不相同。由于曼荼罗中的八大空行母很小，特征不明显，现将故宫博物院所藏一套形制稍大的八大空行母造像作为附图刊出，以便对照研究，其均高17.2厘米，黄铜铸造，裸身，头戴五骷髅冠，火焰形发髻，三目圆睁，表情忿怒，身披鲜人首项鬘，单腿立，舞蹈姿，下踏恶魔。莲座上各有藏文名号，做工娴熟，线条工整，可能是西藏或清宫的作品。这些空行母的图像学特征十分清楚，为研究8位空行母的重要实物资料，现按其在喜金刚曼荼罗中的方位和名号抄录如下：

沙斡里佛母（*Śabarī*），藏文名号*Ri khrod ma*。右手托举比丘像，左手持禅杖（附图1）；

专必尼佛母（*Ḍombinī*），藏文名号*G-yung mo*。右手上举金刚杵，左手施期克印（附图2）；

嘎斯嘛里佛母（*Ghasmarī*），藏文名号*Kha sma ri*。右手持蛇，左手托钵（*pātra*）（附图3）；

伯答哩佛母（*Betālī*），藏文名号*Be ta li*。右手持龟，左手托钵（附图4）；

补嘎西佛母（*Pukkasī*），藏文名号*Pu ka si*。右手托狮，左手持斧（附图5）；

高哩佛母（*Gaurī*），藏文名号*Gau ri*，右手举钺刀，左手持鱼（附图6）；

造哩佛母（*Caurī*），藏文名号*Cau ri*，右手持鼓，左手持猪（附图7）；

簪达里佛母（*Caṇalī*），藏文名号*gRol ba mo*，右手托法轮，左手拄锄头（附图8）。

附图1 沙斡里佛母

附图2 专必尼佛母

附图3 嘎斯嘛里佛母

附图4 伯答哩佛母

附图5 补嘎西佛母

附图6 高哩佛母

附图7 造哩佛母

附图8 簪达里佛母

51

大轮金刚手

北京，清宫内务府造办处　乾隆时期（1736～1795年）
红铜　高50.5厘米

Mahācakra-Vajrapāṇi
The Imperial Workshop in Beijing
Qianlong Period (1736~1795)
Copper　H. 50.5 cm

大轮金刚手三面六臂，头戴五叶宝冠。发髻如燃烧的火焰，正中是金刚杵头，表明他作为金刚族化现尊神的身份。发髻正前方有一条盘身而起的蛇，显然暗示它继承了金刚手菩萨降伏龙族的特点。面相极度忿怒，嘴中衔蛇。正二手分别施无畏印和与愿印拥抱明妃。另二手各持口中所衔长蛇一端，余右手持金刚杵，左手施期克印。明妃右手持钺刀，左手托嘎布拉碗。大轮金刚手左展姿而立，明妃相对，右展立姿，左腿勾主尊腰而立，右脚下踏梵天，左脚下踏帝释天，二者均是印度教的尊神。高莲座，莲瓣肥厚，这种圆角长方形的莲座是典型的清宫模式。莲座正面下方铸正楷书题记："大清乾隆年敬造"。

大轮金刚手是金刚手菩萨的变化身之一，是后者在怛特罗佛教中发展出来的本尊形象。

52

佛海观世音

西藏中部　18世纪
黄铜　高16厘米

Jinasāgara-Avalokiteśvara
Central Tibet　18th century
Brass　H. 16 cm

此尊佛海观世音头戴骷髅冠，右展立姿，明妃左展立姿，右腿勾主尊腰而立。明妃和主尊的腿过分拉长，身体显得特别瘦长，加之身体向右倾斜，使整个造像给人一种不稳定感，可能是拉萨雪堆白作坊的作品。

清宫所系黄纸签云："利益番铜琍玛阴体佛海（残），嘉庆九年十二月十二日收，（残）进。"

佛海观世音是无上瑜伽部父续的本尊之一，为格鲁派所重视。从其名号来看，他是观世音菩萨怛特罗形象的体现，在我们所见到的现代学者学术著作中鲜有论及，在西藏和北京出版的图像学著述中，我们可以见到三种形象，一种是故宫梵华楼和宝相楼所藏的佛海观世音佛，菩萨装，一面二臂，持念珠（*mālā*）和莲花，右展立姿，拥明妃空行慧密母，明妃持嘎布拉碗和莲蕾。另一种出于同一处，但名号最后少"佛"字，称为佛海观世音。特征与佛海观世音佛相近，不同之外是，明妃持嘎布拉碗和嘎布拉鼓。第三种是在章嘉国师所编《诸佛菩萨圣像赞》中，佛海观世音双手施金刚吽迦罗印持铃、杵，拥明妃，全跏趺坐，明妃所持法器与其相同。由于佛海观世音的三种怛特罗形式极易与上乐金刚的一面二臂形象混淆，所以需极为小心辨识。佛海观世音其实也是西藏广为信仰的六字观音或称四臂观音的名号之一，在《五百佛像集》中，有一尊佛海观世音，其形象正是四臂观世音。另外，《密称法海·菩萨部》所收的"浮海观世音"成就法中所描述的佛海观世音就是典型的四臂观世音。尼泊尔还保存了此尊一面四臂拥明妃金刚亥母形象的曼荼罗。

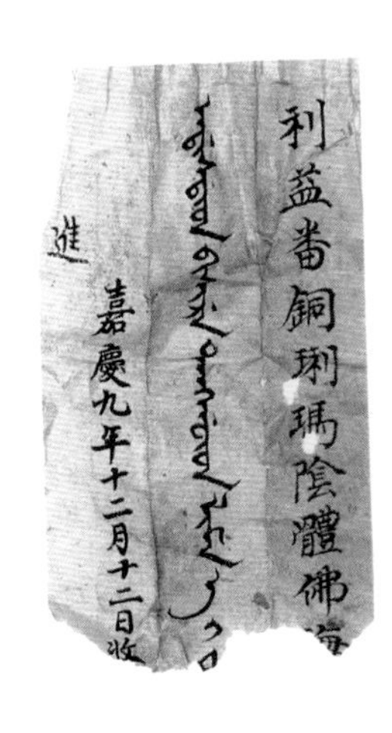
利益番銅琍瑪陰體佛
嘉慶九年十二月十二日收
進

般若佛

“般若佛”这个分类见于《诸佛菩萨圣像赞》一书。另外，在《三百佛像集》中已经体现出了这个分类的存在,称为“佛类”。其概念具体所指，二书中并未见到说明。在故宫六品佛楼中，梵华楼是保存相当完整的一处。它是按照藏传佛教传统的大乘佛教思想以佛像、法器和佛经为供养分门别类建立起来的佛堂，对了解藏传佛教的神系思想有重要的意义。其第一部就是般若部，题记云:“第一妙吉祥大宝楼上供奉如是佛说大乘般若经品内一切调御丈夫天人师释迦牟尼佛及文殊菩萨、金刚菩萨、观世音菩萨、地藏菩萨、除诸障菩萨、虚空藏菩萨、弥勒菩萨、普贤菩萨八大佛子等;诸如过去七佛、八大药师如来、三十五佛、贤劫千佛，皆可供奉，其经则三大般若、华严、宝积等以及诸经论菩提路等大乘注疏皆宜藏庋，是为最上福田，功德不可思议。”可知，所谓的般若佛就是大乘佛教神系所出现的诸佛，是相对密宗的本尊而言出现的分类。

作为佛教创始人的释迦牟尼，随着佛教的发展，他在日趋复杂和庞杂的神系中的地位也有了曲折的变化。在小乘佛教时，或者说在原始佛教时期，对释迦牟尼佛的崇拜还仅局限于对他的神迹象征性的表现，如莲坐、伞盖、菩提树、足印等，当佛像出现在犍陀罗艺术和摩陀罗艺术中时，他被看作是佛教至高无上的尊神。从公元初年以后，大乘佛教的成立和发展最明显的特征就是偶像崇拜的出现并广泛流行，使佛教信仰进一步世俗化、大众化。首先，释迦牟尼被神圣化、抽象化成为佛教第一神。但是很快大乘佛教的发展突破这个神系的限制，佛教哲学开始从时间和空间上进行拓展，对佛这个概念作了全新的抽象意义的解释，使佛的数量急剧增长。从时间上说，世界从创造到毁灭、从毁灭到新生的整个过程是由成、住、坏、空四劫(*kalpa*，极长的时间单位)组成的无限反复，在这个无法估算的漫长时间里，并不止有释迦牟尼一位佛出现在世界，教导众生，而是有无数的佛产生和涅槃过。由此，释迦牟尼佛本身变成了“如恒河沙数”一样众多的佛中间的一个片断佛，或者说，他只是我们这个世界所拥有的佛，此前、此后均有无数的佛在无数的世界曾经出现和将要出现。这样，释迦牟尼佛的重要性较前期明显下降。于是各种造佛的理论出现，如过去世出现了七位佛，称为过去七佛;过去世庄严劫、现在世贤劫、未来世星宿劫各出现三千佛，合称三世三千佛;三世如来燃灯佛、释迦佛、弥勒佛分别代表过去、现在和未来三世。从空间上，世界有十方(东、南、西、北四方，东北、东南、西北、西南四隅和上、下)，不同的方位有不同的佛在教导众生，于是就有了十方佛、居东方净琉璃世界中的药师佛七佛，居十方一切世界中的三十五忏悔佛等。

金刚乘佛教出现以后，般若诸佛的地位在本初佛、五方佛体系，或者以大量的忿怒和除障神格的金刚族为主的本尊面前已经显得比较低了，但是释迦牟尼佛的形象仍有所变化，他的曼荼罗已经出现，标志释迦牟尼佛密教本尊身份的形成。

Buddha

Buddha is a group of divinities in *Mahāyāna*, obviously differing from *Yi dams* or other divinities who bear the rank of *Buddhas* in esoteric *Buddhism*. This section has appeared in 300 Icons and *Chu-Fo-Pu-Sa-Sheng-Xiang-Zan*. In the imperial temple *Bao-Xiang Lou (or Fan-Hua-Lou)* of *the Forbidden City* in *Beijing*, there is a collection of bronze statuettes, constituting a unique Lamaistic Pantheon which consists of 787 figures. The upper storey of the temple consists of seven chapels. Except the central one with a life–sized *bTsong kha pa*, the other six chapels are devoted to different groups of divinities of the Buddist teachings. The first chapel is called *Paramita* of *Mahāyāna Buddhism (Pa rol tu phyin pavi theg pa chen po)* in *Tibetan*. According to the inscriptions and the figures worshipped in the chapel, the membership here includes *the Thirty-five Buddhas, the Thousand Buddhas, the Sixteen Arhats, the Seven Bhaiṣajyagurus, the Tathāgatas of Ten directions, Śākyamuni,* and *Aṣṭamahābodhisattva*, etc.

Along with the development of *Buddhism*, considerable iconographic and formal conformity of *Śākyamuni* amongst a the wide variety of *Buddha* images were created in the various Buddhist countries. Prior to the first or second century, it was customary to represent incidents from the life of Buddha in considerable detail with various symbols, instead of the image of the *Buddha* himself in anthropomorphic form. The most important of the early symbols are the empty throne, the pillar, the wheel, the footprint, as well as the Bodhi tree.

Certainly by the first century, images of *Śākyamuni* had made its appearance in both *Gandhāra* and *Mathurā,* and in the course of time, increased in large amounts. According to the tradition, it was believed that only a monk could hope to attain enlightenment, and consequently little attention was paid to the laymen. The new idea from *Mahasaṃghika*, however, further declared that the *Buddha* was not merely a historical figure, but a supramundane being-perfect, immeasurable, and omniscient. They claim that before becoming the *Buddha, Śākyamuni* passed through numerous previous existences in a wide variety of forms, both human and animal. Based on this idea, it was believed that many other *Buddhas* had similarly existed in the past. They had appeared during various cycles and in various worlds to preach the same religion. *Mahāyāna* Buddhists expanded this concept even further, and the *Buddha* became as numerous as the grains of sand on the banks of the *Ganges*. These *Buddhas* were represented both in painting and sculpture in certain significant numeric groups: *Seven Buddhas of the past, Thirty-five Buddhas of Confessions of Sins, Ten Buddhas of directions, and Three thousand Buddhas of the past, present and future*. Furthermore, it was assumed that the cycle of the appearance of *Buddhas* on earth would be repeated endlessly. It is important to note that there appears the *maṇḍala* of *Śākyamuni* in *Tibet*, which connotes the formation of his status in *Vajrayāna*.

53

燃灯佛

喀什米尔　8世纪
黄铜　高26厘米

Dīpaṅkara

Kaśmir　8th century
Brass　H. 26 cm

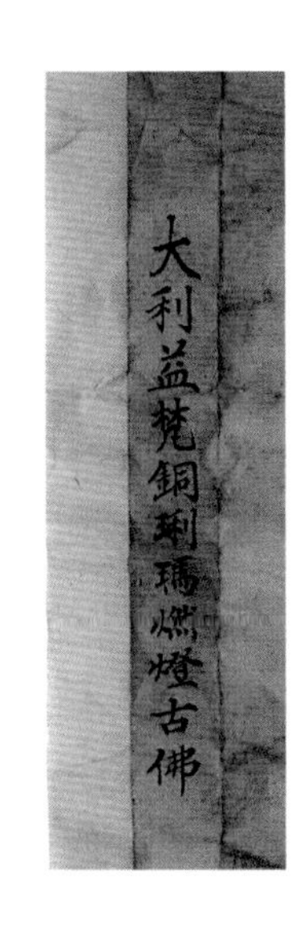

燃灯佛与释迦形象无异，着袒右肩式袈裟，贴紧全身，但开无衣纹，仅见波浪式条纹，双手施转法轮印，是喀什米尔早期的特点，颇受笈多风格的影响。但佛面庞丰腴，双眼大睁而无神。从薄衣贴体的曲线中可以清楚地看出其身体壮实，有明显的写实主义的色彩。然而能够体现喀什米尔艺术成熟魅力的是其矩形座的形式。座四角各有一雕柱，正面有二狮与中间的夜叉为支撑。二狮的眼睛嵌银，这种装饰方法同样也用于人物身上，成为喀什米尔艺术的主要特点之一。座侧各跪一供养人。此尊燃灯佛的高贵与精致是喀什米尔造像艺术成熟时期的代表。

清宫所系黄纸签云："大利益梵铜琍玛燃灯古佛。"

燃灯佛或称然灯佛，又作定光如来、锭光如来、普光如来、灯光如来。在过去世为释迦菩萨授记的佛陀。《过去现在因果经》卷一记载，此佛出生时，四周大明，不用灯火，故名为普光。《大智度论》卷九亦云，燃灯佛生时，身边一切如有灯火照明，故名燃灯，成佛后亦名燃灯。《修行本起经》卷上记载，往昔，提和卫国(*Dīpavatī*)有圣名的国王，名叫灯盛。临终前，将国政嘱咐太子灯(锭)光，太子看破红尘，又将国政让给其弟，即时出家。成佛后，出游四方时，遇一梵志儒童，为他散花供佛，并解发髻铺在泥路上，请佛踩过去，燃灯佛遂授记儒童来世将成佛。此儒童即释迦牟尼佛。另外《贤愚经》卷三《贫女难陀品》记载，过去久远二阿僧祇九十一劫，阎浮提有大国王，名波塞奇。王有太子名勒那识只(即宝髻)，出家学道而成佛。时比丘阿梨蜜罗日日燃灯供养彼佛，佛乃为比丘授记，告知将来比丘会成佛，名定光如来。

由于在过去佛中燃灯佛最著名，在很多佛教经典中提到燃灯佛和他的故事。他也因此拥有很多的信徒。《大唐西域记》卷二提到，北印度那揭罗曷国有释迦牟尼供养燃灯佛而受记之遗迹。今印度桑奇大塔的塔门浮雕中，有定光如来化作大城的图像。

54

贤德佛

西藏中部　16世纪
铜鎏金　高13厘米

Bhadraśrī
Central Tibet　16th century
Gilt bronze　H. 13 cm

此佛右手施触地印，左手施无畏印，螺发肉髻，如释迦牟尼佛。着袒右肩式袈裟，仅袈裟一角披右肩头。袈裟领和下摆均有阴线刻卷花枝纹，在莲座下沿也有阴线刻划缠枝莲纹，十分典雅。底板刻十字交杵形图案，并鎏金。这是后藏地区的工艺特点。结合整件作品鎏金明亮、线条圆润古雅的特点来看可能是后藏地区的工匠所造。

此像入清宫后增配有银龛，龛后面用满、蒙、汉、藏四体文字书题记，汉文云：“乾隆三十八年闰三月十六日，钦命阿旺班珠尔胡土克图认看供奉大利益嘎克达穆琍玛贤德佛。”“嘎克达穆”藏文的对应词是*bKav gdams*（通常译为“噶当派”，西藏早期佛教教派之一，后并入新兴的格鲁派），指噶当派盛行时制作的佛像，始于阿底峡尊者，通常铸造于山南地区，常用红铜混合金、银冶炼的合金，品质卓越，与印度造像相似。结合汉文题记内容推断，此像可能是噶当派所供，但藏文中并没有提到“嘎克达穆”一词，用的是*pod li rnying po*，按照清宫惯例译为“番铜旧琍玛”，仅指此像为古代西藏造像。

如果汉文题记有所依据的话，其所刻名号则有问题。传统噶当派崇奉“噶当四尊”（*bKav gdam lha bzhi*），即释迦牟尼佛、观音菩萨、不动金刚和度母。其释迦牟尼佛常以触地印的姿势出现，与此尊造像一致。如是，此尊当为“释迦牟尼佛”，而不是贤德佛，而且通常在造像本身没有题记的情况下，贤德佛是无法识别出来的。在此，仍尊重清宫旧定名，存疑。

据《大宝积经·优婆离所问经》记载，贤德佛为三十五忏悔佛中的第17位。据《决定毗尼经》云：三十五佛居于十方一切世界中，有众生作了种种恶业，将堕无间地狱，若能于三十五佛前至心忏悔，则其罪业得以抵消，超脱地狱之苦。这种具有现实意义的佛较易为对业、轮回和业报特别敏感的藏族信徒所接受，所以在西藏流传颇广。清宫对三十五佛信仰也十分重视。在佛日楼下的五方佛唐卡中有三十五佛的完整形象。

55

立像无畏印释迦牟尼佛

西藏西部　11世纪
黄铜　高70厘米

Śākyamuni

Western Tibet　11th century
Brass　H. 70 cm

释迦牟尼佛右手施无畏印，左手牵衣角施授记印。授记印在犍陀罗造像中即已经出现，在西北印度极为流行。着通肩式袈裟，无衣褶，如出水后贴身，但衣缘较厚，感觉到织物的厚重。高大的背光，阴线刻划。项上有很高的佛塔形象。莲座扁平，方台有波罗风格的因素。这是一件很典型的藏西艺术风格的作品。

释迦牟尼，意为释迦族出身的圣人。根据佛典记载，释迦牟尼本名乔达摩·悉达多，是北印度迦毗罗卫国（今尼泊尔南部）净饭王太子。舍弃豪华生活，出家修行，最后获得觉悟，创立新的宗教，是为佛教。根据传说，佛出生后不久，净饭王曾让仙人艾希达为儿子占相。艾希达看出，太子并非寻常人物，他的体相中有32种非凡特征和80种特点，称为“三十二相”，“八十种好”，合称“相好”。在造像和绘画中，佛与众不同之处最常表现在顶有肉髻，青绀色螺发右旋，眉间有白色毫毛，即“白毫”，手足掌心有轮相等。

释迦牟尼佛图像学变化很少，只有坐姿和立姿两种，禅定印、与愿印、触地印、转法轮印和无畏印为最常见五大手印。

56

立像与愿印释迦牟尼佛

尼泊尔　12世纪
铜鎏金　高40厘米

Śākyamuni

Nepal　12th century
Gilt bronze　H. 40 cm

释迦牟尼佛着通肩式袈裟，右手施与愿印，左手抬起握衣角，施授记印，稍折姿势而立。袈裟紧贴全身，肌肉毕现。鼻翼窄，但鼻梁修长，且有弧度，面庞清秀。身体健壮，肌肉匀称而富有弹性，充满了青春气息。具有典型的尼泊尔艺术的特点。莲座为红铜，不鎏金，圆形，莲瓣形式较晚，可能是后配。

57

坐像与愿印释迦牟尼佛

斯瓦特　6～7世纪
黄铜　高12.3厘米

Śākyamuni

Swat　6th to 7th century
Brass　H. 12.3 cm

释迦牟尼佛右手施与愿印，左手握持衣角，施授记印，结跏趺坐。着通肩式袈裟，领口垂落，衣纹自然写实，身体健壮结实。莲座椭圆形，深束腰，莲瓣肥大，没有托底，直接着地，是斯瓦特最常见的莲座形式。

原清宫所系黄纸签云："大利益密嚕什喀释迦牟尼佛，五十三年九月二十五日收，达赖喇嘛进。""密嚕什喀"藏文作*me ru śi ṣa*，佛的名号之一，意译作"救度焰口"，释为迦牟尼佛，也译为"弥噜兮卡牟尼"，见《五百佛像集》中第209尊，在其咒中也有"密嚕什喀"的名号。乾隆五十三年是1788年，此达赖喇嘛当指第八世达赖喇嘛降贝嘉措（*vJam dpal rgya mtsho*，1758～1804年）。

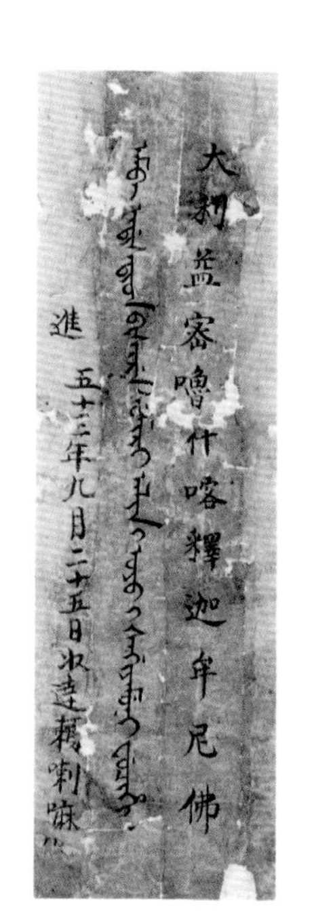

58

坐像与愿印释迦牟尼佛

斯瓦特　8～9世纪
黄铜，嵌银　高15.6厘米

Śākyamuni

Swat　8th to 9th century
Brass with silver inlay　H. 15.6 cm

释迦牟尼佛着通肩式袈裟，衣物紧贴全身，衣领和衣纹自然流畅。面庞丰满，双目大睁，鼻梁粗扁，眉间嵌白毫。右手施与愿印，左手握衣角，施授记印。全跏趺坐于厚垫上，垫下为方形台座，是典型的斯瓦特的双狮垂帘式，方台正面前后均垂帘，瓔珞缀边，帘两边各蹲踞一狮子，相背而卧，回首向外，双眸嵌银，神态生动。在台座下方双层莲瓣的右下角跪坐一供养人形象，双手合十，仰面向佛，十分虔诚。前方供水瓶，莲座下沿有梵文铭文。此造像为斯瓦特成熟艺术的代表。

59

坐像与愿印释迦牟尼佛

斯瓦特 9世纪
黄铜 高15.5厘米

Śākyamuni
Swat 9th century
Brass H. 15.5 cm

释迦牟尼佛着袒右肩式袈裟，但胸部肌肉已经没有前一时期的丰满有力，变得平坦。袈裟上的衣褶也用阴线刻划表现，失去了自然写实的特点。双目睁开，鼻梁粗大，面庞丰满。螺发顶上有扇形发结装饰，反映出斯瓦特艺术中晚期佛教思想和欣赏趣味的变化。台座还是双狮垂帘式，双狮正面向外，帘简化成一个方框，在坐垫的两角有线条写实的垂穗装饰。莲瓣不再直接着地，下面加上托底。造像古雅依旧，只是线条趋简化，程式化的特征也比较明显。

60

坐像无畏印释迦牟尼佛

喀什米尔 7世纪
黄铜 高13厘米

Śākyamuni
Kaśmir 7th century
Brass H. 13 cm

佛右手施无畏印，左手持衣角，施授记印，为犍陀罗风格中最流行的佛手印形式。着袒右肩式袈裟，袈裟素面，无衣褶，卷起的衣缘给人一种质地厚重的感觉，为中亚游牧民族高原气候的服饰特点，但紧贴身体，肌肉充分凸现出来，应是笈多风格的一种地方特色。人物鼻子圆平，身体壮实的特点也是当地人种特征的写照。桃形头光素面无任何装饰，这与后来双线描绘火焰或镂空式火焰装饰的头光与背光大相异趣，也是其早期佛像的特征之一。此像有两处特点值得我们格外注意：第一，佛全跏趺坐下有一垫。每当佛坐于矩形狮子座时，总有这种坐垫出现，此种装饰后被各种佛教艺术流派所接受并流行。第二，矩形座式的结构与斯瓦特从一开始就已分道扬镳，喀什米尔矩形座正面有二狮相背而踞，中间以一柱相隔，颇有装饰效果。而斯瓦特矩形座多以双狮垂帘为装饰。这种双狮座式在犍陀罗与摩菟罗的贵霜艺术中已经流行。座下沿有梵文题记。

61

坐像转法轮印释迦牟尼佛

斯瓦特　7世纪
黄铜　高15.4厘米

Śākyamuni
Swat　7th century
Brass　H. 15.4 cm

释迦牟尼佛双手施转法轮印，左手握衣角，施授记印，着袒右肩式袈裟，衣纹自然生动。面庞丰满，双眉在额部偏上，双目大张，鼻梁粗厚，笑容古拙。莲座跟身体宽度相比，略嫌窄小。莲瓣饱满，直接着地，属早期斯瓦特造像的特点。

原清宫所系黄纸签云：“大利益梵铜琍玛墨鲁式喀释迦牟尼佛。六十年十二月二十五日收，留保住（残）。”“墨鲁式喀”即图57所言“密噜什喀”，救度焰口之义（详见图57解说），佛名号之一。六十年当指乾隆六十年。“留保住”见图29说明。

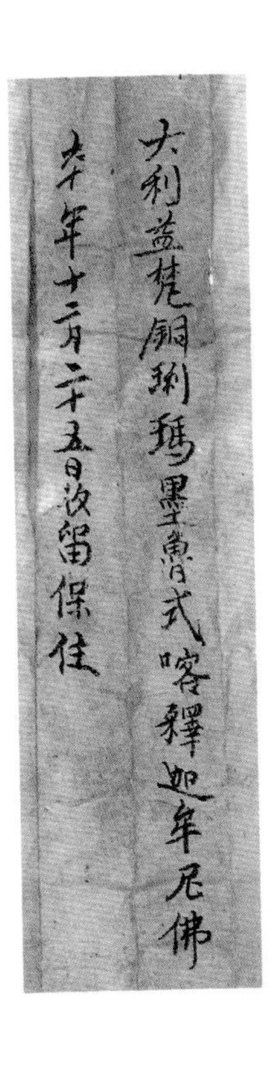

大利益梵銅琍瑪墨魯式喀釋迦牟尼佛
六十年十二月二十五日收留保住

62

坐像转法轮印释迦牟尼佛

东北印度　7世纪
黄铜，错嵌银丝　高28.5厘米

Śākyamuni

Northeastern India　7th century
Brass with silver inlay　H. 28.5 cm

释迦牟尼佛着袒右肩式袈裟，衣褶以双阴线刻划。衣领错嵌红铜丝，下摆嵌银丝。鼻梁高且粗，眸子和白毫嵌银，嘴唇厚，是北印度笈多朝(*Gupta Dynasty*)晚期作品的特点。台座为长方形多层束腰式。佛全跏趺坐于厚坐垫上。背光为拱门式，上部为繁密的菩提树叶，与身体后部连铸在一起。此造型表现的是佛于菩提树下初转法轮的场面。

清宫所系黄纸签云："大利益桑唐琍玛密(残)。乾隆五十一年正月初二日收，达(残)进。"根据字义，可以补充所缺内容大致如下：大利益桑唐琍玛密噜什喀释迦牟尼佛。乾隆五十年正月初二日收，达赖喇嘛进。其中"桑唐"二字，藏文作*bzang thang*，含义不明。传统认为，桑塘琍玛指黄、白色铜合金铸造的一种造像，以释迦牟尼像为主，通常喜欢用红铜作衣饰镶嵌，其他金属材料镶嵌五官，如红铜嵌嘴唇，银嵌眼眸作装饰等。此像中，佛的脸部已被厚厚的金泥覆盖，无从查证，但袈裟嵌银、红铜的特征却是相当吻合的。

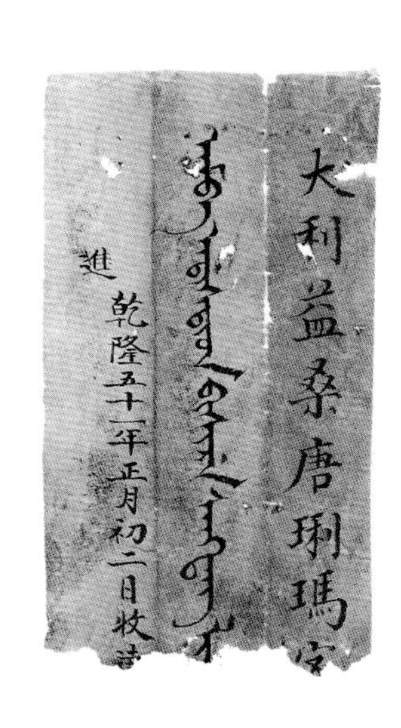

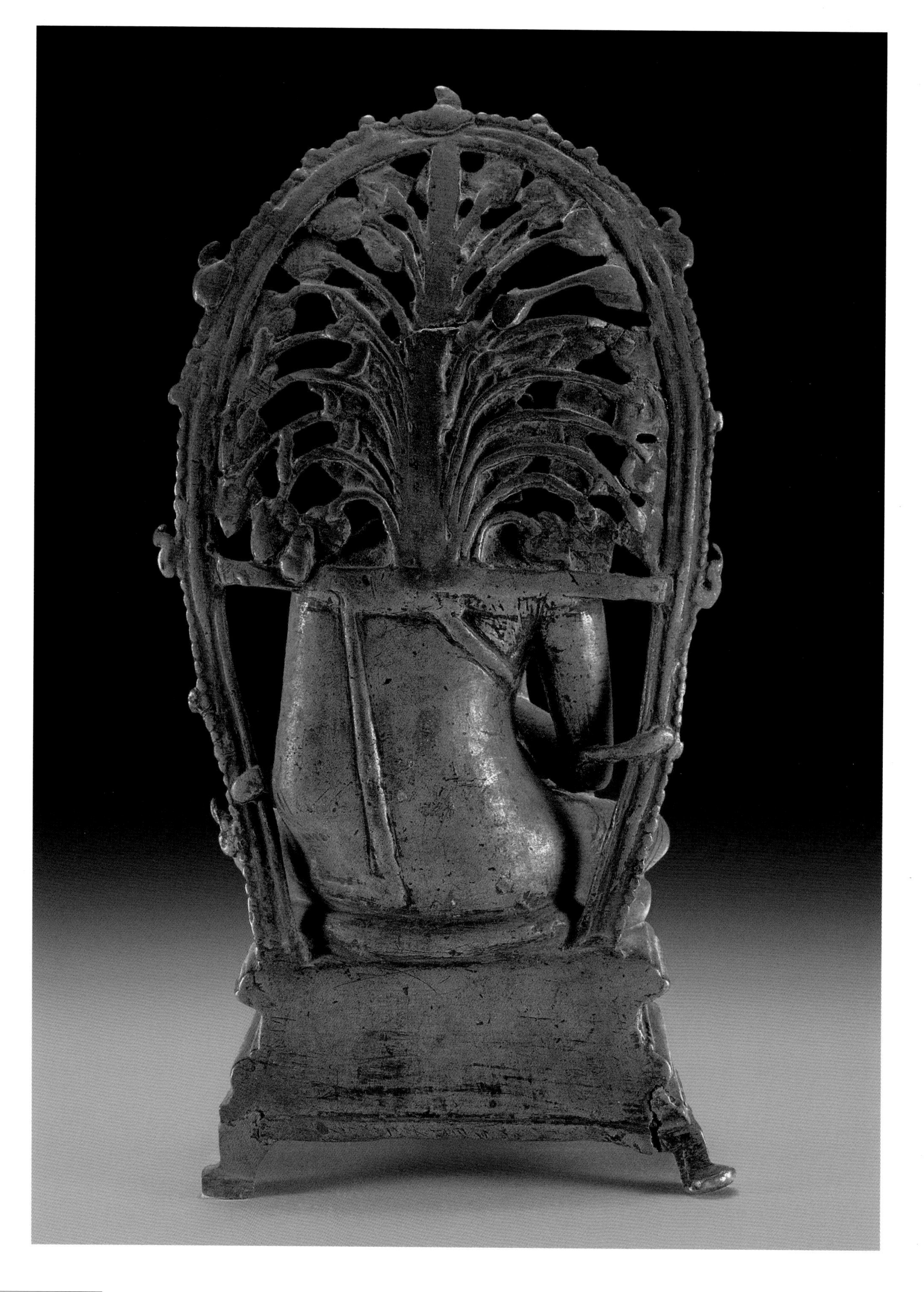

63

坐像转法轮印释迦牟尼佛

北京，清宫内务府造办处　乾隆时期（1736～1795年）
黄铜　高69厘米

Śākyamuni
The Imperial Workshop in Beijing
Qianlong Period (1736~1795)
Brass　H. 69 cm

佛施转法轮印，全跏趺坐于矩形座上，露出一种奇怪的笑容。水波式的衣纹，衣缘表现多层袈裟的衣褶，颇有装饰效果。座的两侧与背面有镂空缠枝莲图案装饰，佛身下的坐垫四周为去地阳纹装饰图案，以圆圈为单位，每一个圆圈中细刻一凤鸟图案，具有汉地特色。在雍和宫有一件非常相近的作品（雍和宫佛像宝典编委会编:《雍和宫佛像宝典》页40，北京出版社，2002年），可资比较。雍和宫的这件作品脸形更接近喀什米尔风格，饱满丰腴。矩形座前两侧各有跪姿供养人一名，也是古代西北印度造像中较为常见的形式。此像供于清宫内务府造办处配供的须弥台座之上，身后有高大的过去七佛题材木金漆背光。根据背光后的满、蒙、汉、藏四体文字的记叙，在乾隆十年正月二十二日（1745年2月22日），西藏郡王颇罗鼐和七世达赖喇嘛奉旨从西藏将此像请至北京，并于九月二十五日（10月20日）供奉于新改建的藏传佛教寺院雍和宫法轮殿内。乾隆帝还亲题诗文加以赞颂。

二尊造像十分华丽。矩形座正面有双狮、鹰头狮身带双翅的怪兽（*griffin*）与夜叉托座的装饰题材，这种座式是喀什米尔繁荣时期的一种豪华样式，类似座式的造像还有其他几个例子，如现藏于美国洛杉矶县立美术馆（*The Los Angeles County Museum of Art*，公元8世纪）、巴基斯坦拉合尔博物馆（*Lahore Museum*，公元8世纪）、拉达克地区赫尔米斯寺（*Hemis Temple, Ladakh*，850～950年）等的作品。这种怪兽形象在更早的波斯艺术中已经出现,可能是来自萨珊人的影响。长期以来，由于喀什米尔疆域的变迁以及文化背景的复杂性，加之当时喀什米尔以外地区佛教受到严重的破坏，中亚地区的佛教徒也纷纷涌入这一地区，一些人甚至在宫廷中担任要职，中亚地区的艺术影响不可避免地进入喀什米尔地区，带来一些新的艺术因素。

不过，以上国外的三件清代作品坐垫均为素面，与乾隆时期的这两件作品不同。我们在美国洛杉矶的诺顿·西蒙基金会（*Norton Simon Foundation, Los Angeles*）收藏的一尊750～850年喀什米尔风格的释迦牟尼佛像上找到了这种坐垫的底本。虽然这尊造像的座式为典型的喀什米尔山石坐，与上述作品不同，但其坐垫装饰图案加工手法独特，坐垫图案装饰充分表现了喀什米尔装饰喜好嵌金、银、铜等金属的特点，整个图案由铜、银丝错嵌而成，圆圈内的图案为一圈连珠，中心有四朵花瓣，使我们联想到中亚地区长期流行的这种装饰图案和装饰方法。虽然二者的图案构成并不相同，但其装饰方法如出一辙，显然有明显的承继关系。

总之，雍和宫的这尊造像是西藏工匠仿照喀什米尔公元8世纪的作品制作的，故宫的这件作品则是内务府造办处工匠对雍和宫造像的复制，所以离喀什米尔风格旨趣相去甚远。如眼睑不再有浮肿的感觉，双颊也往内收，恢复自然；从正面看鼻子为锥形，是典型的清宫式，而不再是喀什米尔的扁平式。佛座正下方有“大清乾隆年敬造”的字样。从加工工艺方面看，此像与喀什米尔的作品相比各有千秋，但从人物的气质上看，清宫的释迦牟尼佛像给人一种“老瓶装新酒”的感觉。

64

坐像触地印释迦牟尼佛

东北印度　8～9世纪
黄铜　高16.5厘米

Śākyamuni

Northeastern India　8th to 9th century
Brass　H. 16.5 cm

佛着袒右肩式袈裟，全身光滑无衣纹。身躯壮硕，肌肉饱满。右手施触地印，左手施禅定印。椭圆形莲座，莲瓣扁平，中间有*Y*字形叶茎。莲座下是双狮垂帘式台座，双狮背向而踞。台座下面有带四个支脚的平台支持，是北印度流行的古老形式，在公元7世纪以后的后笈多时期（*PostGupta*）广为流行，直到波罗王朝灭亡的12世纪末。此像的背光是极为典型的后笈多时期的代表。顶上是圆形伞盖，伞下方为圆形头光，头光中有菩提树叶，暗示佛的成道。背部是一方形框，上横梁两端各一佛塔，暗示佛的圆寂。横梁下方佛身体两侧各立一异兽，口吐珠宝，下踏象背，大象立于莲台之上。这种构图是后来常见的六拏具背光的雏形，六拏具中只出现了四拏具形象。这种形式的背光早在公元8世纪就已经在北印度出现，到公元9～10世纪的波罗风格造像中，六拏具背光已经成型并且流行开来。几乎是在公元8世纪中后期四拏具背光就已经出现在汉地佛教的造像中，如敦煌和四川地区等。六拏具也随后出现。如元代北京居庸关云台上就有非常成熟的六拏具拱门形式，均从古印度的遗风。

原清宫所系黄纸签云：“大利益梵铜琍玛释迦牟尼佛。乾隆五十年九月二十二日收，热河带来。”

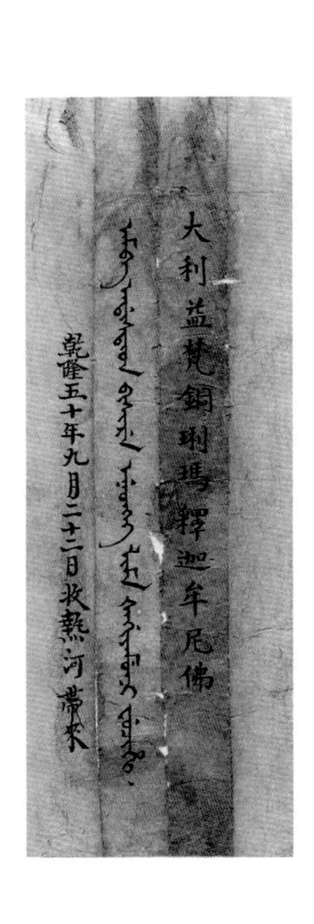
大利益梵銅琍瑪釋迦牟尼佛
乾隆五十年九月二十二日收熱河帶來

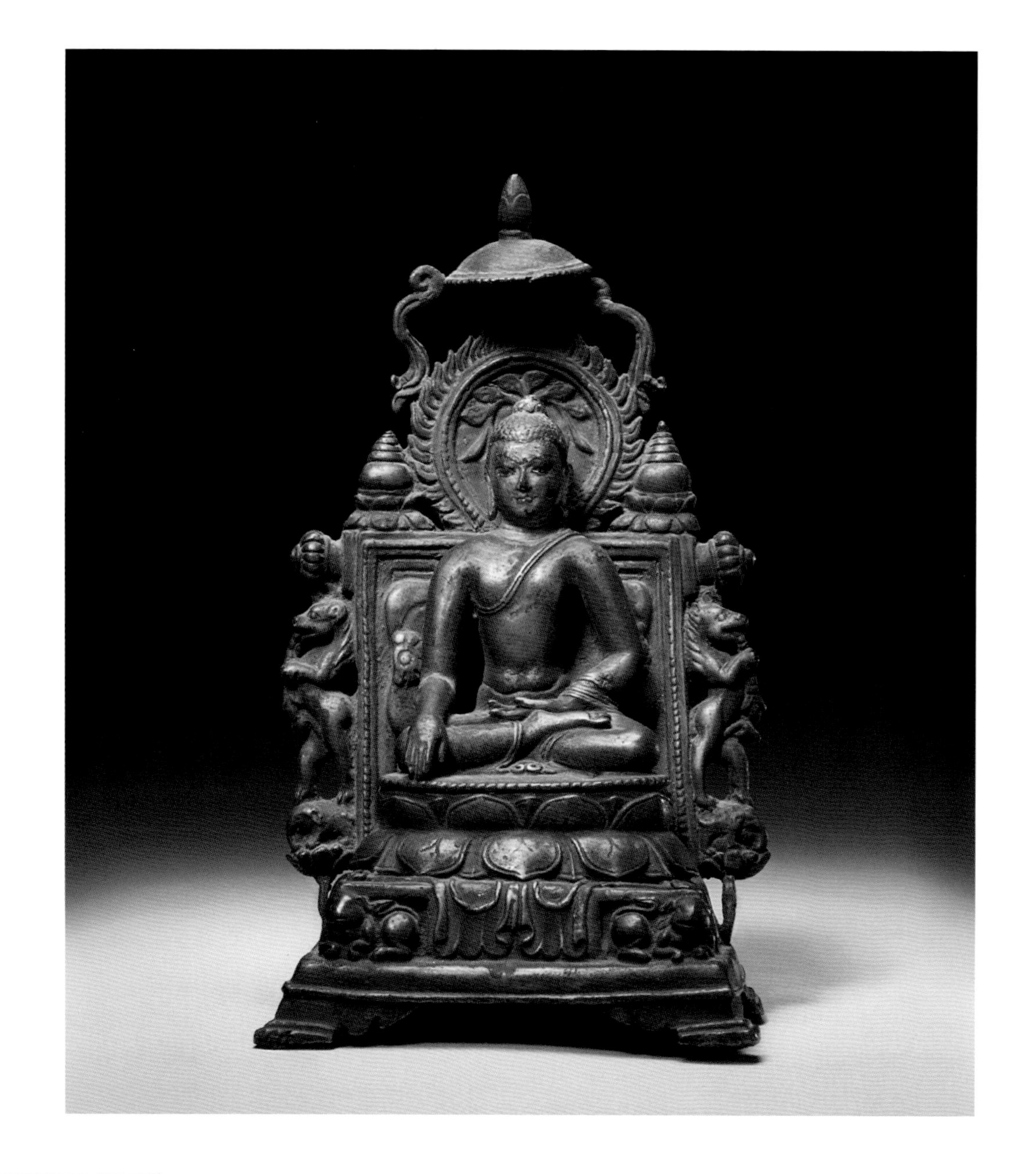

65

坐像触地印释迦牟尼佛

西藏中部　17～18世纪
铜鎏金，嵌松石　高26厘米

Śākyamuni

Central Tibet　17th to 18th century
Gilt bronze with turquoise inlay　H. 26 cm

佛着袒右肩式袈裟，白毫和胸前的衣角嵌松石。特别有意思的是左肩下部，袈裟衣角部分有缀璎珞的装饰，这种情况在佛造像中极为罕见，可能反映了藏族人对佛的观念的不同理解。右手施触地印，左手施禅定印托钵。面庞浑圆，身体健壮。莲座下有半圆形折角莲台，正面以细阴线刻划图案装饰，是扎什伦布寺扎什吉彩作坊的仿古之作。

底板有清宫所贴白绫签，云："乾隆四十五年八月二十四日，皇上驾幸扎什伦布，班禅额尔德尼恭进大利益扎什琍玛释迦牟尼佛。"此处"扎什伦布"非指班禅大师在西藏的主寺，而是指清代皇家园林承德避暑山庄的须弥福寿寺。此寺为乾隆时期迎接六世班禅的觐见，仿扎什伦布寺建造，故名，也称须弥福寿之庙。当日，乾隆帝以拈香（即拜佛）的名义来到扎什伦布寺会见六世班禅，并下旨不让班禅出门迎接。在扎什伦布寺内，乾隆帝向班禅介绍了他们到北京以后的活动安排，并请求班禅在北京时向他传法。会面之后，互赠礼物，此像即是班禅给乾隆帝献上的礼物之一。

乾隆四十五年八月二十四日
皇上駕幸扎什倫布班禪額爾
德尼恭
進大利益扎什琍瑪釋迦牟尼佛

66

坐像触地印释迦牟尼佛

西藏中部　18世纪
红铜铸像，黄铜座，错嵌银丝　高20厘米

Śākyamuni
Central Tibet　18th century
Copper with brass pedestal and silver inlay　H. 20 cm

此造像可以确信不是东北印度的作品，而是西藏工匠的仿作。首先，此像已经完全没有了波罗风格中诸神表情庄重，神情严肃的特点，面带童子相，这是最明显的尼泊尔造像特点。此外，此尊造像继承了波罗风格中诸尊上身宽厚的特点，但肌肉不及其劲健有力，变得柔和，带有西藏和尼泊尔工艺的特点。使用红铜，尤其是将红铜加工得如此光滑明亮则是尼泊尔工匠的专长。最为明显的仿作特征在于它的台座形式。其台座为多折角式，台座前有双象、双狮。波罗风格中，每个折角线条自然，错落有致，而此造像中，所有台面成一条直线，上沿的连珠纹也过整齐，缺失了波罗风格中自然典雅的风韵。但是此像也有其独特的魅力：佛的身体是黄铜铸造并泥金，袈裟部分是润泽的红铜铸造，红铜与黄铜混用，圣索嵌银，色泽鲜艳；黄铜坐垫上置金刚杵，四边分别刻划怪兽面（*Kīrttimukha*）、卷草纹等，精细入微，台座正面镂雕地母和魔罗（*Māra*）以及狮、象等形象，生动古雅。底板上有梵文铭五行。

在图像学研究上，此像具有重要的意义。根据学者研究证明：这种佛像是模仿古印度菩提迦耶（*Buddh gayā*）大菩提寺（*Mahābodhi-saṅgrahārāma*）古老的主尊像。古佛的主要特点是：项部较短，着红色袈裟，施触地印。此尊造像中，红铜表现的正是袈裟颜色。座前的金刚杵以及座正面的地母和魔罗形象均表明，这是佛于菩提迦耶成佛的情景，佛施触地印让地母为他成佛作证，魔罗试图阻止释迦牟尼成佛，被佛降伏。从造像上看，地母手托宝瓶，正在见证成佛的情景；魔罗作愁苦状。从公元9世纪后期到13世纪末，西藏有到圣地菩提迦耶朝拜的传统，所以带有大菩提寺古佛模式的造像一直在印度、西藏绘画和造像中反复出现。

这种艺术特点和构图的作品还有几例：在印度新德里的国立博物馆（*The National Museum, New Delhi*）可以见到11世纪的古印度类似的作品；美国洛克菲勒三世夫妇（*Mr. and Mrs. John D, Rockefeller 3rd Collection*）和宁杰朗（*Nyingjei Lam*）的藏品中可以见到西藏的仿作。

67

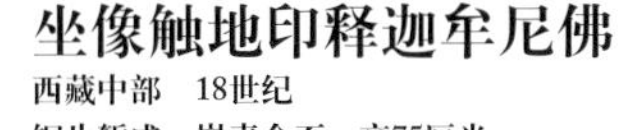

坐像触地印释迦牟尼佛

西藏中部　18世纪

铜片錾成，嵌青金石　高75厘米

Śākyamuni

Central Tibet　18th century

Gilt bronze with lapis lazuli insets　H. 75 cm

佛一头螺发，一袭袈裟，全跏趺坐于坐垫上，莲花座（或称金刚座）前横置的金刚杵，暗示佛坐于菩提迦耶的菩提树下金刚座上成道的情景，有人将此像认定为五方佛中的阿閦佛是缺乏根据的。

此像特别值得注意的是：由于是铜片拍打成型，全身衣褶以阶梯式凸出纹式表现，呈规则的斜纹。面部光滑，鼻梁高直，面相俊美，表情宁静平和，上身袒露部分肌肉丰满，匀称，充满青春活力，令人联想到尼泊尔艺术的特点。底座莲瓣瘦长，排列紧密均匀，表现出工匠铜片处理技术的高超。莲座上沿有连珠纹，下沿出一宽边，并不加装饰图案。这些都是尼泊尔艺术后期的特点。

尼泊尔艺术后期流行铜片加工佛像的技术，并直接影响到西藏、蒙古，甚至宫廷造像，这件作品应是其中的上作，是西藏日喀则扎什伦布寺扎什吉彩作坊的作品。

68

同侍从坐像触地印释迦牟尼佛

西藏中部　15世纪
铜鎏金　高64厘米

Śākyamuni with attendants
Central Tibet　15th century
Gilt bronze　H. 64 cm

佛施触地印，袈裟衣角从身后绕到左肩，形成一个美丽的装饰细节。这种细节在图65、图66中均有体现，只是繁简不同而已。从公元9世纪开始这种袈裟穿法的表现方法才在印度造像中流行，在西藏造像中广泛采用。佛像封底为红铜片，阴线刻十字交杵纹，为清代新配。

台座正面不见地母和魔罗的形象，代之以卷草围绕的立杵。两侧有跪伏姿的狮子和大象各一。此像无疑与图66一样表现了佛坐于金刚座上的情景，只是更为简化。此造像以其华丽繁复的背光和台座引人注目。背光分为内外两层，外层是一个背板，内层则为錾出的细密装饰图案。整个背光为拱门形，最外一圈为火焰纹，其次为卷莲纹，这种繁密规则的装饰花纹令人联想到萨迦派唐卡中细密卷莲纹的背景装饰。这种图案也被广泛用于尼泊尔绘画中。内圈分上下两部分，上部分正中，佛头上部有金翅鸟踏于两只龙神身上。龙神头上出三龙头，龙身卷曲向前伸展，与两边摩竭鱼的尾部相接。摩竭鱼站在栏楯门的两端，张口向外，尾部夸张成类似于孔雀尾的形式，伸展向上，极富装饰效果。间隙处用繁密的细花填满。佛坐在凹龛中，佛头部有头光，身后两侧为垂帘，线条极为流畅优雅。两边各侍立一菩萨，均是观音，双手持莲花。莲座下为多折角式台座。台座是铜片錾成，正面有大象、狮子的形象，上下共分三层莲台，极显豪华，是西藏古典主义造像的代表之作。

佛像侍从菩萨是一种很常见的组合形式，从古印度的雕塑、绘画到黑水城的唐卡以及西藏各时期的作品中均可以见到。

69

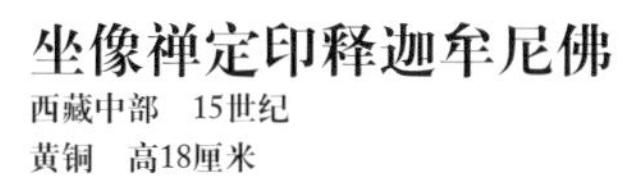

坐像禅定印释迦牟尼佛

西藏中部　15世纪
黄铜　高18厘米

Śākyamuni

Central Tibet　15th century
Brass　H. 18 cm

佛着袒右肩式袈裟，衣缘及袈裟下摆均有阴线刻划装饰。袈裟在左肩向外翻起很大，将整个左肩包裹绕向身后，然后从肘部出来，再绕小臂，增加了线条的丰富性，可能有一定的写实性。佛双手禅定印捧宝瓶，全跏趺坐，眉眼细长，垂眸下视，面含微笑。上身肌肉健壮，腰部收得较细。莲座上沿连珠纹装饰，莲瓣肥厚，西藏中部艺术早期的特点明显。

70

坐像禅定印释迦牟尼佛

内地或西藏　18世纪
陶泥　高24.6厘米，宽17.7厘米

Śākyamuni

Inland or Tibet in China　18th century
Clay　H. 24.6 cm, W. 17.7 cm

这是一件颇有特色的陶制佛像作品。佛着袒右肩式袈裟，袈裟衣角披左肩。双手施禅定印，捧钵，眉脊突起明显，头略下垂，眼睛半睁，全跏趺坐，双层仰覆莲花，下承束腰多折角台座。台座正面以金刚杵形装饰，表现佛入定时神圣不可侵犯的精神世界。身后有典型的波罗样式的六拏具背光，顶有树叶，类似伞盖，可能代表佛在菩提树下入定觉悟的情景。这是一个较大的擦擦佛，印模后经过烧制成陶，形象准确，线条清晰。背光口沿一圈有梵文咒，但非常模糊。其背后有一个斜形圆孔，应是作为供奉时固定之用。

此造像构图模式较早，可以上溯到公元9世纪左右，但此陶制佛像的制作年代可能要晚到18世纪。

71

坐像苦行印释迦牟尼佛

喀尔喀蒙古　17世纪下半叶至18世纪初
铜鎏金　高25.5厘米

Śākyamuni
Khalkha Mongolia
the second half of the 17th to early 18th century
Gilt bronze　H. 25.5 cm

释迦牟尼佛右手施苦行印（*śramaṇa*），左手持袈裟一角。全跏趺而坐。面相年轻俊美，鼻梁修直，胸肌隆起，身躯健壮，观者几乎都能感受到其肌肤的温度和青春的气息透过薄薄的袈裟传达出来。袈裟紧贴全身，不见衣纹，在衣缘和下摆有细阴线刻花纹装饰。圆形莲座，莲瓣肥大，连珠纹圆润晶莹。鎏金明亮，整体打磨细腻，使佛的肌肤感十分强烈。

喀尔喀蒙古的造像在一世哲布尊丹巴时期有强烈的尼泊尔风格特点，这一点从这件作品上看得极为清楚，如果不是大量这样的作品在乌兰巴托的寺庙和博物馆保存着，没有人会相信这些可能出自优秀尼泊尔工匠之手的作品会是在遥远的漠北高原铸造的。将这些造像称为17～18世纪最优秀作品，应当不是过誉之辞。

72

佛传石牌

东北印度或元大都（北京） 13世纪
叶蜡石 高23厘米

Plaque with scenes from *Buddha's* life

Northeastern India / Beijing, Yuan Dynasty 13th century
Pyro-phyllite H. 23 cm

此造像用淡黄色的叶蜡石雕刻，表现了释迦牟尼佛的八大圣迹。这种造像流行于东北印度和缅甸北部的浦甘地区，其创作一直到13世纪两个佛教繁荣地区相继被破坏以后才消失。

这八大圣迹在一个小小的石牌上紧凑且完整地表现出来。圣迹一：石牌中心为施触地印的释迦牟尼佛。佛坐在拱门中，拱门上端有菩提叶垂落，代表佛于菩提树下成道的事迹。圣迹二：拱门正上方，佛涅槃的场面。佛右肋而卧，双足重叠。身旁有三名弟子作瞻拜姿。拱门最外两侧分别代表释迦牟尼成佛后的六个场面。圣迹三：右侧最上，佛立中间，两侧为天人相迎，或礼拜或张举伞盖，代表佛从忉利天（*Trāyastriṁśa*）讲法回来的情景；圣迹四：右侧中间，佛坐像，施说法印，代表他在舍卫城（*Śrāvastī*）显示的种种神通；圣迹五：右侧最下一尊，佛垂足坐（*bhadrāsana*），双手托钵，右侧有猴王捧蜜钵，表现佛在舍卫城受猴王施蜂蜜的故事。圣迹六：左侧最上一尊，佛立姿，左边有天人张举伞盖，右边弟子作双手捧钵，表现佛降伏疯象（*Nālāgiri*）的故事；圣迹七：中间，佛坐像，施转法轮印，表现了佛在波罗奈城（*Bārāṇasī*）的鹿野苑（*Mṛgadāva*）初转法轮的场景；圣迹八：最下，摩耶夫人（*Māyā*）在蓝毗尼园（*Lumbinī*）树下，从腋下生下佛的情景，摩耶夫人右手上举攀树，左侧有侍女接生，右侧有侍女礼拜。佛菩萨的莲花座均置于大莲枝上。

此像背后刻有藏文因缘咒三行：*Ye dharmaheturprabhava hetum teshami/ tathāgatohyava dattesham chayonirodha/ evaṃvādī mahāśramaṇaḥ*，字迹圆润，笔划清晰，与法国集美博物馆所藏的元至元二十九年（1292年）石刻彩绘大黑天像背后的藏文因缘咒字迹极为接近，年代也应接近。与布达拉宫的红殿（*Pho vbrang dmar po*）一尊11世纪或12世纪的同样材质和构图，背后同样刻有因缘咒的作品相比，人物形象和风格有较大差异。参考下方有刻划规整的"至正元年二月二十八日造"竖款，虽然字迹稍嫌生硬，但年代约略相近，当为13世纪的作品无疑，且人物的面相，身体特点已经有了一些内地造像的特点，似乎有可能是元大都仿作，或许与阿尼哥的进京有一定关系。背光后另有"乾隆年"和"嗡啊吽"的刻款，字迹潦草，均是后期增刻。

因缘咒，也称为十二因缘咒、法身偈或法身舍利偈等。汉译为："诸法从缘起，如来说是因。彼法因缘尽，是大沙门说。"此咒据说是佛初转法轮时所讲的基本教义的概括，成为早期佛教经常诵讲的哲理格言，佛教密宗将其圣化成诵持的密咒。大乘佛教或密宗在抄经最后都要诵抄此偈，以消除抄写错误带来的罪业。后来此偈进一步演化成代表佛法身舍利的咒，所以此咒经常书写以后放在象征佛身舍利保存处的佛塔内装脏和佛身象征的佛像体内。一些铜像和石像甚至唐卡背后直接抄写此咒作为装脏用，也是同样的含义。此像即是一例。

背后两侧下方有两个斜下小孔，底部有挖出的插入槽，当石刻插入槽中后，再用木栓通过后背的两个小孔插入加以固定，叶蜡石质地偏软，易碎，这是防止此像移动时磕碰受损的重要方法。

这种形式的石牌还有另外一个模式，与此稍有不同。它在八大圣迹之外又增加了一些生动的细节描绘和佛观想7周的场景。类似作品目前在缅甸、西藏保存较多，故宫藏品中原件未存，但乾隆宫廷的仿作保存数量颇多，如清宫仿佛传石牌就是一例（附图）。与上述构图有所不同，在拱门两侧有两位侍立菩萨，二菩萨的头上有魔罗（*Māra*）军队，他们想破坏佛成道。佛施触地印，以手指触地，让大地为他成佛作证，并降伏诸魔。佛脚处，有扶床而哭者，是弟子阿难。另有弟子准备佛的荼毗（即火化）事宜，佛床下方有三位夜叉支撑。左侧上方的第六圣迹佛降伏疯像，佛作立姿，略弯腰似在抚慰大象。支撑莲座的莲枝下方是水界，二龙子，可能是难陀及优婆难陀，正奔跑过来扶持莲干。台座正面分别有狮、象、夜叉等形象。另外，拱门与上述6个场景之间有4位坐佛和两位立佛形象，表现的主题是释迦牟尼成佛后在菩提树下用不同的姿势继续观想了7个星期的场景，这6尊佛就代表佛在不同星期之间的形象。

这两类石牌造像作品在缅甸有大量的保存，而在印度则保存很少，斯里兰卡和西藏都有类似的作品保存至今。可能都是朝圣者从印度作为圣物带走的。学者们认为，纯粹的八大圣迹的佛牌（如本图中的石牌）应是印度孟加拉地区的原作，缅甸在此基础上做了改动，即增加了佛观想7周的场景，此类作品一般被视为缅甸的作品。

所谓佛传，即指佛一生的重要事迹。印度艺术中有八相成道的题材，西藏则多以十二相成道为主，即从佛一生中选取不同的场面组合起来以艺术的手法表现其生平事迹。这些事迹内容并不相同，而石牌有基本的模式，说明它们有共同的模本来源。

附图 佛传石碑

至正元年二月二十八日造

73

宝冠释迦牟尼佛

喀什米尔　9世纪
黄铜，嵌银　高19.5厘米

Crowned *Śākyamuni*

Kaśmir　9th century
Brass with silver inlay　H. 19.5 cm

此佛右手施与愿印，左手持衣角，施授记印。头戴高三叶冠，双眸嵌银，面庞丰满，表情沉静。双耳戴花，耳珰也作花朵形，以项链为饰。着通肩式袈裟，衣纹刻划很深，领口和袖口卷起，显得衣物质料厚重。全跏趺坐于坐垫上，下方台座是双狮垂帘式，垂帘形式化严重，但是从台座上沿到垂帘的周边均缀大璎珞，很有写实色彩。背光高大，呈葫芦形，顶部已损坏，中间是菩提树叶，表现佛坐于菩提树下的情景。整体看来作品略显粗放。

所谓的宝冠佛，是一种佛装与菩萨装的混合形式，这种独特的佛像引起很多学者的关注。

释迦通常是身着袈裟的出家之相，螺发，肉髻，此外并无装饰。宝冠释迦牟尼佛则打破了这个惯例，虽身着袈裟，但头戴菩萨的宝冠，故很容易与菩萨装五方佛区别开来。最初造像中的宝冠佛形象，可能是在菩萨思想深入人心以后对佛刻板装饰传统的一种反动，以增加造像的装饰效果。后世对此解释有多种，一种认为，在佛教经典有关佛传故事的记载中，反复提到，乔达摩太子在家则成转圣轮王，出家则成佛。宝冠佛是其转圣轮王的形象。另外，也有根据佛教三身说的理论加以解释的，即佛有法身、报身和应身三种变化身。佛教怛特罗思想出现以后，这个理论进一步系统化，与本初佛的思想联系起来，从而构成了一个完整的大神系结构。即世界的本源是本初佛，由他而生五方佛，五方佛转生五方菩萨，五方菩萨是世界的实际创造者，由他们而生世间佛，包括释迦牟尼佛在内。五佛住于涅槃之中，代表抽象的法身，五菩萨住于天上，代表福报的报身，世间佛坐于世间，以神通变化教化众生，称为应身或化身。所以从理论上说，释迦牟尼佛与五方佛一样，可以有佛装和菩萨装形象，这种形式的造像正是释迦牟尼佛与法身佛五方佛、报身佛五方菩萨一脉相承关系的体现。我们注意到，宝冠佛的出现与佛教密宗盛行的时代大致相同，即公元6～7世纪。它的出现是佛教三身说理论成熟的标志。

74

宝冠救度焰口释迦牟尼佛

喀什米尔　10世纪
黄铜　高26.5厘米

Crowned *Śākyamuni*

Kaśmir　10th century
Brass　H. 26.5 cm

此造像是宝冠佛的组合神。最高处正中端坐宝冠佛，施无畏印，上身着缀瓔珞披肩。据学者研究证实，这种披肩在公元6世纪已经开始出现，可能是国王或高级贵族的特有服饰，在中亚地区流行。他身边各坐施与愿印的佛像一尊。二佛斜下方坐菩萨，右边是弥勒菩萨，左手持净瓶；左边是观音菩萨，右手施无畏印，左手持莲花。发髻正中有无量光佛的坐像。二菩萨贴佛塔而坐。从长方形台座正中生长出莲枝，并出旁枝。佛与菩萨均坐于莲台之上。在旁枝与主干之间的莲枝上还坐两位佛，肉髻，袈裟十分清楚。莲枝最下方，台座之上，二龙子立水中，一手置腿上，一手扶莲枝，抬头仰视。佛的袈裟下摆以红铜错嵌，所有人物眸子嵌银，面庞丰满，双目大睁，鼻梁粗扁，胸肌饱满，均是喀什米尔风格的特点。

清宫所配紫檀木龛背后有满、蒙、藏、汉四体文字题记。汉文云：“乾隆二十年三月初四日，钦命阿嘉胡土克图认看供奉大利益梵铜琍玛同侍从救度焰口释迦牟尼佛。”救度焰口是佛的名号之一。

另外，乾隆时期内务府造办处还造了一尊此像的仿品（附图）。配龛相同，题记略异，云：“乾隆二十六年九月十六日钦命章嘉胡土克图认看供奉利益新造同侍从救度焰口释迦牟尼佛。”明白无误地指出了二者的模仿关系，其构图也完全一致。

通过二者的对比，我们可以发现，它们的面相并无太大的差别，主要的不同是在两个方面，第一，原作用的是传统的黄铜，仿作用的是清宫常见的红铜；第二，仿作在方台座原来素面的地方加上细密阴线装饰图案，而且将原作省略的一些细部线条交代得更清楚。

这件仿作的出现除了反映乾隆本人有着文人的好古之习气外，还有他对喀什米尔风格的认可与赞赏。

附图 宝冠救度焰口释迦牟尼佛

乾隆二十六年九月十六日

75

宝冠释迦牟尼佛

西藏西部　11世纪
黄铜　高29.2厘米

Crowned *Śākyamuni*

Western Tibet　11th century
Brass　H. 29.2 cm

佛头戴宝冠，冠上连珠，两侧各垂束发缯带，身上有项链和手钏为饰，胸前有璎珞披巾，作菩萨装束，跟朴素的佛装大相异趣。这种冠式，在西藏西部史毗提（*Spiti*）地区塔波寺壁画中的菩萨像上常用，二者如出一辙。此像面部颊颐丰满，双睑略鼓，上身*U*字形衣纹不明显，双臂与下肢均无衣纹。由于披巾覆盖胸肌不明显，腹部鼓出，并不见肌肉形状。双臂与腿部结实有力。莲瓣和背光加工略嫌粗糙。从整体看，此像身上的线条较乱，完全离背了喀什米尔风格中的自然主义倾向。从身上的衣纹到衣缘的衣褶以及莲座的加工上都能发现工匠缺乏熟练的加工技巧，与此时期喀什米尔工匠追求精工细作，华丽圆熟装饰效果的风气相悖。其次，对人体肌肉表现不足，与喀什米尔工匠善于表现人体的特长也不相符，因此，此尊造像可能是藏西工匠仿喀什米尔的作品。莲座为单层覆莲形式，下面也是方台，正面刻藏文题记："*Lha Na ga ra dza*"，译为"拉那嘎拉咱"。

"拉"（*Lha*）在藏文中是一个神圣的字眼，相当于汉文的天或神。在早期西藏的吐蕃王朝时期，它是对赞普的尊称。如在唐蕃会盟碑中，赞普一词前的修饰词是"圣神"，它的藏文对应词是（*lha vphrul*），具有"神变"、"神通变幻"之义。根据本教的传说，最初藏王是从天界来的，从聂赤赞普开始的七位赞普死时肉体仍沿着一根天绳飞升天界。《敦煌古藏文历史文书》也说，天神从天空降世，在藏地为国王。因此，佛像上的"拉（*lha*）"应该就是（*lha vphrul*）的简写。文献证明，这位那嘎拉咱王就是藏西古格王国的国王后来出家的拉喇嘛益希沃的儿子。无论从年代还是题记上都证实了此像与这位古格王子的关系。带有他名号题记的造像保存不少，但是学术界对哪些是他当时所铸，哪些可能是后来的仿作，有不同的观点，从书写形式来看，此件题记更可能是后刻上去的。

76

宝冠释迦牟尼佛

北京　宣德时期（1426～1435年）
红铜鎏金　高28厘米，宽19.4厘米

Crowned *Śākyamuni*

Beijing　Xuande Period (1403~1424)
Gilt copper　H. 28 cm, W. 19.4 cm

佛戴精美的五叶宝冠，双耳插花朵为饰，圆形耳珰，面庞方正，表情微微含笑，神色庄严。着袒右肩式袈裟，袈裟一角搭在左肩，右手施触地印，左手施禅定印。全跏趺坐姿。仔细观察整件袈裟，人们无不为其装饰图案之华丽和繁缛惊叹不已。其领、袖边缘有修长的藤蔓，上缀花朵纹，袈裟方格内饰突起、圆润的花朵纹，腹部正中立有金刚杵。这些做工精美且立体感极强的图案与润泽的红铜暖色以及富丽华贵的金色相映生辉，愈显得古雅奢华。明代永乐宣德时期宫廷造像黄铜鎏金为多，鲜能见到红铜鎏金的作品。此件是罕见的红铜鎏金实例之一。从其面相和装饰特点来看，此像很可能受到尼泊尔艺术的强烈影响。

莲台面上佛前刻有"大明宣德年施"六字款，字迹秀丽。莲瓣拉伸，颇有弹性，莲舌上的卷草纹更是典型的明宫廷莲瓣装饰图案。底板失，内膛刻有数字"廿（卄）三"，当是工匠造像计数之证。

此像曾经受过撞击，其脑后部和后背上部有明显的受打击痕迹，幸好受损不大，对于整个作品华丽精美的艺术美感未有丝毫损害。如果将此像称为15世纪明代宫廷造像中最为精美的作品之一，当是实至名归之赞誉。

77

立像弥勒佛

西藏西部　12世纪
黄铜　高17.5厘米

Maitreya (Buddha)

Western Tibet　12th century
Brass　H. 17.5 cm

此造像中弥勒右手施说法印，左手持净瓶。着袒右肩式袈裟，袈裟领边卷起，腿两边的衣褶如双翅形，是早期藏西本土艺术的特点。在双腿部位还有小细点组成的小花朵图案。螺发，肉髻，面部泥金过厚，特征不明。莲座为圆形，单层覆莲，莲瓣粗略。

藏族艺术家在后弘初期（11世纪以后）不断引进和学习喀什米尔及东北印度艺术风格的同时，也开始了本民族艺术创作的历程。由于当时崇外的风气特别兴盛，本土艺术家独立的创作或因为缺少豪门贵族的赞助，或者因为缺乏创作的经验，作品显得相当稚拙粗略，还带有挥之不去的喀什米尔艺术的痕迹，很少有市场，所以他们的作品主要针对中下层的信徒。但是，这些作品作为藏传佛教艺术幼年时期的代表，对我们研究藏传佛教艺术的成长过程是不可缺少的一环。

弥勒原为释迦牟尼佛座下大弟子之一，现菩萨形象，住兜率天，故称弥勒菩萨。弥勒菩萨尽其一生之后，在未来世降生娑婆世界，继释迦牟尼佛之后成佛，习俗相沿，也称他为弥勒佛。据佛典所载，弥勒菩萨现在兜率天的内院弘法，教化天众。相传兜率天上有500亿天子，各以天福力，造作宫殿，发愿布施弥勒菩萨，庄严兜率天宫，使兜率天成为殊胜的国土。弥勒信仰是佛教的救世主信仰。以未来佛——弥勒菩萨为信仰对象。原成立于印度，后流行于整个亚洲佛教信仰地区。一般相信弥勒菩萨将在释尊入灭56亿7000万年后，自弥勒净土（兜率天）下生此娑婆世界，在华林园龙华树下成佛，然后召集三次度众法会，号称“龙华三会”，济度众生，因此，弥勒信仰含有理想国的性质。佛典“弥勒三部经”（《弥勒下生经》、《弥勒大成佛经》、《弥勒上生经》）是弥勒信仰的教理核心。

78

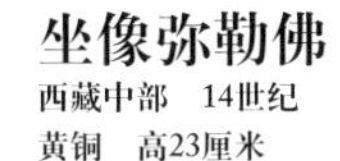

坐像弥勒佛

西藏中部　14世纪
黄铜　高23厘米

Maitreya (Buddha)

Central Tibet　14th century
Brass　H. 23 cm

弥勒佛像更常见的姿势是垂足坐像，西方学者称之为西方坐式，以别于东方的盘足坐或跪坐式。在佛教诸神中，唯有弥勒佛为垂足坐，多坐于长凳（或椅）上，如此尊造像。有时这种独特的坐式成为辨认此尊的唯一标志。佛右手施说法印，左手禅定印，表现的是他在未来世界说法的形象。着袒右肩式袈裟，袈裟一角包裹右肩，为百衲衣式，在胸前背后所有的补丁中各刻罗汉一名，共16名罗汉，其余部分刻各种花枝图案。整个袈裟上全是细密阴线刻划的图案和人物，历历可数。在长凳形的坐具四面和布满精美细腻的卷莲和缠枝莲图案。这种细密连绵的缠枝莲和卷莲图案与萨迦派古典主义的装饰风格十分相似。

据《法住记》记载：在释迦牟尼佛涅槃后至未来佛弥勒出世前，十六罗汉及其眷属奉佛敕住持世间，宣扬无上正法，超度众人，直到人寿7万岁时，无上正法消失，他们建七宝塔，供释迦牟尼佛的一切遗物，绕塔赞叹瞻礼后，同时进入涅槃。汉地从公元5世纪已经出现了绘画罗汉的作品，从此以罗汉为题材的绘塑作品不断涌现，成为汉传佛教艺术作品中久盛不衰的主题，其传统一直延绵至今。西藏最早从唐朝和西北的于阗引进了罗汉的作品，特别是来自汉地的罗汉画在西藏产生了深远的影响。据说11世纪阿底峡大师受邀进藏传法也带来了印度式罗汉的作品。于是西藏存在印度和汉地两个罗汉系统。明代永乐时期，宫廷罗汉画被赏赐到西藏，对当地罗汉图像学模式产生了新的冲击，并占据了主流位置，一直影响到今天，汉地式罗汉已经成为西藏罗汉形象的主流，印度罗汉基本上退出了西藏的舞台，很多人甚至不知道曾有印度式罗汉的存在，目前只有在一些偏远和古老的壁画中还隐约能见到印度式罗汉形象的残余。西藏罗汉的信仰只有十六罗汉的组合，虽然有时会有达摩多罗及和尚两位侍者出现，或者二者中的一位出现，但他（们）只被视为十六罗汉的侍者。西藏并无十八罗汉的说法。

79

立像弥勒菩萨

西藏中部　16～17世纪
黄铜，嵌绿松石、青金石、珊瑚　高27厘米

Maitreya (Bodhisattva)

Central Tibet　16th to 17th century
Brass with turquoise, lapis lazuli, coral insets　H. 27 cm

弥勒菩萨头戴五叶宝冠，右手施无畏印，这种手印在弥勒图像中很少见。左手扶莲枝。身体两侧各有长莲枝，莲花开敷，婉转多姿，左肩莲心置净瓶。耳珰、长短项链、臂钏、手镯等各处菩萨装束均做工精细，下身着裙，裙上缀璎珞，呈网状。装饰的繁复，反映出这一时期西藏艺术审美风气。莲瓣饱满，线条流畅，还保持古典主义的美感。

另外，弥勒菩萨在发髻前有坐像形象也是其特征之一。故宫藏的一尊立像弥勒菩萨发髻前有佛双手托钵而坐的形象，反映出佛与弥勒之间在时间和空间上的承接关系。

80

立像弥勒菩萨

西藏中部　18世纪
紫金　高22.5厘米

Maitreya (Bodhisattva)
Central Tibet　18th century
Dzi-kim　H. 22.5 cm

弥勒菩萨头戴三叶冠，正中冠叶上有一龛，龛中供佛塔（*Caitya*）。右手施说法印，左手持净瓶。佛塔与净瓶成为弥勒最重要的标志。面部泥厚金，特征不明，但是面庞的丰满还是可以感觉到。上身袒裸，胸肌劲健，但下身相对细长，给人重心不稳，上身过宽的感觉。左肩斜披络腋，具有苦修者的特征，这与西北印度弥勒思想的传统一脉相承。下身着裙，系璎珞腰带。络腋和裙带上均有细小花纹装饰，这个特点在西藏西部的造像中经常采用。特别具有西北印度特色的是莲座，宽大的莲瓣直接着地，更多见于斯瓦特造像中。黑色的像与黄铜底座搭配，给人古雅的感觉。

此像菩萨身体与底座分体铸造，足底铸出插销，插入底座后，在底座下方劈开三道，折弯后将二者固定成型。铜色黑亮，表面润泽，应是尼泊尔或印度配方的紫金琍玛合金材料所铸。虽然形象古雅，但是从金属表现和局部加工处所看到的铜色，尤其是底座内部看到插销切面新铜色，均可判断这是一件后期仿品。包括底座内侧的黄铜颜色，也是新铜感觉。此件作品很有可能是出自西藏拉萨雪堆白作坊（*Zhol vdod dpal*），与宫廷同期所造的紫金琍玛像有明显的不同。

原清宫所系黄纸签云：“大利益紫金琍玛弥勒菩萨。乾隆五十五年九月二十四日收，鄂辉进。”其满文曰：*Amba adistit bisire dzijima lima gosingga*。值得注意的是此题记中紫金一词对照的满文是*dzijima*，与藏文*dzaikṣim*的读音相近，可以肯定为同一词源。鄂辉曾于乾隆五十三至五十四年间以及五十六年至五十七年两次入藏参加平定廓尔克入侵战役，故此像很可能是他从西藏带回来的，而不是内务府造办处成造的紫金琍玛作品，将二者作比较可以发现有明显的不同。此像铜色古雅润泽，清宫紫金琍玛造像色泽略显枯涩，差别较大。

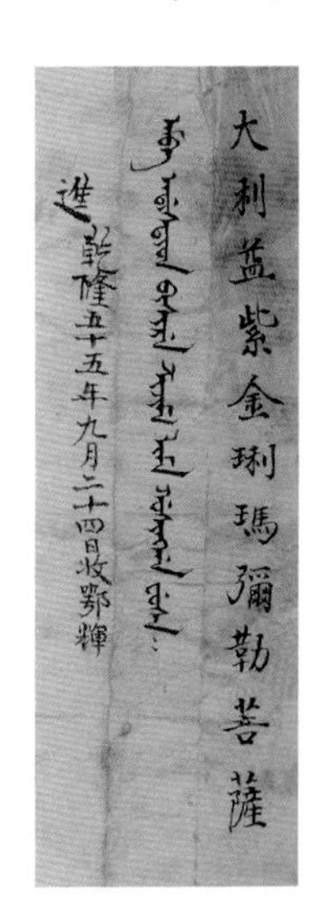

大利益紫金琍瑪彌勒菩薩
乾隆五十五年九月二十四日收鄂輝進

81

同侍从立像弥勒菩萨

西藏　18世纪

铜鎏金　高21厘米

Maitreya (Bodhisattva) with attendants

Tibet　18th century

Gilt bronze　H. 21 cm

弥勒(1)如童子面，右手持莲枝，左手托净瓶，立莲台上。在巨大的卵形背光上部，内外圈共坐有7尊佛、一尊菩萨、两位喇嘛和一位忿怒金刚手。外圈7尊，正中的佛(4)，施触地印；左边三尊由上到下分别施转法轮印(5)、无畏印(6)、施禅定印(7)；右边三尊由上到下分别是施触地印(8)和与愿印的佛(9)以及右手上举金刚杵的忿怒金刚手(10)；内圈4尊，正中，左边是一尊双手禅定印捧瓶的佛(11)；右边是观音菩萨(12)，右手与愿印，左手持莲花，游戏坐姿；下方(13、14)分别是两位藏族喇嘛，身着藏式大袈裟，双手合十，施礼敬印。弥勒菩萨有两位侍从，左边(2)的是四臂女尊形象，从其法器中有宝瓶和般若经卷(？)看可能是持世菩萨；另一侧(3)是一位护法，一面四臂，头戴骷髅冠，挂骷髅鬘，正二手持钺刀和嘎布拉碗，右上手持物不明，左上手持三叉戟，可能是四臂大黑天。从前6尊的布局来看，除正中是释迦牟尼佛外，其余5尊佛分别施转法轮印、无畏印、触地印、与愿印、禅定印5种手印。5尊身份有两种可能：或是佛装五方佛；或是施5种不同手印的佛形象。弥勒所立莲座两侧各踞一狮，颇似汉地风格。台座正面有地母托宝瓶的形象。

从构图看，整个作品明显模仿了尼泊尔风格，弥勒的装束和面相均有明显的尼泊尔痕迹。但是由于做工粗略，线条散漫，可能是后期西藏工匠的仿作。

清宫所系黄纸签云："利益番铜琍玛同侍从水月(残)。乾隆五十七年二月初八日收，包衣昂邦(残)览。"黄签内容与造像不符，可能是误认或者是黄签误挂。"包衣昂邦"是满文*Booi anban*的音译，指内务府总管或总管内务府大臣。

82

坐像弥勒菩萨

斯瓦特　7～8世纪
黄铜　高12.7厘米

Maitreya (Bodhisattva)

Swat　7th to 8th century
Brass　H. 12.7 cm

弥勒菩萨全跏趺坐，右手施无畏印，左手中指与无名指间夹一小净瓶，是这一时期很常见的弥勒标志。头戴三叶冠，头后部的发辫卷曲如连珠散落，左肩斜披的禅丝带均是弥勒作为苦修者的标志。莲座与莲瓣的特点以及臂钏位置靠上表明了此像的时代较早。

原清宫所系黄纸签云："大利益梵铜琍玛弥勒菩萨。乾隆六十一年十一月初一日收，济咙呼图克图进"。济咙呼图克图见图35的说明。

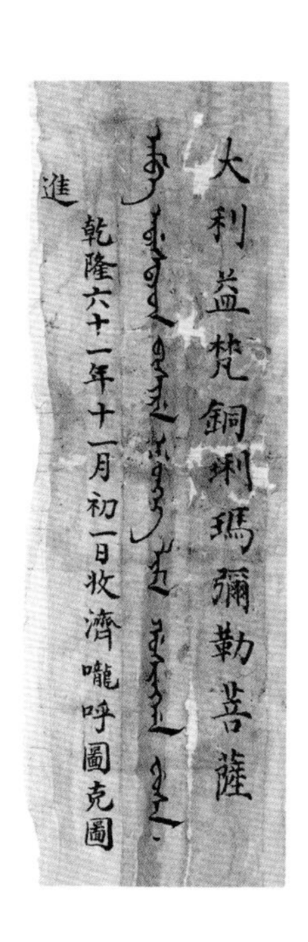

83

坐像弥勒菩萨

西藏　12世纪

黄铜　高18.8厘米

Maitreya (Bodhisattva)

Tibet　12th century

Brass　H. 18.8 cm

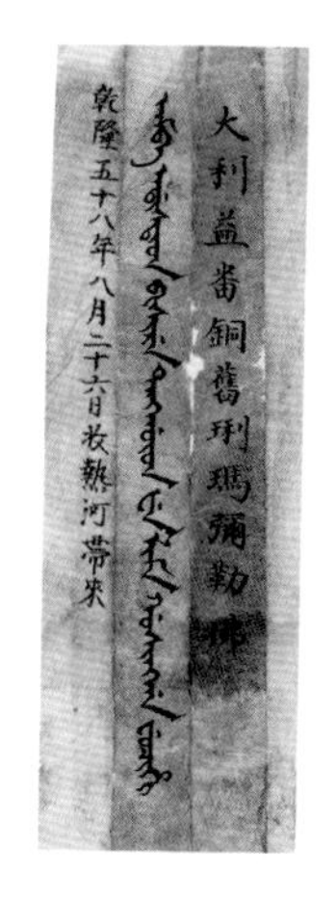

弥勒菩萨着袒右肩式袈裟，左肩斜披络腋和圣索，腰与右腿系禅思带，在膝部打结，十分生动。禅思带上有极细的阴线刻纹。高发髻，卷发如蛇，散落肩头，继承了湿婆的特征，是弥勒作为苦修者的标志。发髻正中有佛塔，作为弥勒的标志物。身体两边各有一支莲枝，婉转多姿，左莲花上置净瓶。游戏坐，下踏莲台。莲瓣线条简洁，是波罗风格晚期造像的特点。不过，弥勒菩萨的表情严肃中带有一种柔和的感觉，身体两侧的莲枝也略显柔弱，莲座形式单薄，与波罗造像的主要特点稍有不同。因此，此像有可能是东北印度工匠在西藏铸造的作品，也可能是西藏工匠仿古之作。

原清宫所系黄纸签云："大利益番铜旧琍玛弥勒佛。乾隆五十八年八月二十六日收，热河带来。""番铜旧琍玛"代表清宫当时对此像来源与艺术风格的看法，即此像是藏式（番铜）作品，而非印度（梵铜）造像。这种观点值得我们关注。

84

坐像弥勒菩萨

西藏中部　15世纪
铜鎏金，嵌绿松石　高17.5厘米

Maitreya (Bodhisattva)

Central Tibet　15th century
Gilt bronze with turquoise insets　H. 17.5 cm

弥勒菩萨垂足而坐。头戴五叶冠，大耳珰，束发缯带上卷如花枝状。尽管泥金很厚，但仍掩饰不住面庞的清秀。双手施转法轮印，两臂外侧各有莲枝沿臂而上，莲花在肩头开敷，左肩头莲花上有小净瓶。双腿裙褶为连珠纹式条棱，裙摆紧贴身体，极富装饰效果。弥勒坐长方形长凳上，凳上刻划菱形图案，双足下承莲花。鎏金极明亮，与红色铜质以及打磨精细程度有关。

垂足坐姿是弥勒菩萨的特征之一。同样，双手施转法轮印也是他最常见的手印。但是，在后期造像中，他的这种手印发生了一些变化，如故宫所藏的另一尊坐像弥勒菩萨，两手在胸前分得很开，这种变化的手印形式在弥勒形象中也经常使用。

85

坐像弥勒菩萨

西藏中部　18世纪

铜片錾成，铜鎏金，嵌绿松石、水晶、珍珠　高101厘米

Maitreya (Bodhisattva)

Central Tibet　18th century

Gilt bronze with turquoise, crystal and pearl insets

H. 101 cm

此尊造像中，弥勒施转法轮印，垂足而坐。但与图84不同之处在于：双手牵莲枝，双肩莲花上各有法器，右肩上是法轮，左肩上是净瓶。法轮也是弥勒的重要标志，但是在造像中并不如其他标志出现频繁。高五叶冠，冠叶为莲花形，嵌石，极精美。头光圆形，上部有佛塔。头光后面为高大的背光。背光最上面有一尊喇嘛的形象，可能是格鲁派祖师宗喀巴。背光上部中心有一只金翅鸟的形象，但是与我们常见的不同，金翅鸟做成了一只兽面怪物，鸟喙变成嘴形，头上长犄角，口中衔蛇，蛇身卷曲，与下面的摩竭鱼卷曲的尾巴相接。摩竭鱼张口向外，立于背光横梁两端，极富装饰效果。弥勒菩萨两边各立菩萨一名，低首垂视。方台的上下沿均有细密的花纹装饰，圆形莲台承菩萨双足。其冠、耳珰、臂钏、腰间所缀璎珞及两肩部的莲花等均略显繁缛，有尼泊尔艺术风格的痕迹。

86

药师佛

西藏中部　14世纪
黄铜　高30.5厘米

Bhaiṣajyaguru

Central Tibet　14th century
Brass　H. 30.5 cm

佛全跏趺坐，右手持药果（*harītakī*），左手托钵，眉间白毫为右旋式，螺发，肉髻，但又戴五叶冠。这种宝冠佛样式的药师佛十分罕见。鼻梁修直，鼻翼窄瘦，表情肃穆。发髻顶饰摩尼宝。着袒右肩式袈裟，衣褶为台地式，层层起折，十分古拙。衣缘及下摆均有阴线刻纹。

药师佛，又作药师如来、药师琉璃光如来。为东方净琉璃世界之教主。《药师琉璃光七佛本愿功德经》所说药师七佛居于东方净琉璃世界中，于过去世行菩萨道时，曾发十二大愿，愿为众生解除疾苦，因此成佛，住净琉璃世界。据称，若有人身患重病，生命垂危，临终时，昼夜尽心供养礼拜药师佛，读诵药师如来本愿功德经可以痊愈，生命无忧。即：其功能与其他佛不同之处在于能救人于垂死，治愈各种疾病，但他也并非局限于此十分功利的现世利益的工作，还履行着佛教众神共同的职责，就是救拔众生出离地狱恶趣，转生佛国，所以备受广大信徒的供奉，自古以来即盛行不衰。

学者们认为，药师佛是一尊来自于中亚地区宗教信仰中的药王信仰的尊神，后来被佛教吸收，逐渐成为重要的佛教尊神，其信仰在宫廷内外，朝廷上下，士绅村野之间，无不广泛流行。在敦煌藏经洞中发现的汉文药师经抄本就有100多种，足见其信仰之广泛。

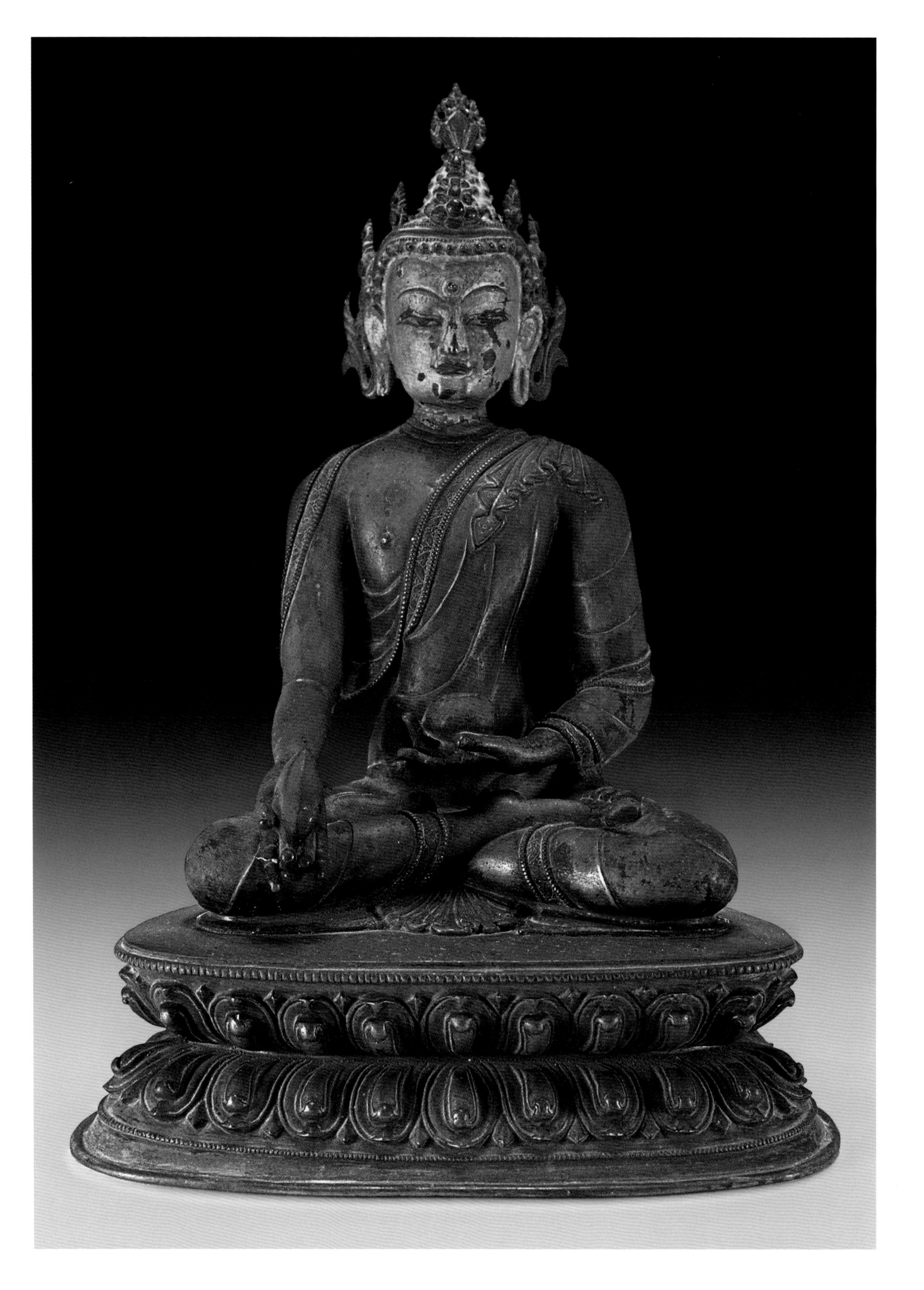

87

药师佛

西藏中部　18世纪
黄铜　高21.5厘米

Bhaiṣajyaguru

Central Tibet　18th century
Brass　H. 21.5 cm

药师佛为完全的佛装形象，右手持药树或药树枝，左手托钵，其袈裟线条流畅，自然写实，衣缘刻纹装饰，其半圆形台座正面也同样以极细的阴线刻划花草图案，是西藏艺术成熟时期造像的标志性特点，独特的台座支脚形式，反映出西藏工匠的创造力和想象力。此尊造像明显有黄铜烧古的特点，线条绵软，应是拉萨雪堆白作坊的仿古之作。

此尊造像进入清代宫廷以后配有花梨木龛，在龛后有满、蒙、汉、藏四体文字所刻题记。汉文云："乾隆三十九年十二月十一日，钦命阿旺班珠尔胡土克图认看供奉利益番铜琍玛释迦牟尼佛。" 毫无疑问，阿旺班珠尔对此尊的身份辨认有明显的失误。这是一尊图像学特征典型的药师佛，与之特征相似的作品可以找到很多。在清宫的造像藏品中有一部分是由阿旺班珠尔来认看的，但是此人认看结果的可信程度值得怀疑，在使用他认定的名号时应当谨慎。

乾隆三十九年十二月十一日
欽命阿旺班珠爾胡土克圖認看供奉
利益番銅琍瑪釋迦牟尼佛

菩 萨

菩萨的思想是佛教非常重要的内容之一，对大乘佛教而言，其意义尤为突出。

学者们发现，菩萨的思想在小乘佛教中就有，释迦牟尼就说自己曾是一位菩萨，前世经过漫长的功德积累如积善、布施等才最终成佛。这些事迹在民间流传很广，在此基础上，发挥佛慈悲思想的菩萨应运而生。大乘佛教将菩萨的思想发展得更完善更精致。大乘佛教的菩萨代表自利利他的思想，扬弃了小乘佛教单纯追求自身圆满，以达到罗汉果（*Arhathood*）为终极境界的思想，主张在自己达到佛果时，并不进入涅槃，而是以救度众生出离世间苦海，到达解脱的彼岸（成佛或涅槃）为己任。这种利他主义思想的基础就是相信一切众生皆有佛性，都能成佛，跟小乘佛教独善其身，只有部分精英才能成佛的狭隘思想形成鲜明的对照。菩萨思想的盛行与大乘佛教后来居上，成为佛教发展的主流有着密切的关系。

从字面看，菩萨*Bodhisattva*的梵文原意是求觉悟者。追求智慧和慈悲的结合。智慧指他对佛果或涅槃的追求，慈悲指他对众生的解救。在佛教经典中对菩萨的论述主要就是针对他们的这两个特性展开的。菩萨要达到佛果需经历漫长而艰苦的过程。每位菩萨必须修行六度（*pāramitā*）或称六波罗蜜多，即：檀那、戒、忍辱、精进、禅、般若，也有经典称十度，另加上方便、愿、力、智，经过菩萨十地，即10个阶段：欢喜地、离垢地、发光地、焰慧地、难胜地、现前地、远行地、不动地、善慧地、法云地，圆满佛果，菩萨要经历无数的劫。尽管如此，他们的抱负丝毫不减，达到佛果以后，他们的目标是帮助众生脱离轮回，离开苦海。为了这个目标，他们化显各种形象，来到世间，引导人们找到解脱之路，并总是在信徒们最需要帮助的时候出现在他们面前。这就是他们的慈悲性格。

由于菩萨已臻佛境，且担负着救度众生的重要职责，在众生与佛之间扮演着重要的引导和沟通的角色，是佛教传播与教化的实际执行者，在信徒思想中占据极高的地位，有些重要的菩萨甚至超过了佛的影响，如观音菩萨、文殊菩萨等，而且由于菩萨在世间各种情况下均履行自己的救度职责，所以变化形式特别多。菩萨众多的成员中，最有名的是八大菩萨组合。《造像量度经续补》指出："八大适子等，已成正觉，而由其往昔愿力，感化应身菩萨相者"。表明，八大菩萨与其他菩萨一样，在成佛之后，并不进入佛界，而是根据其各自救度众生的抱负，化身为菩萨形象，住守人间。常见的八大菩萨的成员有观世音菩萨、文殊菩萨、弥勒菩萨、金刚手菩萨、地藏菩萨、普贤菩萨、虚空藏菩萨和除诸藏菩萨。另一个菩萨组合是所谓司职慈悲、智慧和力的观音菩萨、文殊菩萨和金刚手菩萨，合称"三主尊"，在西藏西部最为流行。

Bodhisattva

The thought of the *Bodhisattva* bears a great significance for the Buddhist philosophy, in particular for *Mahāyāna* Buddhism.

Although it is noticed that the thought of the *Bodhisattva* already appeared in *Hīnayāna* Buddhism, in the end it prevailed in *Mahāyāna* Buddhism. According to the *jātaka*, the *Buddha's* lifespan is unlimited due to his accumulated past merits. Before becoming *a Buddha, Śākyamuni* passed through numerous previous existences in a wide variety of forms, one of which was a *Bodhisattva*. Furthermore, altruism and self-sacrifice are two of the most important virtues exalted in the *Jātakas*. These emphases on altruism, along with universal compassion, became the focal point of the *Bodhisattva* ideology of *Mahāyāna Buddhism*. The *Mahāyānists* differ from the Hīnayānists who are keen on obtaining liberation for themselves through their own efforts. The *Mahāyānists*, on the other hand, do not care for their own salvation. They become more solicitous about the deliverance of their fellow creatures than their own. Their compassion for the sufferings of others actuates them to renounce their comforts, merits, and even their right to salvation. For example, the *Bodhisattva Avalokiteśvara* is represented as refusing his well-earned *Nirvāṇa* until all beings of the world were in possession of the bodhi knowledge and obtained freedom from worldly miseries. In a word, the characteristic of the *Bodhisattva* is a combination of wisdom and compassion. Wisdom indicates his pursuit of *Buddhahood* or *Nirvāṇa,* whereas compassion represents his ideal to save all beings from suffering.

In order to reach the ultimate goal of *Buddhahood*, it is necessary for the *Bodhisattva* to practise the ten *Pāramitās,* which aids them in attaining *Buddhahood*, and simutaneously continue to accumulate merit in his different re-births, always bearing in mind that his sole aim in becoming a *Tathāgatha* is to save all creatures from suffering.

Due to their aspect of compassion and salvation, they play an important role in teaching and leading laymen to achieve *Buddhahood*. It is just because of their exalted function that they gained higher reputation and more popularity among the Buddhist believers than even the *Buddhas* in the Buddhist pantheon. *Bodhisattvas* such as *Avalokiteśvara, Mañjuśrī,* and especially the group of eight *Bodhisattvas* are extremely popular. In *Tibet* there is a another important group of *Bodhisattvas* consisting of *Avalokiteśvara, Mañjuśrī* and *Vajrapāṇi,* which respectively stand for compassion, wisdom, and power.

88

持经书观音菩萨

南京或北京　永乐时期（1403～1424年）
黄铜鎏金　高21厘米，宽12厘米

Avalokiteśvara

Nanjing or Beijing　Yongle Period (1403~1424)
Gilt brass　H. 21 cm, W. 12 cm

菩萨挽高扁发髻，戴五叶宝冠，束发缯带从耳后优雅地垂落后又稍稍扬起，缀圆形花瓣式大耳珰，佩戴繁复华丽的项链，腰缀精细的璎珞，明显具有明代宫廷菩萨造像的装饰特点。其身体姿势十分优美，头略左倾，面含微笑，左手曲肘，持般若经，倚臂莲枝从台座生起，右手持莲枝，支撑身后座上。上身右扭，有强烈的动感。坐莲台上，右足下踏小莲蓬，左足背稍稍搭在右腿上，给人一种不稳定的感觉。足踝部裙下摆飘动的裙褶是一种模式化的表现，给人不自然的感觉，这与印度、尼泊尔式造像中流畅生动的人体姿势描绘大相异趣，而与汉地工匠不谙人体表现的传统有直接关系。此尊观音的图像颇为独特：首先是这种独特的坐姿，也出现在布达拉宫一尊永乐时期的观音造像上；其次，观音菩萨将般若经直接持于手上，而不是通常所见置于肩头莲蕾上。布达拉宫的两尊永乐时期的造像与此像极为相似，只是坐姿稍有不同，左脚平置莲台上，而不是搭在右腿上。有人将其定名为文殊菩萨，但并没有任何文献依据。此尊与图89颇为相近，只是坐姿略有不同。后者发髻前有小化佛无量光佛，证明它确属于观音菩萨。但这种形象的观音菩萨似乎仅见于明代宫廷造像中，其图像学来源不明。

莲台上左侧，菩萨悬腿下方有“大明永乐年施”款，字迹清晰，排列疏密自然，当是真款。但其与常见的刻款位置不同。明永宣造像刻款通常在莲座面正前方，此处刻款左移，可能与此像菩萨独特的坐姿有关。底板平整，上十字交杵纹錾刻清晰，涂硃红，凿有8个牙子固定底板，可以肯定是明宫廷原作。

89

持经书观音菩萨

北京 宣德时期（1426～1435年）
黄铜鎏金 高25.5厘米，宽18厘米

Avalokiteśvara

Beijing Xuande Period (1426~1435)
Gilt brass H. 25.5 cm, W. 18 cm

观音菩萨头戴五叶宝冠，发髻高耸，发髻正中有小化佛无量光佛形象。缀圆形花瓣式大耳珰。项链繁密细致，挂饰胸前，在项后打结；袒上身，天衣从双肩绕臂而下，垂落莲台上，颇有动感。尤其是其项后衣褶和系扣生动自然，写实性极强。身体略向右扭，右手支撑莲座上，持莲枝，左手曲起持般若经，莲枝倚左臂，在肩头开敷。手臂丰腴柔软，宽肩细腰，身体扭动不大，但摇曳生姿。下身着短裙，裙摆上有条棱突起，条棱间有细密精致的花枝纹饰，装饰华丽。台座面菩萨腿前有"大明宣德年施"六字款，似旧款，但底板为后换。通常永乐宣德时期的造像底板安装以后，工匠会凿出八九个牙口加以固定，此像底板后换特征明显，首先旧的牙口有明显的折断痕迹，旁边有明显后凿出的牙口，细数下来，总牙口达到14处之多，很不正常；其次，底板与明代宫廷造像平整如砥的风格不同，打制凹凸不平；最后，十字交杵图案十分粗糙，也未见涂硃红的现象，与永宣造像常见的特点不符。

90

游戏坐莲花手观音菩萨

尼泊尔　8～9世纪
红铜鎏金　高13.2厘米

Padmapāṇi
Nepal　8th to 9th century
Gilt copper　H. 13.2 cm

观音菩萨右手施与愿印，置右膝上，左手支腿上，举持莲枝，天衣搭在左臂和右腿上，垂落莲台。圣索简化成一条线，穿过左肩和右腿。头戴三叶宝冠，饰粗大的项圈，耳珰为花朵形。裙幅肥大，在莲台和方形台座上展开。菩萨左腿平置方台上，右腿下垂踏一突出平台，坐于莲台上。单层仰莲台，只露出大半，其余部分似陷在方台之内，形式十分独特。台座素面无纹。卵形背光，大连珠纹装饰。整个作品结构简洁，装饰素雅，代表了早期尼泊尔艺术的特点。

原清宫所系黄纸签云：“大利益梵铜琍玛观世音菩萨，乾隆四十五年十月初六日收，热河带来。”

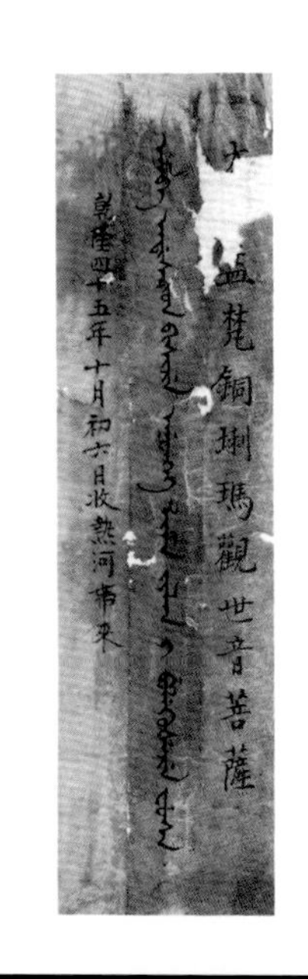

91

游戏坐莲花手观音菩萨

东北印度　9世纪
黄铜　高16.5厘米

Padmapāṇi

Northeastern India　9th century
Brass　H. 16.5 cm

观音菩萨游戏坐姿，右手若持物，左手撑身后持莲花。长发披肩，身躯健壮，腰与右腿系禅思带，一副苦修者装束。臂钏靠上臂，是早期铜造像的特点之一。面庞丰满，鼻梁狭长，背后有圆形背光，光圈中有一圈金刚杵围绕，具有护持之意。顶上有圆形莲花瓣式伞盖，莲座为仰覆莲式，莲瓣尖有一明显的皱痕，下承方台，这些特点均为后期笈多风格中所流行，后为波罗风格所继承。

原清宫所系黄纸签云："大利益梵铜旧琍玛自在（残）。乾隆四十七年正月初三日收，达赖喇嘛进。"乾隆四十七年为1782年，此达赖喇嘛当指第八世达赖喇嘛降贝嘉措。

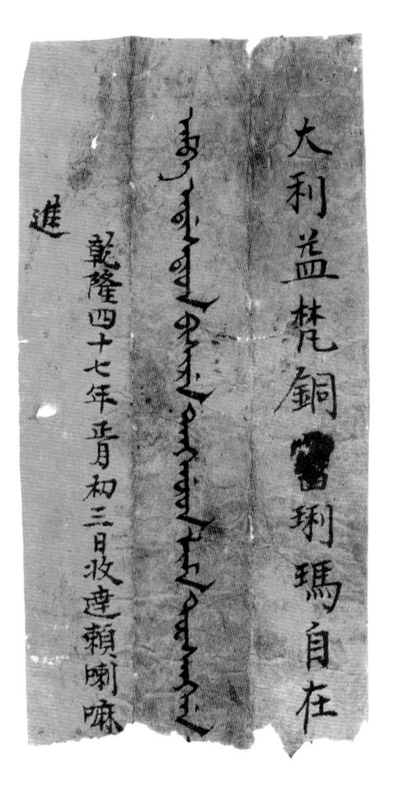

大利益梵銅舊琍瑪自在

乾隆四十七年正月初三日收達賴喇嘛

進

92

转轮王坐莲花手观音菩萨

西藏中部　15世纪晚期
黄铜　高32厘米

Padmapāṇi

Central Tibet　Late 15th century
Brass　H. 32 cm

莲花手观音菩萨是观音菩萨中最常见的形象之一，双手牵莲花。右手扶膝盖，左手撑身后，转轮王坐姿（*rājalīlāsana*），神态闲适。此像明显仿明代宫廷造像样式，天衣飘落座前，是永乐宣德造像以后的变化。其胸前挂三层璎珞，一层在胸以上，颈以下，二层在心际，三层在脐部。身体两侧的莲花上各有三朵花，一朵为花蕾，一朵完全开敷，一朵已经凋谢，代表佛、法、僧三宝。莲瓣卷云纹和腰带所挂璎珞及双腿上衣褶形式均是典型的永乐宣德时期造像的特点，但是可以看到，在模仿的基础上，一些新的细节变化加了进来。例如，胸前璎珞连珠较明代增多，耳珰如花枝形式，五叶冠略显简略，冠叶细长，身体嫌瘦，四肢拉长，与明宫廷造像明显不同。应是藏族工匠仿作。

观音菩萨，又译为观自在菩萨、观世音菩萨。他是佛教最受欢迎的尊神，被称为半个亚洲的信仰，也就是说有佛教信仰的地区就有观音菩萨的崇拜。据传说，他生于无量光佛观想中的一道白光，以广大的慈悲胸怀救济众生，代表了菩萨神格里最为核心的部分而成为佛教最重要的神祇。观世音菩萨的形象在印度保存很多，从印度的埃罗拉到坎赫里，以及著名的鹿野苑均有其造像的出现。在西藏，观音的信仰更是达到极致。西藏古代王国的创立者松赞干布和历代达赖喇嘛均被看作是观音的化现。其六字真言更是藏族每日必诵。观音居普陀山，达赖在拉萨的宫殿布达拉宫即是以其居地而命名的，足以证明观音在西藏信仰之深，已经成为雪域西藏的保护神。

观音的变化身很多，很难说清楚到底有多少，被赋予的法力也越来越强大，除了有十一面观音外，更有千手千眼观音，以外相表现其法力之广大，慈悲救拔之无边，另外还有108种观音的变化身。在怛特罗佛教时期，观音还有本尊形象。

93

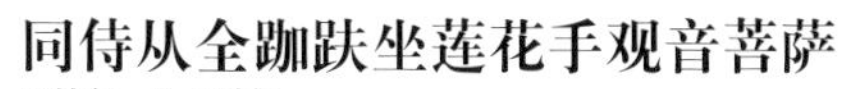
同侍从全跏趺坐莲花手观音菩萨

尼泊尔　8～9世纪
红铜鎏金，嵌松石、珊瑚、珍珠　高25厘米

Padmapāṇi with attendants
Nepal　8th to 9th century
Gilt copper with turquoise, coral, pearl insets　H. 25 cm

由于尼泊尔工匠与印度工匠的审美趣味的不同，比较而言，此像细部装饰更加精细，线条更加柔和。如脸形较圆，表情柔和，身姿放松，肌肉有弹性，头光部分不再是素面，而是以细密的缠枝莲纹装饰，莲瓣上，莲座正面以及背光部分均有这种细腻的装饰特点。这种大面积细密纹饰的使用、红铜鎏金、镶嵌珠石、莲瓣有细线刻划叶脉、莲蕾部分有竖线刻划的脉络等，这些都是尼泊尔风格造像的特点。

观音菩萨发髻中有无量光佛坐像，背光横梁上供佛塔，均代表了这种大背光的另一种变化形式。观音菩萨两边侍从女尊，左是绿度母，右是六字大明佛母（*Ṣaḍakṣarīmahāvidya*），后者左上臂残断。这件作品可以认为是尼泊尔工匠对当时后笈多风格的模仿。臂钏华丽精致，紧贴大臂上部，显示其年代较早。

清宫所系黄纸条云："大利益梵铜琍玛同侍从观世音菩萨。乾隆五十四年十二月二十五日收，留保住进。""留保住"见图29说明。

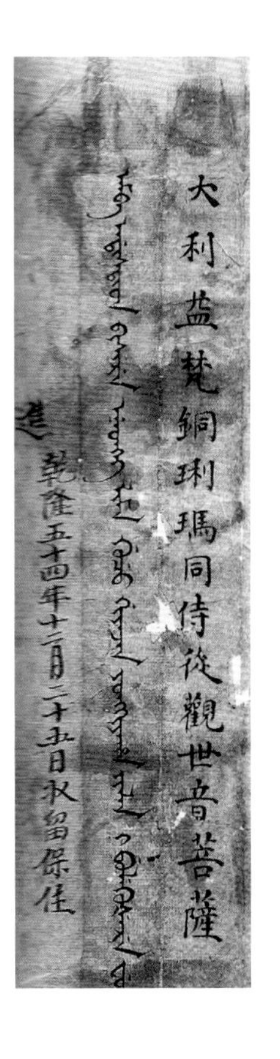

94

同侍从立像无畏印莲花手观音菩萨

喀什米尔　10～11世纪
黄铜　高15厘米

Padmapāṇi with attendants

Kaśmir　10th to 11th century
Brass　H. 15 cm

这是观音菩萨同侍从组像。观音菩萨左手持长莲枝，右手施无畏印，发髻中坐无量光佛。左肩到右肋系仁兽络腋，暗示了观音菩萨苦修者的本色和他神格中威猛的特点。项挂长及膝下的粗大花鬘为饰，是西北印度及至西藏西部较为传统的装饰特点。下身着短裙，裙褶简化，仅用阴线表示，具有喀什米尔晚期风格的特点。头光为卵形，四周火焰纹。身边侍从两位度母，也有同样的头光，双手合十，夹持长莲枝，身体稍折姿而立，侧身向观音菩萨，施礼敬印，天衣飘动在身体两侧，线条古拙。

95

立像无畏印莲花手观音菩萨

西藏西部　11～12世纪
黄铜　高20.2厘米

Padmapāṇi

Western Tibet　11th to 12th century
Brass　H. 20.2 cm

此尊造像具有典型的观音菩萨图像学特征。三叶宝冠中坐有无量光佛，左肩至右肋斜披仁兽皮络腋，右手无畏印，左手下垂牵莲枝。在艺术风格上，它努力继承喀什米尔风格造像的特点，高大的葫芦形背光，阴线刻火焰纹，顶部有日月和塔形装饰。胸肌劲健，腹肌明显，长花鬘披落膝部以下，台座正面有夜叉和双狮形象等。但是由于身体扁平，四肢拉长，线条呆滞，明显减弱了喀什米尔风格中自然生动的韵味。

96

立像与愿印莲花手观音菩萨

西藏中部　18世纪
铜鎏金　高30厘米

Padmapāṇi

Central Tibet　18th century
Gilt Copper　H. 30 cm

观音菩萨右手持莲枝，左手施与愿印。头戴三叶冠，冠叶收得很紧。头光为卵形，火焰纹装饰，典型的尼泊尔式头光。身体折姿式而立，与身边的莲枝婉转的线条相呼应，增添了几分柔美。面相俊美，肌肤细腻，富有弹性，年轻的身躯充满活力。裙褶如条棱状，具有装饰效果。莲座为圆形，莲瓣丰满，直接着地。鎏金层磨损殆尽，但从剩余的部分仍可想见这件作品新铸出时鎏金的明亮程度。从露出的红铜部分看，整个作品打磨极为精细，铜色润泽，有肌肤的细腻感，应是日喀则扎什伦布寺下属扎什吉彩作坊尼泊尔造像风格的作品。

97

坐像思维莲花手观音菩萨

斯瓦特 8～9世纪
黄铜 高17.5厘米

Padmapāṇi

Swat 8th to 9th century
Brass H. 17.5 cm

观音菩萨头戴三叶冠，正中冠叶前有无量光佛形象。右手抬起，食指伸出，指头部，头略右侧，作思维相，长发披肩，可能是观音修行的姿态。左手捧莲枝，天衣随意披在左臂，长裙裹住双腿，衣褶自然写实，线条挥洒自如，并不刻意精致，但是个性化的发挥却充满了古典主义的魅力。其独创性还表现在台座上。台座是一种藤枝编成的坐具，可能是佛经所云苦修者所坐藤床，或藤椅的形式，这种新颖的表现形式别具特色，使整个作品给人极为深刻的印象。

原清宫所系黄纸签云：“大利益梵铜琍玛自在观世音菩萨。乾隆六十年十二月二十五日收，留保住进。”有关“留保住”，参见图29。

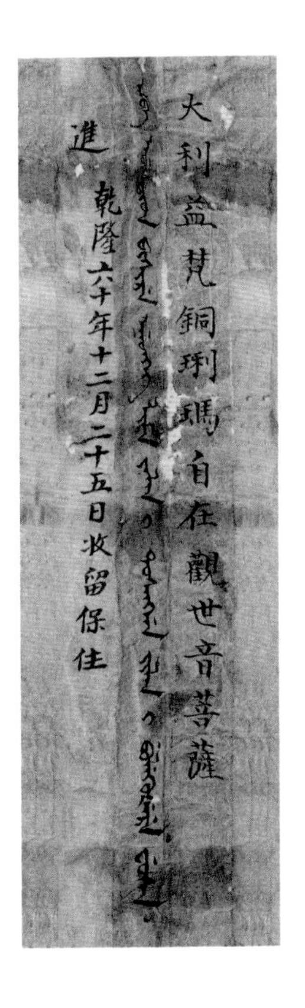
大利益梵銅琍瑪自在觀世音菩薩
乾隆六十年十二月二十五日收留保住
進

98

坐像四臂观音

斯瓦特　7～8世纪
黄铜　高15.5厘米

Caturbhuja-Avalokiteśvara

Swat　7th to 8th century
Brass　H. 15.5 cm

观音一面四臂，为密教变化身，与后来西藏式的四臂观音菩萨似乎没有直接关系。头戴三叶宝冠，冠叶宽大，正中有无量光佛，两侧冠叶侧立，几乎与中叶垂直。面部厚泥金，鼻梁粗大，颊颐丰满。身体肌肉饱满，富有弹性。右上手与左上手的持物已失，右下手掌有残断痕迹，可能是莲枝，左下手持净瓶。从图像学特征来看，此像与弥勒菩萨很接近，净瓶就是最好的证明。但是现代学者研究证实，净瓶，甚至于仁兽皮均不是区别观音菩萨和弥勒菩萨的标准。在北印度的众多石窟中已有大量的实例，可以证明在公元7～11世纪的印度西北地区及西藏西部观音菩萨和弥勒菩萨持同样的法器。如此尊观音菩萨，由于法器丢失很多，能与弥勒区别开来的唯一标志就是它冠中的无量光佛。从艺术的角度看，此造像除了冠式、身体的肌肉表现有明显的斯瓦特风格以外，裙上阴线刻纹饰，莲座的莲瓣肥大，直接着地，均是斯瓦特风格中最流行的做法。整件作品加工精美，是斯瓦特艺术品中的精品之作。莲瓣上有藏文题刻，显系后人所增刻。

99

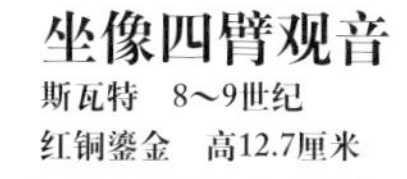

坐像四臂观音

斯瓦特　8～9世纪
红铜鎏金　高12.7厘米

Caturbhuja-Avalokiteśvara

Swat　8th to 9th century
Gilt copper　H. 12.7 cm

与图98比较，二者图像学特征极为相近，如三叶冠正中冠叶上均有无量光佛，上二手上抬起，持莲枝（虽然莲枝已折，仍可想见），下右手与愿印，下左手持净瓶，全跏趺坐。不同之处在于，此像左肩披圣线和仁兽皮，台座为双狮垂帘下加莲座，莲瓣直接着地。在吉尔吉特（*Gilgit*）、斯瓦特和喀什米尔为代表的整个西北印度造像中，多以黄铜、青铜为材料，极少用红铜。鎏金装饰则更为罕见。

原清宫所系黄纸签云："大利益梵铜琍玛（残）。二十五年三月（残）。"此"二十五年"当指乾隆二十五年。

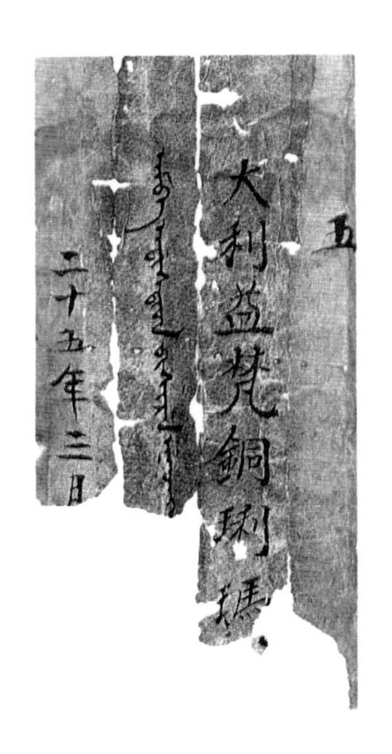

大利益梵銅琍瑪
五
二十五年三月

100

立像四臂观音

东北印度　11～12世纪
黄铜　高15.8厘米

Caturbhuja-Avalokiteśvara

Northeastern India　11th to 12th century
Brass　H. 15.8 cm

观音身体右折姿而立，右下手施与愿印，右上手持念珠，左下手持莲枝，莲枝沿臂上行，至左肩头开敷，左上手持般若经卷。这种形象的四臂观音极为少见，尤其是左上手通常持军持，并不持般若经卷。般若经卷多见于六臂或更多臂的观音菩萨形象中。只是后期很少能见到立姿形象。发髻正中有无量光佛。莲座为圆形，下方有方台，台座正面有镂孔花朵纹装饰，颇为轻巧。背光为红铜，火焰纹程式化非常严重，与造像的风格完全不和谐，可能是原来背光丢失后新配的。

101

坐像六字观音

西藏中部　12世纪
黄铜　高21.7厘米

Ṣaḍakṣarī-Lokiteśvara

Central Tibet　12th century
Brass　H. 21.7 cm

此尊造像的图像学特征与西藏传统的六字观音完全相同，他的正二手合十，施礼敬印，右上手持念珠。念珠是一种来源于印度教主神湿婆神(*Śiva*)的法器，暗示湿婆神作为瑜伽之主的神格。左上手持莲花，象征他作为无量光佛的法子，莲花部菩萨的身份。全跏趺坐。观音高扁发髻，小叶三叶冠，肥大的耳珰，双眉高挑，双目细长，鼻梁粗宽，嘴唇突出。身体壮健，络腋及裙上均有细阴线刻划小花朵纹装饰，莲瓣肥厚及莲座宽大，均是典型的波罗艺术的风格。比较独特的是，天衣直接从肩上沿双臂而下至腿上，线条自然写实，十分生动。

原清宫所系黄纸签云：“利益番铜琍玛四臂观世音菩萨。道光三年二月十二日收，曹进喜交。”据此说明，此像很可能是在西藏由印度或西藏工匠铸造。“曹进喜”是养心殿太监。

六字观音，又称“四臂观音”，为了与其他四臂观音相区别，此类四臂观音均称“六字观音”。因为他的著名真言(咒)“嗡嘛呢叭咪吽(*Oṁ maṇi padme hūṁ*)”在梵文中是六个音节，故名。他的真言在西藏和整个藏传佛教地区广泛传播，他也因此获得了崇高的地位。

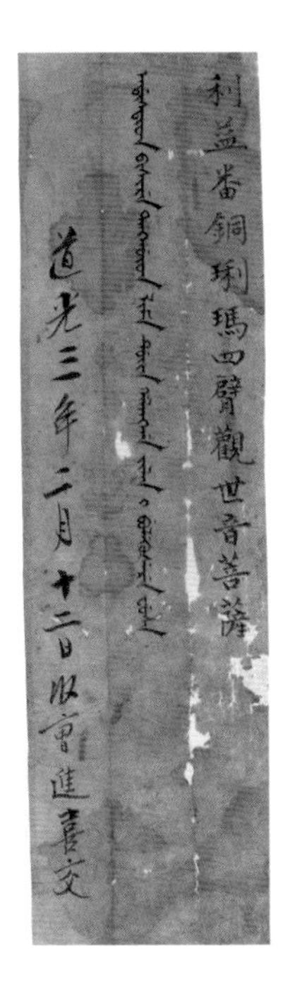

利益番銅琍瑪四臂觀世音菩薩

道光三年二月十二日收曹進喜交

102

同侍从坐像六字观音

西藏中部　17～18世纪
铜鎏金　高25厘米

Ṣaḍakṣarī-Lokiteśvara with attendants

Central Tibet　17th to 18th century
Gilt copper　H. 25 cm

此造像在图像学上很有耐人寻味之处。正中的六字观音形象最大，特征没有特别之处。值得注意的是他的两位侍从，左侧坐着持宝菩萨（*Maṇidhara*），手印和法器与之完全一样；右侧是六字大明佛母（*Ṣaḍakṣarīmahāvidya*），所持法器也与之完全相同。后者在《五百佛像集》（第100号）中有相似的形象。图93的同侍从观音的组合像中也见此尊坐于观音的左侧。《成就法鬘》中描写了白色的持宝菩萨和黄色六字大明佛母，说明在东北印度后期，六字观音出现了不同的变化身，即菩萨和女尊的形象。在西藏夏鲁寺（*Shalu Monastery*）一层措勤大殿（*Tshogs chen*）夹道14世纪的壁画中，主尊六字观音两侧绘有同样的两位侍从，只是体色与经典描述不同，持宝菩萨为黄色，六字大明菩萨为白色。这些例子都说明六字观音的这种组合非常普遍。故宫博物院所藏的另一尊造像可以更好的说明这种图像学变化的存在。

另一尊同侍从六字观音（西藏，18世纪，黄铜。附图）坐三支莲台上。背后是金翅鸟、摩羯鱼装饰的背光，从造像的艺术特点可以明显看出，此像是仿东北印度风格的作品，年代大致在18世纪左右，西藏铸造。其整个构图与主图基本相同，唯一变化是左侧的四臂全跏趺坐持宝菩萨变成了二臂转轮王坐持宝菩萨，右手持宝，左手持莲花。六字观音的其他组合也可以在东北印度12世纪的造像中看到。在美国洛杉矶的诺顿·西蒙基金会（*Norton Simon Art Foundation*）收藏的一件属12世纪波罗风格的四臂观音像中就可以发现一种新的组合，与本图极似，但在拱门式背光的上面有五方佛的形象，正中是无量光佛，双手施禅定印。另外，左侧的菩萨换成了二臂观音菩萨。这些六字观音不同组合的作品带给我们最大的启示是：六字观音已经成为观音菩萨众多成员中最具代表性的一名，在西藏的传统观念中，观音菩萨即是指六字观音。这种思想在西藏深入人心，但究其起源是在印度。

附图　同侍从坐像四臂观音菩萨

103

秘密成就观音

西藏中部　19世纪

红铜铸像，黄铜铸背光和台座　高25厘米

Guhyasādhana-Lokiteśvara in *Yab Yum*

Central Tibet　19th century

Bronze with brass halo and pedestal　H. 25 cm

红铜铸造秘密成就观音像应是象征具红色的身色，其手印和所持法器与四臂观音相比并未有变化，拥抱明妃，全跏趺而坐。明妃右手持嘎布拉鼓，左手持嘎布拉碗，双腿缠主尊腰而坐。背光有明显模仿东北印度大塔建筑前栏楯结构的痕迹，但是简化了很多，仅剩下摩竭鱼和横梁两端的两只鸟。束腰方形台座正面有一夜叉和两只金翅鸟背驮台座的形象。人物和服饰细节均反映出17世纪以来西藏造像艺术中的复古风气。

104

最上成就摩尼宝观音

北京，清宫内务府造办处　18世纪
红铜，错嵌金银丝　高82厘米

Amoghapūjāmaṇi-Lokeśvara

The Imperial Workshop in Beijing　18th century
Copper with silver and gold inlay　H. 82 cm

观音坐于传统的莲枝座上，游戏坐姿，右腿伸出，下踏小莲台，左腿平放。断定此尊是观音的要素是他左肩披的仁兽络腋。其四臂所持法器仅剩右下手的剑和左上手的莲花。比较《五百佛像集》（第269尊，汉译名号：不空供养宝观自在）同样的一尊，可以知道，此尊的右手还应持三叉戟，左手应持念珠。天衣在头后部飘起，绕两臂而下，在身体两侧卷起。双腿条棱衣褶，其间以金银丝错嵌花枝图案，均是清乾隆时期宫廷造像的特点。

105

狮吼观音

内地　16世纪
黄铜　高41厘米

Siṁhanāda-Avalokiteśvara
China inland　16th century
Brass　H. 41 cm

此尊造像是典型的汉地传统的狮吼观音。狮吼观音的特征之一是狮子坐骑。观音侧身游戏坐于狮背。狮子卧伏在地，回首向上作吼叫状，狮子项挂铃，是汉式的习惯表现手法。观音双手持莲枝，莲枝婀娜，线条流畅，与身上衣褶自由流动的感觉和谐一致。可以断定其为永乐宣德以后作品的理由是其脸部特征。虽然此像的瓔珞和服饰具有浓重的藏传佛教艺术风格的特点，但是其脸部的汉化特征却十分明显，面庞丰满，下颏浑圆，用阴线刻划双层下颏。后背倚靠小栏这种独特的做法反映出明显的汉式特点。狮背的坐垫、倚靠的小栏以及双腿上均有细密精美的装饰图案，足见明代汉藏风格造像豪华繁缛，注重装饰的特点。

106

狮吼观音

西藏中部　17世纪
黄铜，嵌绿松石　高13厘米

Siṁhanāda-Avalokiteśvara

Central Tibet　17th century
Brass with turqoise insets　H. 13 cm

观音游戏坐姿，侧坐于狮背上，右腿伸出，下踏小莲台。右手搭在右膝上，左手撑身后座上。左边莲枝上莲花开敷，其中一朵莲花上有嘎布拉碗，右边莲花上有三叉戟头。结合其法器及长发披肩的形象可以肯定狮吼观音是观音菩萨成员中有明显密教神色彩的一位。观音面如童子，肌肉平滑，身体略向左扭，线条优美，形象典雅闲适，具有西藏艺术的独特魅力。

107

十一面观音

西藏 18世纪
黄铜，错嵌金、银 高15厘米

Ekādaśamukha-Avalokiteśvara

Tibet 18th century
Brass with silver and gold inlay H. 15 cm

十一面观音头部排列十分规则，由下而上共分五层，第一层至第三层各三面。据《造像量度经续补》解释，第一层是慈相，见众生而生慈相，面相平静；第二层是悲相，悲悯众生；第三层是喜相，劝进佛法之相，也有作忿怒的威力相；第四层一面，忿怒明王相，最上是无量光佛，代表佛果。有8臂，正二手合十，施礼敬印，余右手分别持念珠、法轮，下手施与愿印；余左手持莲花、弓箭、净瓶，仁兽为络腋。身体比例适中，虽然上身头部很高，但丝毫不觉重心不稳。裙上有细密的小花朵图案装饰，莲座简略，天衣在身体两侧飘动，程式化明显。可见晚期特点。

清宫所系黄纸签云：“大利益梵铜琍玛十一面观世音菩萨。乾隆二十二年初六日收。”此处的“梵铜”所指可能不确，此像应为西藏工匠所铸。

关于十一面观音的起源有多种说法，或以为其源于印度教的十一荒神（*Ekadaśa-rudra*），大约在公元五六世纪融入佛教神系中。也有认为，此尊的十一面与方位中的四方（东、南、西、北）、四隅（东北、东南、西北、西南）及上、下有关等。十一面观音是极受欢迎的观音菩萨化身之一，变化身极多，十一面的排列方式就有很多种，臂数也不尽相同，甚至有十一面千手千眼观音像。

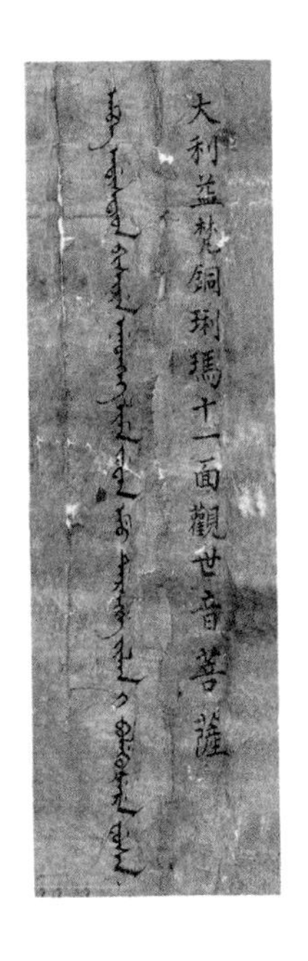
大利益梵銅琍瑪十一面觀世音菩薩

108

骑象普贤菩萨

内地　16世纪
黄铜　高38.2厘米，宽29厘米

Samantabhadra

China inland　16th century
Brass　H. 38.2 cm, W. 29 cm

此像从工艺特点看，与图105应出自同一位工匠之手，均有明显的汉风。锈蚀严重。普贤菩萨游戏坐姿，侧坐于六牙象背上，大象卧地上，以象鼻拄地，造型别致。右手牵莲枝，莲上供法轮；左手持经卷和莲枝，莲上供画卷。这些图像特征是典型的汉式传统。五叶冠、上身璎珞及裙上的条棱衣褶和细密的装饰图案均是明代汉藏艺术风格中常见的特点，直接秉承了明永乐宣德造像的传统，但纹饰的繁缛、装饰的豪华则为同时期作品所仅见。面相肥腴，缺乏力度，与15世纪内地藏传佛教造像端严庄重的风格迥然不同，应是明中期以后的作品。

普贤菩萨是毗卢佛化现的五方菩萨身。《华严经》中他代表专司行愿的菩萨。《大日经》的八大菩萨中，他代表菩提心；在《金刚顶经》中，他是金刚萨埵和持金刚的异名同体。在一些瑜伽行派的观念中，密教的传出者是普贤菩萨，而不是传统认为的毗卢佛。可见，此尊与密教关系之密切。在西藏，由于嘎举派和格鲁派确立了大持金刚为本初佛的思想，所以，此尊的影响面受到一定的限制。在藏传佛教造像中，它的图像特征并不确定，但除了本初佛普贤外，基本都是菩萨形象。

109

骑象普贤菩萨

西藏　19世纪
黄铜片錾成　高33厘米

Samantabhadra

Tibet　19th century
Brass　H. 33 cm

与图108的六牙象不同，普贤菩萨骑一头普通的大象，身体粗壮，长鼻略卷。普贤菩萨游戏坐姿，侧坐象背上，右手说法印，左手托珠宝，天衣飞动身体两侧，完全是一种程式化的感觉。高冠叶，长耳珰，线条粗略，明显具有晚期造像的特点。

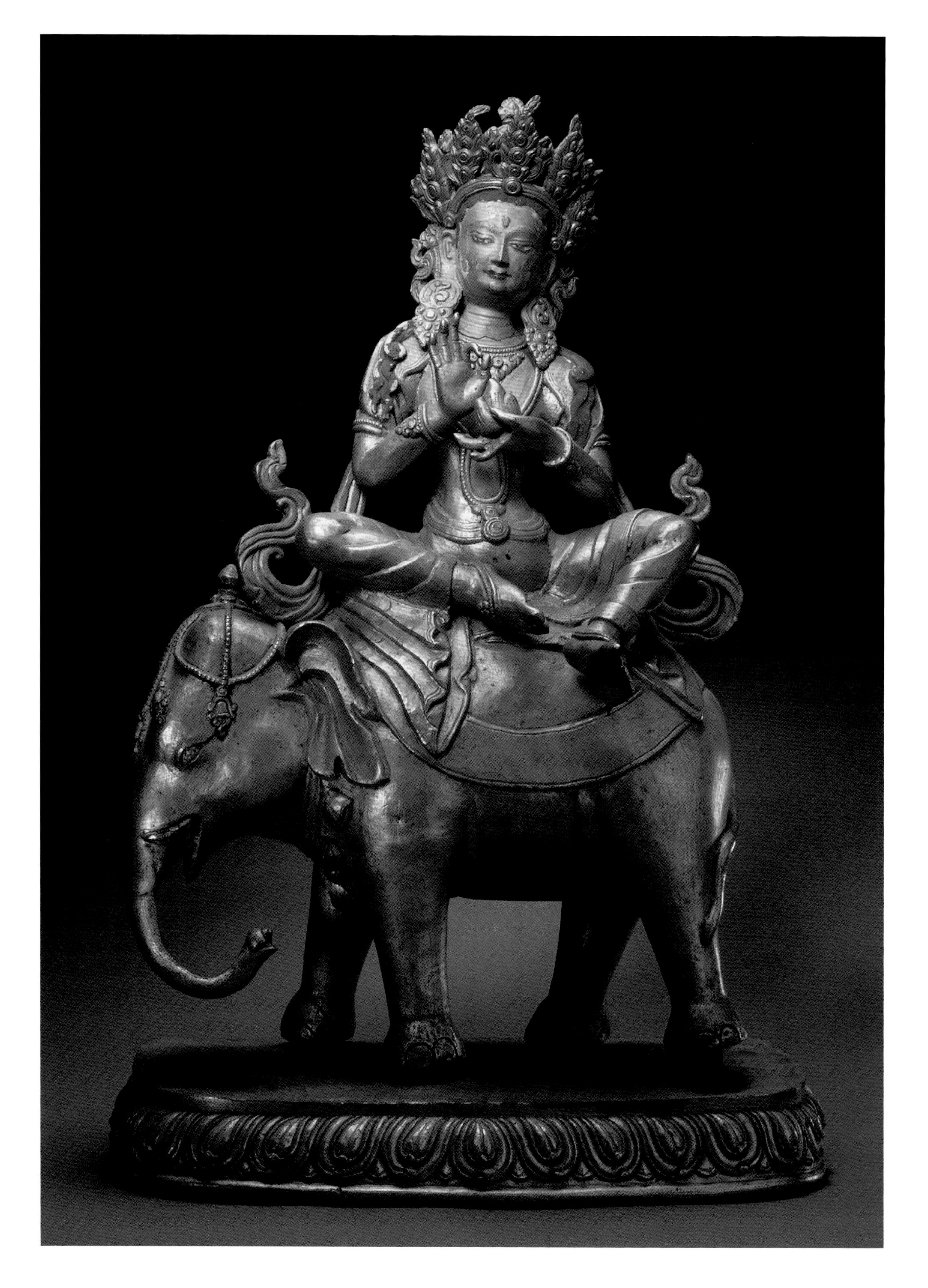

110

坐像普贤菩萨

西藏　18世纪
紫金，莲座用红铜，嵌松石　高23.5厘米

Samantabhadra

Tibet　18th century
Dzi-kim with copper pedestal and turquoise insets
H. 23.5 cm

此尊普贤菩萨的图像学特征与前二尊不同，没有坐骑，头戴三叶冠，脸形方正，神情庄重。上身袒裸，斜披络腋，项链装饰华丽的璎珞，项挂长连珠鬘，垂落腿上。右手托宝瓶，牵莲花，左手置脚上，牵莲枝，莲花在左右肩头开敷，左肩莲上有日轮（*sūrya*），下身着裙，条棱状的裙摆紧贴身体，全跏趺坐。莲瓣是双卵形，为晚期造像中经常采用的形式。菩萨头戴三叶冠、臂钏靠臂上部等都是明显的仿古做法，但是结合整个作品的特点看，时代很晚。此像很可能是普贤菩萨作为八大菩萨成员之一出现时的形象。

111

坐像金刚手菩萨

尼泊尔 8～9世纪
红铜 高9厘米

Vajrapāṇi

Nepal 8th to 9th century
Copper H. 9 cm

此菩萨游戏坐于圆形莲台上，莲瓣上有三道阴线，代表叶茎。头戴三叶冠，发涂红色，以示忿怒威力等象征意义。面相模糊，鼻梁粗扁，圣索珠粒粗简，右手持金刚杵，置右腿上，左手置左腿上。臂钏靠大臂上部，具有早期尼泊尔造像中离车毗后期(*Licchavi period*，约300～879/880年)的特点。

金刚手菩萨，或称手持金刚菩萨、金刚菩萨等，他的起源可以追溯到吠陀时期的因陀罗。有降伏龙神的职责，也就是说可以把它看作是雨神。在佛教中，他是佛身边的侍从，率小神扈从释迦牟尼佛，曾降伏巨大的龙神，后来成为龙神的保护神，并且司职防止龙神的天敌迦楼罗鸟(*Garuḍa*)的骚扰。所以我们可以见到金刚手菩萨侍从神的成员中有龙，或有迦楼罗鸟的形象。其形象有平和相和忿怒相两种。由于他曾随侍无量寿佛，所以有人认为，他可能司职守护无量寿佛的长生不老之药甘露。有一则传说，群魔想用毒药(*hālā-hala*)伤害人类，并将解药沉入深海之中。为了获得解药，众神用须弥山搅动海水，直到解药浮出海面，并委托金刚手菩萨看管，以备不时之需。但是，由于金刚手疏于职守，被妖魔罗睺(*Rāhu*)盗走。后经一番恶战，终于战胜恶魔，但是解药已被污染。为了惩罚他的失职，佛命金刚手喝下解药，金刚手喝下受污染的药后，变成蓝色身体。因此，大金刚手类的尊神多数体色为蓝色。从此他变成了甘露的守护者。金刚手被认为是五方佛阿閦佛化现的五方菩萨身，因此，很多金刚部族的神均与他有密切关系，他的变化身很多，尤其是他忿怒威力的神格与怛特罗神降伏除障的威猛要求接近，所以从本尊到护法绝大多数忿怒明王式的尊神均是蓝色身，多少都有与金刚手相似的神格。

112

坐像金刚手菩萨

内地　15世纪
黄铜鎏金　高21厘米，宽13厘米

Vajrapāṇi
China inland　15th century
Gilt brass　H. 21 cm, W. 13 cm

金刚手菩萨双手牵莲花，施转法轮印，两肩上莲花开敷，右肩莲花上有金刚杵。全跏趺坐，天衣绕臂飘落身后，线条婉转优雅，耳珰、胸前璎珞及腰间璎珞珠粒圆润，细密精致，鎏金明亮光滑，为永乐时期造像的模式。座前有六字款"大明永乐年施"，字距过于局促，显系后刻。底板十字交杵，线条生动，涂硃红。

此像是故宫博物院新收的造像之一。种种迹象表明，此像属于永乐、宣德时期宫廷作品无疑，但只是其中一尊没有题刻年款的造像，当时永乐宣德宫廷中此类造像很多，但是题刻六字款的却只是少数，后人为了抬高其身价，添刻作伪。

113

立像金刚手菩萨

尼泊尔　8～9世纪
红铜　高27.5厘米

Vajrapāṇi
Nepal　8th to 9th century
Copper　H. 27.5 cm

金刚手菩萨右手施与愿印持珠，左手持五股金刚杵，立于圆形莲台上。莲台上层刻成莲蓬形式，下层莲瓣平展，直接着地。莲瓣中有三条阴线表示的叶茎。头戴五叶冠，冠叶呈花枝状。卵形火焰边头光，最具尼泊尔艺术特色。面相俊秀，肌肤细腻，富有弹性，充满青春气息，是尼泊尔造像中最具魅力的部分。同样的特征在尼泊尔离车毗后期的大量优秀作品中可以找到。

114

立像金刚手菩萨

尼泊尔　10～11世纪
红铜　高26厘米

Vajrapāṇi

Nepal　10th to 11th century
Copper　H. 26 cm

菩萨头戴三叶冠，冠叶内敛。这种冠式是这一时期尼泊尔造像中比较流行的做法。面庞清秀，鼻梁修直，略带弧度。右手施无畏印，左手握持金刚杵，靠左腿。左胯斜披禅思带至右腿。莲座为圆形，象征莲蕾，莲瓣直接着地。铜色润泽古雅，肌肉有弹性，是尼泊尔造像的特色。此菩萨着织金缎外衣，应是入宫以后所加。

115

立像金刚手菩萨

西藏中部　18世纪
黄铜，嵌石　高56厘米

Vajrapāṇi

Central Tibet　18th century
Brass with jewels　H. 56 cm

金刚手菩萨右手掌心立金刚杵，左手牵长莲枝，左肩莲花上供金刚铃，可能是八大菩萨一组中的金刚手菩萨。高发髻，小冠叶，大耳珰，身体健壮，向左折姿而立，与身体两侧婉转的莲枝相呼应。高大的拱门式背光，顶上有伞盖和飘带，四周饰火焰纹，略显程式化，原来有嵌石，已丢失。莲座下面是多折角式台座，高大、复杂，属于波罗风格中常见的造像要素，但铜色新，表面有明显的烧古痕迹，应是拉萨雪堆白作坊的仿古之作。台座下配有木供台，当是清宫所配。

116

显行手持金刚

西藏中部　14世纪

黄铜，莲座、虎皮裙鎏金，嵌水晶珠、绿松石、青金石

高22厘米

Ācārya-Vajrapāṇi

Central Tibet　14th century

Brass with gilt pedestal and skirt and crystal, turquoise and lapis lazuli insets　H. 22 century

手持金刚三目圆睁，鼻梁粗短有力。右手上扬持杵，左手期克印持索。左展立姿下踏男女二龙神。象征火焰的红色发髻上面与正面均有蛇护持，此外，臂钏、项链、手镯、络腋、脚镯均是蛇身缠成，暗示他作为龙神之主的身份。下身着虎皮裙，裙上刻划斑纹，为这一时期忿怒尊神的传统。天衣贴在身后，飘动并不自然，但有古拙之趣。

清宫所系黄纸签云："大利益梵铜琍玛手持金刚。四十五年十二月二十五日收。恒瑞进。""恒瑞"是乾隆晚期至嘉庆时期的大臣，在乾隆时曾奉旨到西藏办事。这尊造像应是他由藏回京以后所进。

显行手持金刚，也名善行手持金刚，是金刚手菩萨的忿怒身。现在学者怀疑金刚手菩萨与其忿怒身并非同一起源，只是后来神格相融，合为一尊。忿怒金刚手形象众多，图像学特征不统一，名号也各不相属，反映出此尊神格发展过程的复杂性。不同教派，忿怒手持金刚的身份并不相同。清代章嘉国师所编的《诸佛菩萨圣像赞》将它作为本尊看待，归入诸样秘密佛中。而在其他教派中，它更多以护法神的身份出现。为方便介绍，此处所定名号及分类全部依照《诸佛菩萨圣像赞》，将其看作是本尊类。为了不致使解说过分支离破碎，现将大多数金刚手类尊神归入金刚手菩萨下分别说明。

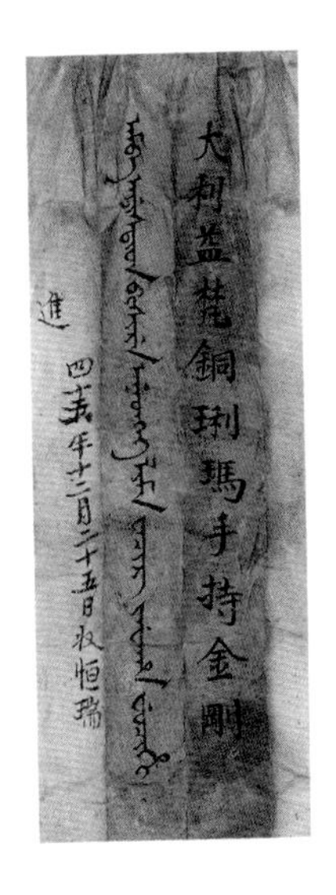

大利益梵銅琍瑪手持金剛

四十五年十二月二十五日收恒瑞

進

117

显行手持金刚

西藏 18世纪

红铜 高17.5厘米

Ācārya-Vajrapāṇi

Tibet 18th century

Copper H. 17.5 cm

此尊面容忿怒，须发及双唇染红色，以增强忿怒的效果。背后披狮皮，裙为虎皮，项挂鲜人首鬘，下踏裸身恶魔。恶魔呈痛苦挣扎状，极富动感。右手上举施期克印持金刚杵，左手期克印当胸，左展姿立于拱形火焰门中（火焰纹极似花枝纹）。莲瓣瘦长细密，莲座呈弓形，可能是原莲座下有供座，嵌入座中供奉，弧形可以增加稳定度。

清宫所系黄纸签云：“利益番造善（残）。乾隆三十六年十一月十五日收。”“善”字所指可能是善行手持金刚。此尊的左手应持金刚索，现已失。

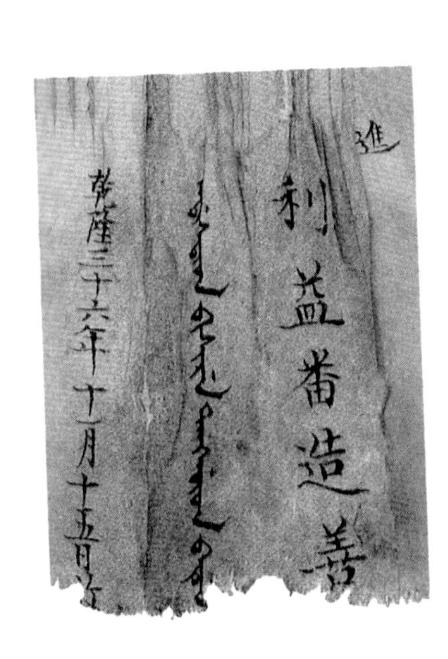

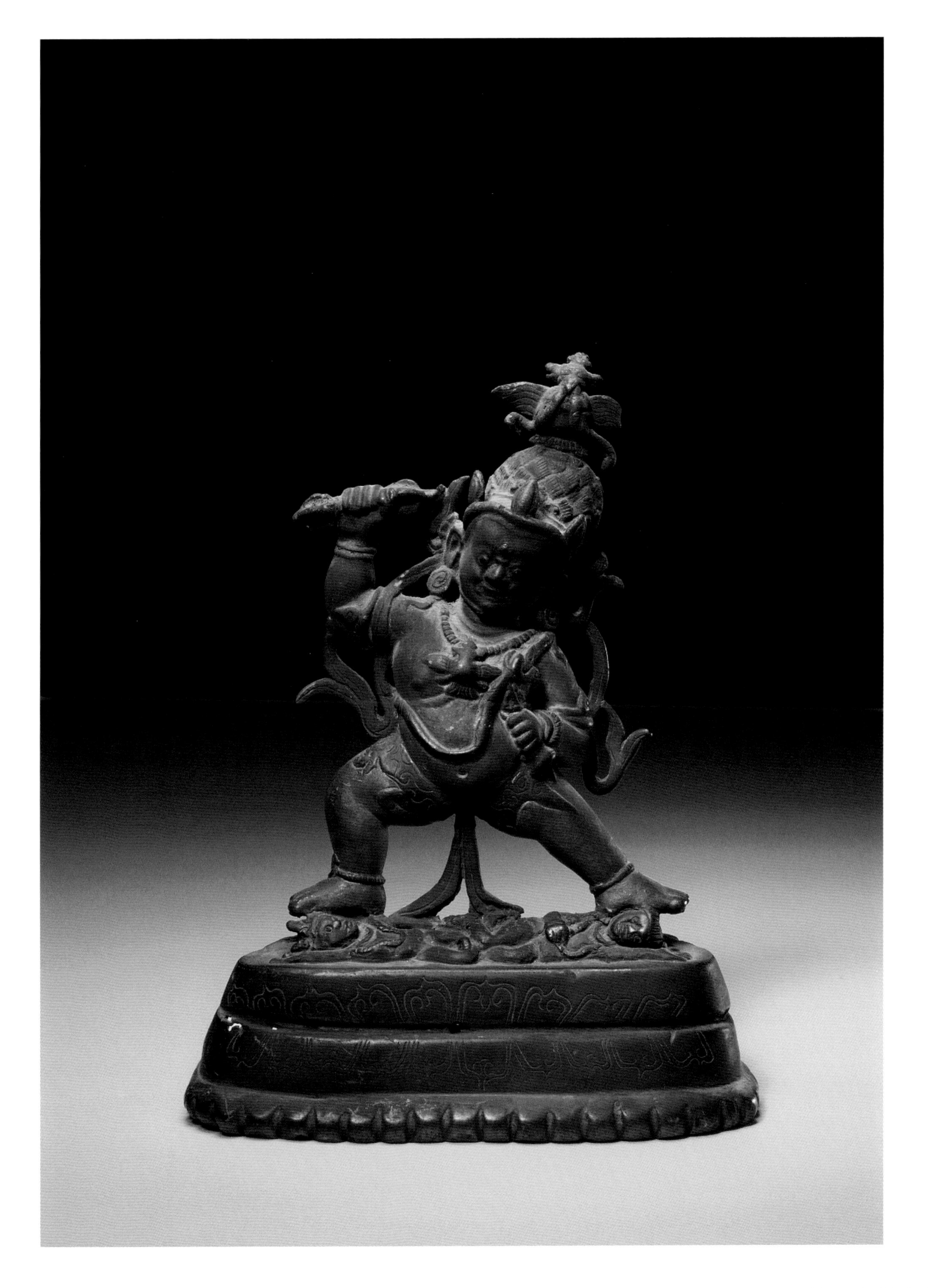

118

威烈手持金刚

西藏中部　13世纪
黄铜　高16厘米

Caṇḍa-Vajrapāṇi

Central Tibet　13th century
Brass　H. 16 cm

此像将手持金刚对龙族的降伏关系表现得淋漓尽致。手持金刚半圆形发髻上站立着一只正在吃蛇的金翅鸟，胸前瓔珞所缀的也是一只金翅鸟。金翅鸟是专门吃蛇的鸟类，最初，是破坏佛教传播的敌人之一，被佛教收伏以后，便成了专门与龙族（即蛇）作战的有力武器，所以在金刚手的身边，蛇与金翅鸟往往结伴出现。金刚手戴小三叶冠，天衣在身体两侧飘起，略显滞重。蛇为络腋，斜披左肩至右肋。着虎皮裙，裙带分开垂落座上，与座面相接，加强了整个造像稳重的感觉。左展姿站立，下踏二龙神。束腰台座，莲瓣以阴线刻划，较为独特。

威烈手持金刚的图像学特征与一般手持金刚的不同在于：除了右手持金刚杵外，左手在腰际持铃。在《五百佛像集》中他也称为热穹派（*Ras chung*）金刚手。在《诸佛菩萨圣像赞》中它是本尊神，在其他教派神系中为护法身份。

119

威慑印青衣手持金刚

西藏中部　12～13世纪
黄铜，嵌松石　高21.2厘米

Nīlāmbaradhara-Vajrapāṇi

Central Tibet　12th to 13th century
Brass with turquoise insets　H. 21.2 cm

金刚手右手上举施期克印持杵，左手施一种驱魔的手印——威慑印（*tarjanī*）。最为别致的是他的头部，火焰形头光中坐阿闳佛，两边各有一蛇，蛇身昂起，分侍左右。此处，蛇不仅是被手持金刚降伏的魔类，而且已经变成了手持金刚的守护者。手持金刚的面相极为凶狠，蛇身为络腋，右脚还踏着一个蛇头。作品做工古雅，线条简洁明快，但动感很强。

青衣手持金刚是忿怒手持金刚的另一个变化身。

120

期克印青衣手持金刚

西藏中部　15世纪

铜鎏金，嵌红宝石、绿松石、青金石　高16厘米

Nīlāmbaradhara-Vajrapāṇi

Central Tibet　15th century

Gilt bronze with ruby, turquoise, lapis lazuli insets　H. 16 cm

图像学特征同前尊，发髻顶部有金刚杵头，已残断，蛇形卷曲的苦修者发髻，与湿婆神的发式颇相近，五叶冠冠叶复杂，嵌饰丰富，感觉纷乱。一面二臂，右手持杵，上举，左手胸前施期克印。长蛇为项链和项鬘，腰缀网状璎珞，虎皮裙形象清晰，下踏二印度教神，忿怒气氛十分强烈。铜色润泽，天衣在身体两侧随着左展姿身体的倾向高低有致，线条明快生动。莲座下沿有细密的阴线刻纹装饰，代表了西藏中世纪古典艺术的特色。

清宫所系黄纸签云："大利益流从干琍玛手持金刚。乾隆二十六年十二月初九日收，雍和宫换下。""流从干"，或译为刘崇、流崇干、来乌群巴等，均是藏文*Slevu chung pa*的音译。由于资料缺乏，对于这位优秀的艺术家我们知之甚少。他应是一位转世活佛，所以有乌群巴活佛(*sPrul sku slevu chung pa*)的名号。于14世纪末至15世纪初活跃在江孜和日喀则一带，当时扎什伦布寺铸造弥勒大像的工程可能与他有关。在格鲁派的来乌群寺(*Slevu chung dgon*)还有他的作坊。所以流崇干琍玛可能是15世纪以来乌群巴为代表的一类作品的总称。档案和史书中只见到零星的记载。藏族的传统观点认为，其造像受汉地影响，仿明式造像风格，但目前尚无实物能够证实，至少从这件作品中我们并不能得出相同的结论。

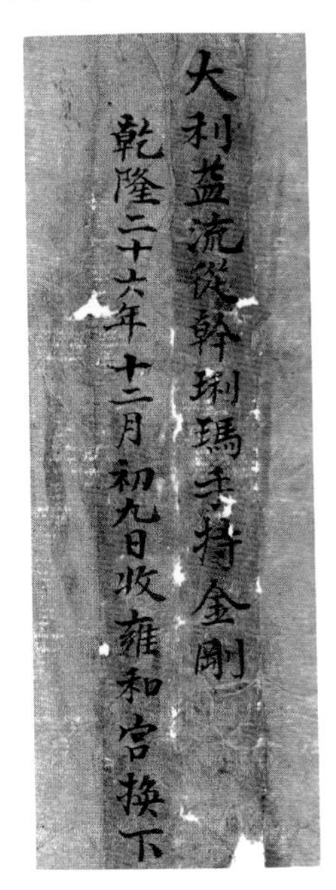

大利益流從幹琍瑪手持金剛

乾隆二十六年十二月初九日收雍和宮換下

121

伏魔手持金刚

西藏中部　18世纪
黄铜　高23厘米

Bhūtaḍāmara-Vajrapaṇi

Central Tibet　18th century
Brass　H. 23 cm

金刚头戴五叶骷髅冠，火焰发型，一面四臂，正二手施降伏部多印（*bhūtaḍāmara*），余右手持金刚杵，左上手持金刚索。长蛇为项鬘，着虎皮裙，下踏一面四臂无敌魔。莲座上每个莲瓣中间用阴线隔开，为西藏晚期造像常见的形式之一。

伏魔手持金刚是忿怒金刚手变化身中十分常见的一尊，常作为本尊看待。在印度传统中，部多（*Bhūta*）是世间常见的魔怪之一，因此，伏魔手持金刚也称为降伏部多金刚。

122

立像文殊菩萨

东北印度　8世纪
黄铜　高20.5厘米

Mañjuśrī

Northeastern India　8th century
Brass　H. 20.5 cm

文殊菩萨童子相，头戴小叶冠，身体健壮。右手与愿印，左手持优钵罗花。双肩三绺长辫垂落，大耳珰。上身袒裸，胸前璎珞繁复，缀虎爪装饰，下身着裙，系珠宝腰带，右臀到左腿系束带，一副苦修者的装束。早期文殊菩萨与其他菩萨一样，其造像均多具有表达苦修者的思想成分。莲瓣尖有一皱起和高大拱门式背光是东北印度造像的特点。方台座下方跪一供养人形象。背光后面有梵文字，内容是因缘咒（法身偈）。有关因缘咒的详细解说参见图72。

原清宫所系黄纸签云：“大利益梵铜琍玛观世音菩萨。乾隆五十八年八月二十六日收，热河带来。”

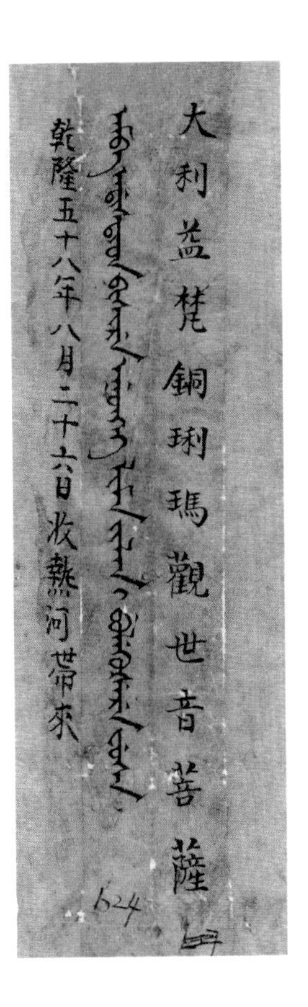

大利益梵銅琍瑪觀世音菩薩

乾隆五十八年八月二十六日收熱河帶來

123

立像文殊菩萨

西藏西部　11～12世纪
黄铜　高11.7厘米

Mañjuśrī

Western Tibet　11th to 12th century
Brass　H. 11.7 cm

此尊造像极富特色。发髻高扁，十分夸张。双目大睁，鼻梁粗扁，还有喀什米尔艺术的痕迹存在。右手举剑，左手牵优钵罗花枝，左肩花蕾上置般若经。身上项链、臂钏、手镯及腰间所系璎珞均极简略。裙上有小花朵纹装饰。裙下摆在身体两侧如双翅形展开，有图案化效果。身体瘦长，比例失衡，线条粗简，表情古拙，是西藏西部早期独立艺术尚未成熟时期作品的特点。双脚之间有托板，托板很小，佛像很难单独供奉，必须加一底托才能站立，托板正中的小圆形孔可能就是用来固定佛像与底托的。

原清宫所系黄纸签：“大利益梵铜琍玛文殊菩萨。二十六年十二月初九日，雍和宫换下。”

文殊菩萨，或称文殊室利、曼殊室利等，均是根据其梵文名音译的不同名号，是佛教智慧的象征。他与般若经有很深的关系，所以他的法器之一就是般若经。他还被看作是佛教智慧的保护神。由于他具有好战的神格，所以他的怛特罗形象很多，最著名的就是大威德本尊形象。在西藏，一些著名的上师如黄教创始人宗喀巴均被认为是文殊菩萨的化身。另外，从元代以来，直到清代，藏族人的观念中，北京的皇帝都是文殊菩萨在世间的转轮王化现，故称为“曼（文）殊室利大皇帝”。所以文殊菩萨既是藏传佛教中的重要尊神，在宫廷佛教中更有不可替代的重要地位。

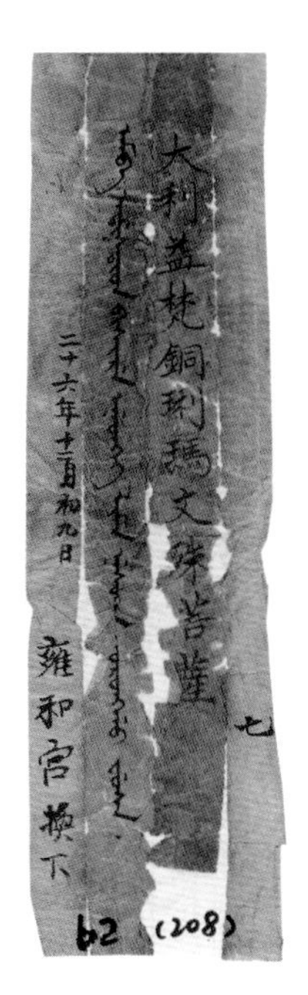

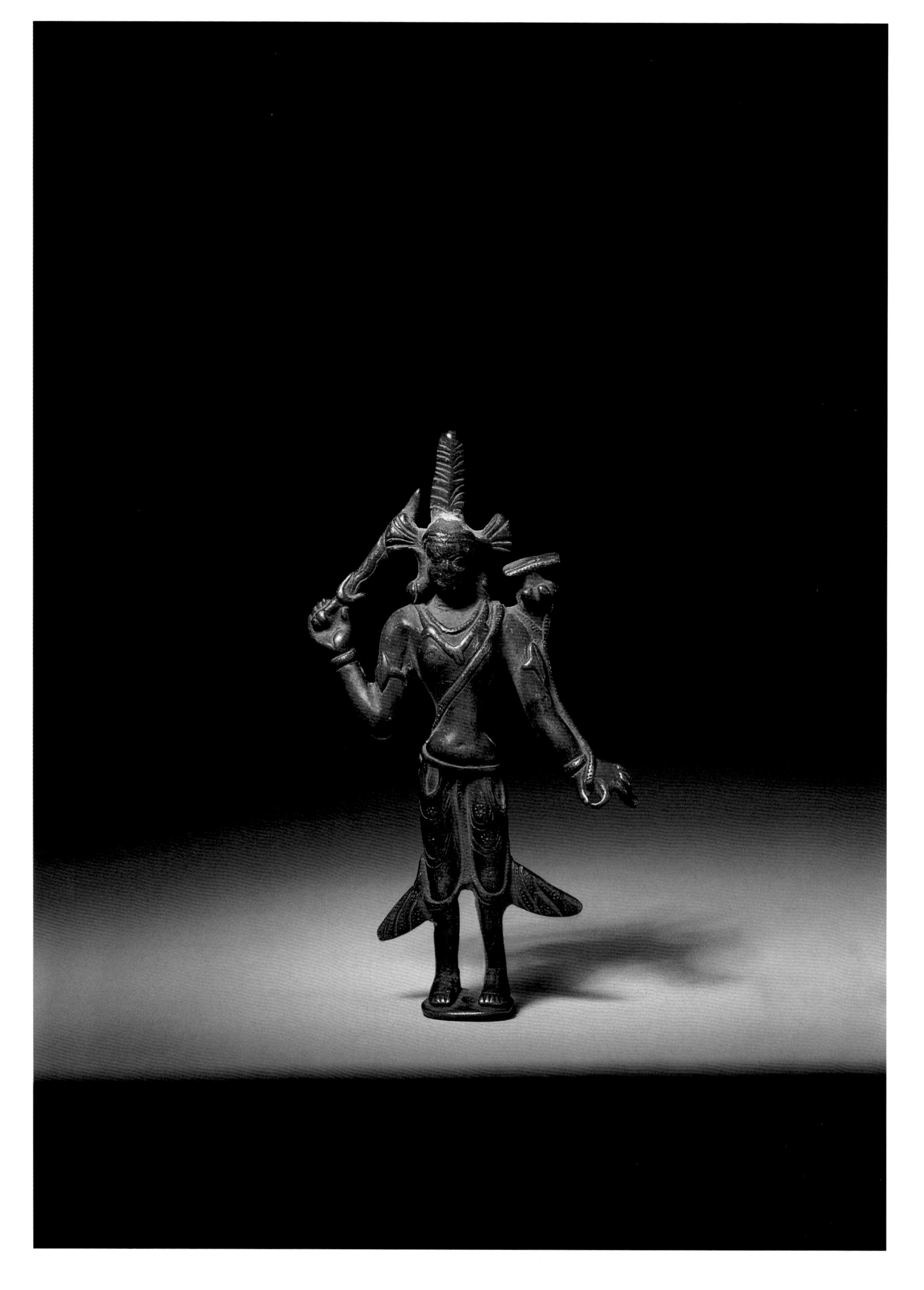

124

立像文殊菩萨

西藏中部　17世纪
黄铜，错嵌红铜、银　高25.5厘米

Mañjuśrī

Central Tibet　17th century
Brass with copper and silver inlay　H. 25.5 cm

文殊菩萨右手下伸，牵优钵罗花枝，花枝沿右臂而上，在右肩开敷，上置剑，左手也牵优钵罗花枝，花蕾上置般若经。左肩斜披络腋，络腋上有错银圆形图案和錾出的小花朵装饰。下身着短裙，裙摆紧贴双腿。双腿上有三道斜纹，均采用错嵌金银的工艺方法装饰，图案有圆圈和小花朵。鼻梁修长，有弧度，可见感受到尼泊尔艺术的影响。身体稍右折姿立圆形莲台上，身体略显僵直，但身体两侧天衣如波浪起伏，与左肩斜披的圣线构成生动的动感效果。

125

游戏坐文殊菩萨

东北印度　10世纪
黄铜　高21厘米

Mañjuśrī

Northeastern India　10th century
Brass　H. 21 cm

文殊菩萨游戏坐姿，右脚伸出，下踏莲台，左脚平放莲台上。右手施与愿印，放右腿上，左手牵优钵罗花，姿态悠闲。头戴三叶冠，冠叶呈小花朵形。童子相，肩头垂落三绺发辫，胸前璎珞精美复杂，有虎爪装饰，左肩斜挂圣索至右腿。圣索原来是古印度贵族的配饰物，后来神圣化。莲瓣有Y字形叶茎，莲座下方是双狮垂帘台座，有四个支脚支撑。高大的背光，顶上是伞盖，两侧的飘带与下方横梁两端的摩竭鱼卷曲的尾部相连，极富装饰效果。背面则不甚讲究，基本上未施精细加工，后背有明显的装脏封印痕迹。观音菩萨头部是圆形大火焰头光，他身后的背光颇具特色，体两侧各立异兽，兽口中吐出连珠，下踏象背，是典型的六拏具背光形式。此造像的人物特征、莲座和台座形式以及背光形式有后笈多风格的遗风，线条流畅古雅，但精细稍嫌不足。

126

游戏坐文殊菩萨

西藏中部　17世纪
红铜　高13.8厘米

Mañjuśrī
Central Tibet　17th century
Copper　H. 13.8 cm

此尊戴一叶冠，圆形耳珰。面庞圆润，双唇丰满。右手施与愿印持珠，左手持乌巴拉花。游戏坐莲台上，左脚伸出，踏小莲台。莲台下面是一个四支脚的台座。莲瓣有三条阴线代表叶茎。线条圆润，做工精细，是尼泊尔艺术的特色。

清宫所系黄纸签云："利益番造黄布禄王金刚。三十五年八月初九日收，巴禄进。""巴禄"是清代名臣班第之子。巴禄一生并未与藏区有关系，但其父班第从乾隆十五年至二十年间(1750～1755年)一直驻藏，曾参加了平定西藏郡王珠尔墨特那木扎勒的叛乱，参与"酌定西藏善后章程"制定工作，对于稳定西藏大局颇有贡献。乾隆二十年战死于新疆，巴禄袭爵。此像当为其父旧物。黄签虽题为"番"造，但其强烈的尼泊尔风格特征与番(西藏)式造像完全不同，且年代如此早的造像，判定为西藏所造，实为臆测之辞，不足为据。而且，其图像学特征与布禄金刚完全不同，没有任何财宝尊神的迹象，如吐宝鼠、宝瓶、海螺等。冯·施罗德(*von Schroeder*)将此类尊神定名为文殊菩萨的变化形式之一*Mañjuśri-Siddhaikavīra*，从二者的图像学特征来看，手中的法器均符合，只是*Mañjuśri-Siddhaikavīra*是全跏趺坐，而本造像却是游戏坐，所以未敢盲从。但此像以乌巴拉花为持物，表明它是文殊菩萨无疑。

布禄金刚也译为瞻婆罗、瞻巴拉、宝藏神，是藏传佛教中最著名的财神之一，因其持柠檬果，梵文名*jabhara*而得名。此像未见持柠檬果、吐宝鼠，足见黄条中的定名是错误的。

127

大白文殊菩萨

西藏中部　18世纪
黄铜，错嵌银丝　高26厘米

Sita-Mañjughoṣa
Central Tibet　18th century
Brass with silver inlay　H. 26 cm

在图像学上，大白文殊菩萨为全跏趺坐姿，右手施与愿印，左手施说法印。但此尊造像优钵罗花枝并没有牵在手上，而是从身后出来，依身体两侧而上，并绕左臂，在肩头开敷。花蕾上分别置文殊菩萨的智慧剑和般若经卷。裙褶为条棱形，其间阴线刻缠枝莲纹，花茎与叶茎错嵌银丝，反映出很高的工艺水平。此尊造像与图104清宫铸造的最上成就摩尼宝观音工艺特点极为接近，同样是错嵌花纹装饰，人物的面部特征、身上的璎珞形式也特别相似，但是，从做工精细程度和莲瓣的做法，我们仍可以将二者区分开来。由此，我们能看出18世纪西藏和内地（北京清宫）造像特点的风格接近和差异所在。此像应是拉萨雪堆白作坊的作品。

原清宫所系黄纸签云：“利益番造文殊菩萨。乾隆五十八年十一月二十一日收，达赖喇嘛进。”乾隆五十八年是1793年，此达赖喇嘛当指第八世达赖喇嘛降贝嘉措。

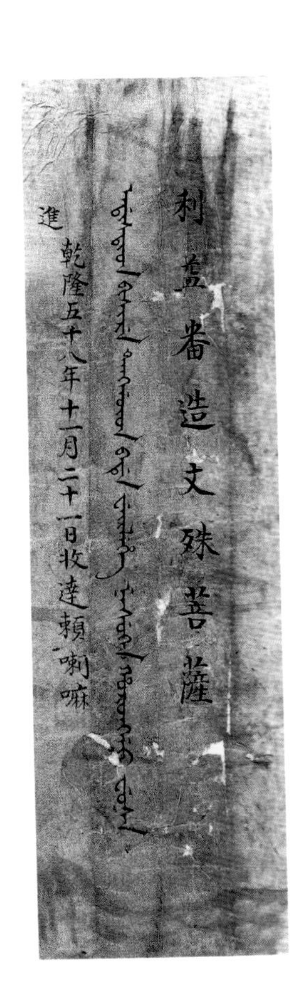
利益番造文殊菩薩
乾隆五十八年十一月二十一日收達賴喇嘛
進

128

五字文殊菩萨

西藏西部 11～12世纪
黄铜 高14厘米

Arapacana-Mañjughoṣa

Western Tibet 11th to 12th century
Brass H. 14 cm

五字文殊菩萨全跏趺坐，右手上举智慧剑，左手持般若经当胸。高扁发髻，剑身很长，有过分夸张的感觉。天衣垂落两边座上，上卷如弹起，比较生动。但造像整体线条还是显得比较呆滞，做工略嫌粗略。

此尊的梵文名号是*Arapacana*，是由文殊菩萨陀罗尼（即真言）的前5个字母*A*、*Ra*、*Pa*、*Ca*、*Na*组成，五字文殊菩萨即由此得名，其起源也是由此咒的神圣化而来。

现代学者研究证明，*Arapacana*是一个神圣名称，代表五方佛的5个字母神秘合写。日本学者认为，五字文殊菩萨的5个字母是《华严经》的悉昙四十二门前面的字母，代表了此经在文殊菩萨神格中的重要性。

129

五字文殊菩萨

西藏中部　15世纪
黄铜，错嵌红铜、银　高44厘米

Arapacana-Mañjughoṣa

Central Tibet　15th century
Brass with copper and silver inlay　H. 44 cm

五字文殊菩萨，高扁发髻，高五叶冠，冠叶以线条相连，右手施期克印持长剑，左手未见持经卷，仅施三宝严印（拔济众生印）。身体左侧的花枝与肩头齐平，花蕾中置小经卷，右侧的优钵罗花枝支撑右肘部，两侧优钵罗花枝扁平，图案化严重。高莲台，上沿双层细连珠纹，下沿单层大连珠纹，莲瓣肥厚，具有这一时期西藏中部造像艺术的典型特征。

130

转法轮文殊菩萨

西藏中部　15世纪
黄铜，嵌绿松石、珊瑚　高43厘米

Dharmacakra-Mañjughoṣa

Central Tibet　15th century
Gilt bronze with turquoise, coral insets　H. 43 cm

文殊菩萨头戴高五叶冠，冠叶间有线相连，发髻高扁。双目细长，鼻梁修直，面含微笑。头略左偏，与身体两侧优钵罗花枝婀娜的线条相应，表达出柔美的感觉。双手施转法轮印，各牵优钵罗花枝，右肩头花蕾上置智慧剑，左肩头优钵罗花上置般若经卷。游戏坐，右腿伸出，下踏小莲台。莲台宽大，莲瓣肥厚。肌肤打磨细腻，菩萨气质高贵，使作品弥漫着古典主义的气息。

131

转法轮文殊菩萨

内地　15世纪
铜鎏金　高26.2厘米，宽17.5厘米

Dharmacakra-Mañjughoṣa

China inland　15th century
Gilt bronze　H. 26.2 cm, W. 17.5 cm

此文殊当是八大菩萨组合中的文殊菩萨形象。菩萨发髻高挽，头戴华丽的五叶宝冠，缯带垂落后再上扬起，呈美丽的曲线，缀圆形花瓣式大耳珰。面庞方正，表情庄重慈爱。双手施转法轮印，各牵优钵罗花枝，花蕾在肩头开敷，右花蕾上为智慧剑，左花蕾上为般若经。两肩头披天衣，上身饰繁密的项链，腰缀璎珞。下身着裙，全跏趺坐姿，衣纹自然生动。莲瓣丰满，有弹性，明显具有明永乐、宣德时期造像的特点。仰覆莲台面上，佛双足之前刻"大明永乐年施"六字款，字体局促，且划破鎏金层，显系后人添刻。底板平整，满涂硃色，图案稍粗糙，铜色偏暗，与明宫廷造像的底板稍有出入，不知道是宫廷工匠水平的高低所致，还是后仿作品。但此像虽是明代宫廷造像的精品，最初并无题刻却是毋庸置疑的。

大明永樂年施

132

游戏自在文殊菩萨

西藏中部　17世纪
黄铜　高16.7厘米

Mahārājalīla-Mañjughoṣa

Central Tibet　17th century
Brass　H. 16.7 cm

文殊菩萨右手施期克印牵优钵罗花枝，花枝上置智慧剑，左手置膝头，手中应握经卷，已断。转轮王坐姿，左脚抬起，右脚平放。面相方圆，表情温厚。三叶小冠，发髻顶上饰珠宝。左肩斜披络腋，络腋和裙上均以阴线刻划花朵和菱形格装饰。莲台为圆形，莲瓣肥大，直接着地。圆形背光，结构简洁，火焰纹十分程式化。整个作品明显缺乏尼泊尔艺术精细和优雅的特点，尤其是在髻冠、背光上的火焰纹以及裙上的阴刻花纹模仿的痕迹十分明显，应是拉萨雪堆白作坊的仿古之作。

原清宫所系黄纸云："大利益梵铜琍玛文殊菩萨。乾隆四十年十一月十四日收，扎萨克台吉索诺木旺扎尔进。""索诺木旺扎尔"在《清实录》中也写作"索诺木旺扎勒"（1756～1788年），是藏文*bSod nams dbang rgyal*的音译，是西藏噶厦政府（*bKav shag*）的四噶伦（*bkav blon*）之一。后因勒索尼泊尔商人等不法行为，对廓尔喀军队入侵西藏负有重要责任。乾隆帝下旨，停止其家族担任噶伦一职，同时不再世袭扎萨克台吉的爵位。此像是他在当噶伦时所贡。

133

最胜文殊

西藏中部　12～13世纪
黄铜　高20厘米

Mañjuvara

Central Tibet　12th to 13th century
Brass　H. 20 cm

文殊菩萨侧身游戏坐于狮背上，双手施说法印，身体两侧各一优钵罗花枝，右肩花蕾开敷，左肩莲花上有般若经卷。狮子卧伏于地，回首作吼叫状。局部细节比较模糊，莲瓣简洁，身体左倾，优钵罗花枝婉转，比较生动，是西藏早期对波罗风格的模仿作品。

原清宫黄纸签题记云：“大利益番铜旧琍玛狮吼观世音菩萨。嘉庆四年八月十八日收，达赖喇嘛进。”嘉庆四年是1804年，此达赖喇嘛当指第八世达赖喇嘛降贝嘉措。题记所载两点值得注意：第一，番铜旧琍玛，表明了此像并非印度原造，可能是在西藏铸造；第二，此尊名号狮吼观音菩萨显然是个错误，狮吼文殊菩萨时常不以智慧剑作标志，仅有般若经卷，很容易与观音菩萨混淆，二者手印和坐姿区别也很小，仔细比较二者的持物差距很大，不应混同（参看图106）。

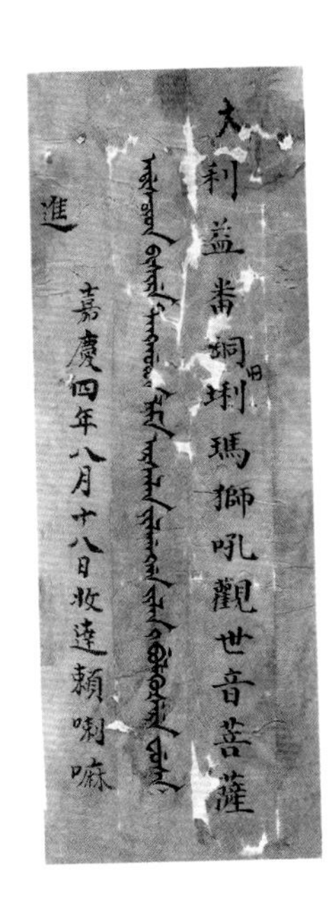
大利益番銅旧琍瑪獅吼觀世音菩薩

嘉慶四年八月十八日收達賴喇嘛

進

134

同侍从最胜文殊

东北印度　11～12世纪
黄铜　高24厘米

Mañjuvara with attendants

Northeastern India　11th to 12th century
Brass　H. 24 cm

中心的最胜文殊图像学特征与前图一致，两边各有一侍从尊神，左边的是善财童子菩萨，双手合十，转轮王坐姿；右边的是阎曼德迦金刚，护法尊神，游戏王坐姿，右手扶主尊腿，左手置左膝上，神态闲适。高大的拱门式背光，多折角式台座，均是波罗风格中最具鲜明特色的因素。

原清宫黄纸签题记云："大利益梵铜同侍从狮吼文殊菩萨。乾隆六十年十二月二十五日收，留保住进。"本书所收同一天由留保住一人所进的佛像还有其他四尊：图29不空成就佛、图61 坐像转法轮印释迦牟尼佛、图97坐像思维莲花手观音菩萨。

据《法华经》记载，善财童子（*Sudhana-śreṣthi-dāraka*）原是福城长者之子，在入胎和出生时各种珍宝自然涌现，故名善财。后听文殊菩萨讲法后，遍游南方各国，终于在普贤道场获得成就。阎曼德迦金刚是文殊菩萨为降伏阎摩而化现的忿怒神。

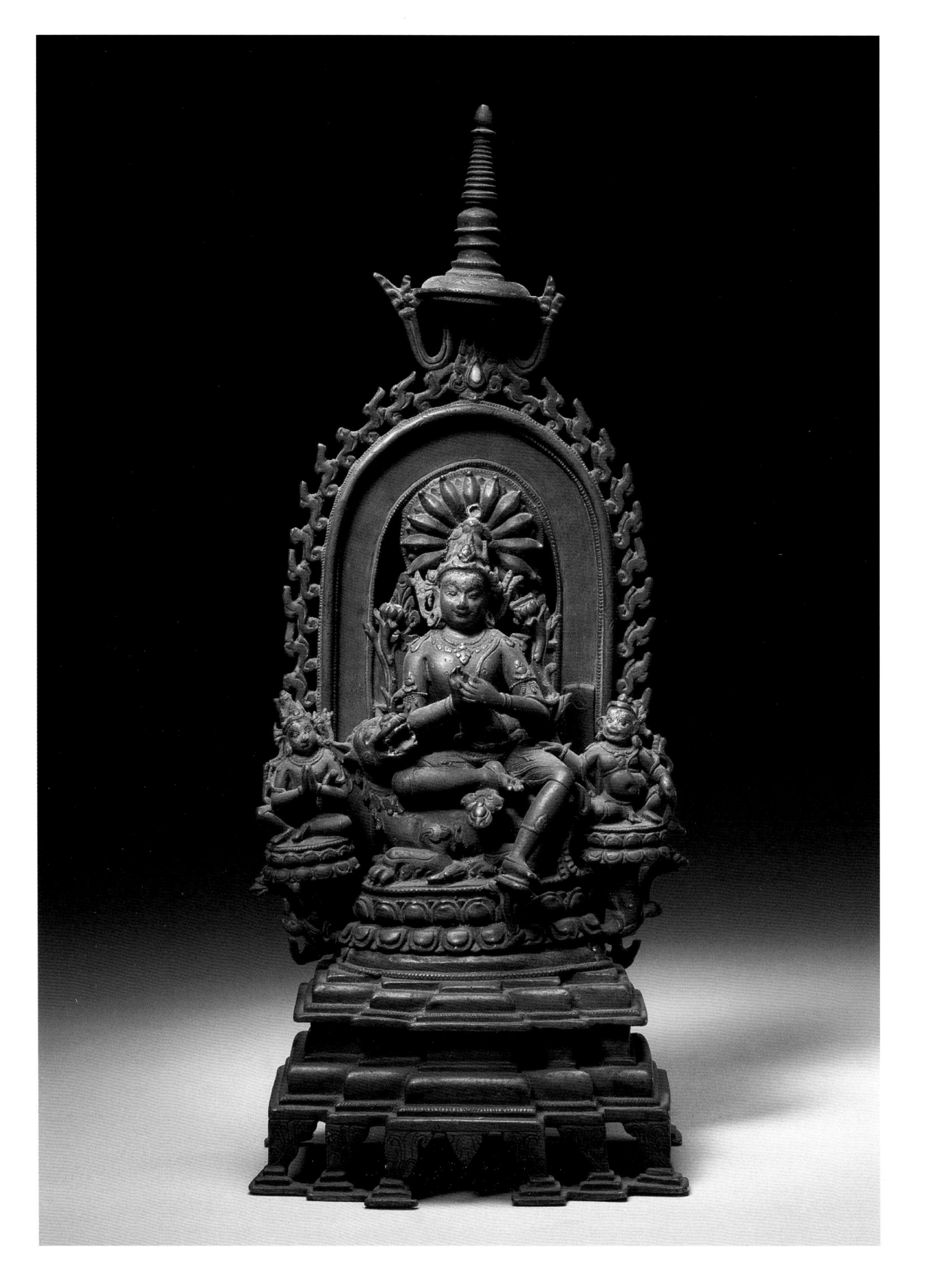

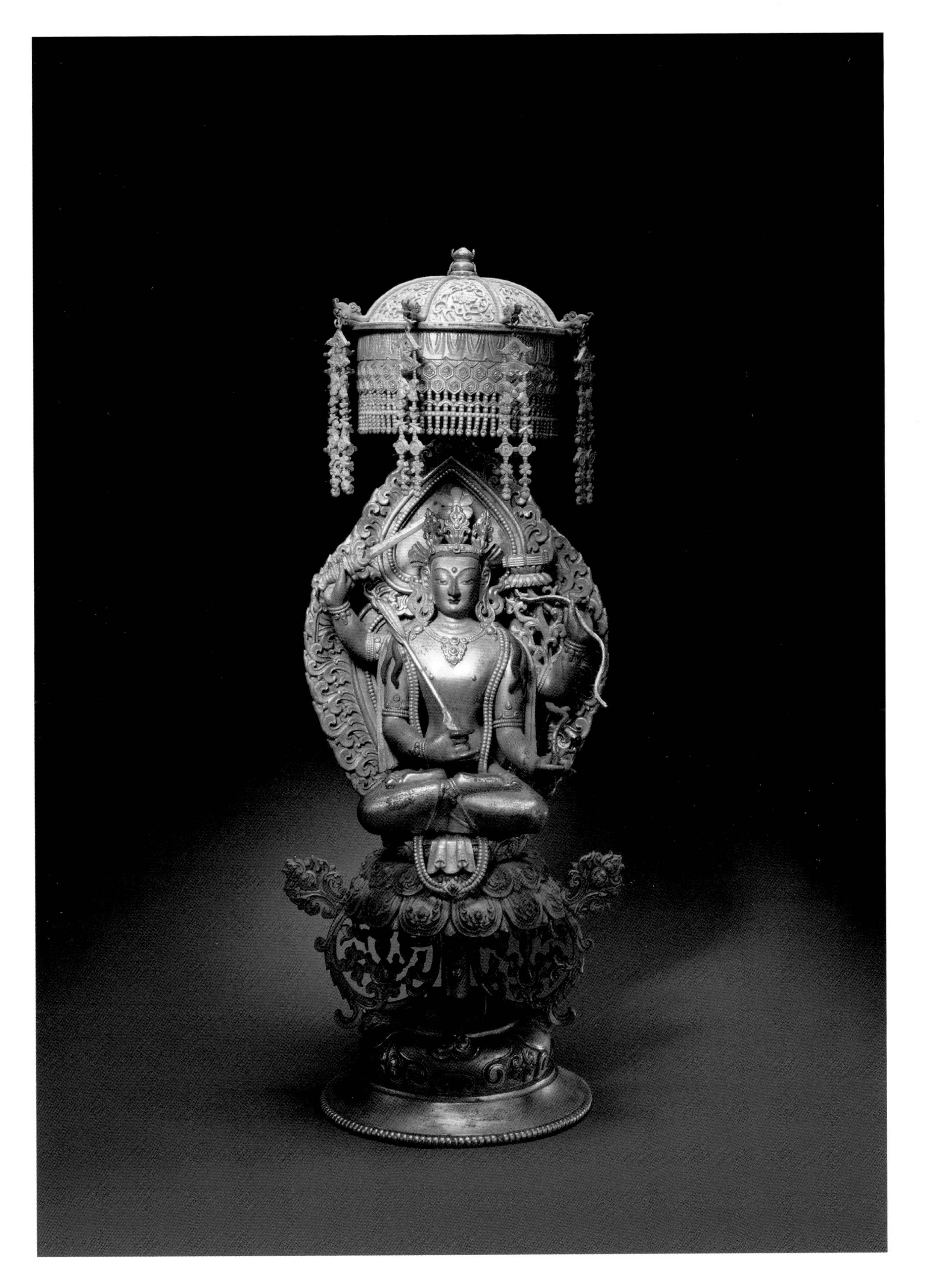

135

敏捷文殊

北京，清宫内务府造办处　17世纪末至18世纪初
铜鎏金　高18厘米

Tīkṣṇa-Mañjughoṣa

The Imperial Workshop in Beijing
Late 17th to early 18th century
Gilt bronze　H. 18cm

文殊一面四臂，右上手上举持智慧剑，下手施期克印持长羽箭，左上手持弓，左下手施期克印持优钵罗花枝，花枝沿臂而上，在左肩开敷，花蕾上置般若经卷。这是文殊菩萨密教形象变化身之一。全跏趺坐于西藏传统的莲台上，即莲枝主干上出莲台，主干下部旁出支干，卷曲成圆形，极富装饰效果。主干立于圆形台座上，台座深雕花纹装饰，下沿有精美的连珠纹。背光顶上有豪华的伞盖，垂长流苏。身光分上下头光和背光两部分，周围是火焰纹。鎏金极明亮，与喀尔喀蒙古一世哲布尊丹巴时期造像风格相近，与康熙二十五年清宫造办处为孝庄太皇太后所铸的四臂观音风格也比较接近，很有可能是康熙时期清宫所造。

136

文殊菩萨、金刚手菩萨、观音菩萨三尊像

西藏西部　12世纪
黄铜　高31厘米

Threesome Mañjuśrī, Vajrapāṇi, Avalokiteśvara

Western Tibet　12th century
Brass　H. 31 cm

居中的文殊菩萨右手举剑，左手牵优钵罗花枝，花蕾上置般若经卷。左侧的金刚手菩萨，右手持金刚杵，左手持铃；右侧为莲花手观音菩萨，右手施与愿印，左手牵莲枝。背光项上为金翅鸟形象，侧下方两边是摩羯鱼。再下方是类似于马的异兽立于变形花枝上，大象驮花枝而立，是六拏具的简化形式。支持三尊的是莲花枝主干，在花枝主干的旁枝上有些小形象颇耐人寻味。上面两个卷枝中各站一只鸟，在主干上和左侧的旁枝上各有一只猴子，正在嬉戏攀援。令人联想到西藏有关藏族起源于观音化猴而来的传说，还有佛本生中猴王本生传的故事。不论这个画面是否与这两个故事有关，但是这种富有生活情趣的场景在佛教金铜造像中并不多见，而多见于唐卡中。三位菩萨发髻扁平，身体瘦长，姿态僵直，线条拙朴，是为藏西艺术的早期特色。

在西藏，将司职慈悲、智慧和力的观音菩萨、文殊菩萨和金刚手菩萨同供一堂的现象很多见，合称为“三怙主”或“三大士”。这种组合在藏西现存的寺庙和造像中往往可见。其重要的象征意义受到普遍接受，在《三百佛像集》和《诸佛菩萨圣像赞》中专为三者各设立一堂，以示重视。

137

地藏菩萨

尼泊尔　9世纪
黄铜　高13.2厘米

Kṣitigarbha
Nepal　9th century
Brass　H. 13.2 cm

菩萨右手施无畏印，左手握持摩尼宝穗。头戴三叶冠，面如童子相，项链精巧，斜披圣线，臂钏靠腋部，是为年代较早造像的标志之一。莲瓣中有三条线代表叶茎，是这一时期尼泊尔造像的特色。背光残断。红铜铸造，色调古雅温润。清宫配有铜鎏金龛，龛后题记云："南无地藏王菩萨摩诃萨，乾隆十七年六月初九日供奉大利益梵铜琍玛地藏王菩萨。咸丰三年八月初一日自如是室敬请。万代供奉，虔诚顶礼，敬皈依，超苦海之众生同登极乐，御笔敬识。"此像先后为乾隆和咸丰两位清代皇帝所供奉。

据佛典记载，地藏菩萨受佛嘱托在佛国圆寂后至弥勒成佛前这段无佛的时期内教化众生，然后成佛，他有"地狱未空，誓不成佛"的誓愿。估计在公元6世纪或7世纪以后地藏菩萨的信仰在印度已经成立，但是影响不及在中国内地和日本。在西藏的影响也不及观音、文殊等菩萨。但是此菩萨特重救度苦难最深的地狱众生，并且教导众生要尊敬三宝，深信因果，来世不至堕入恶趣，对藏族有相当的吸引力。

地藏王菩薩

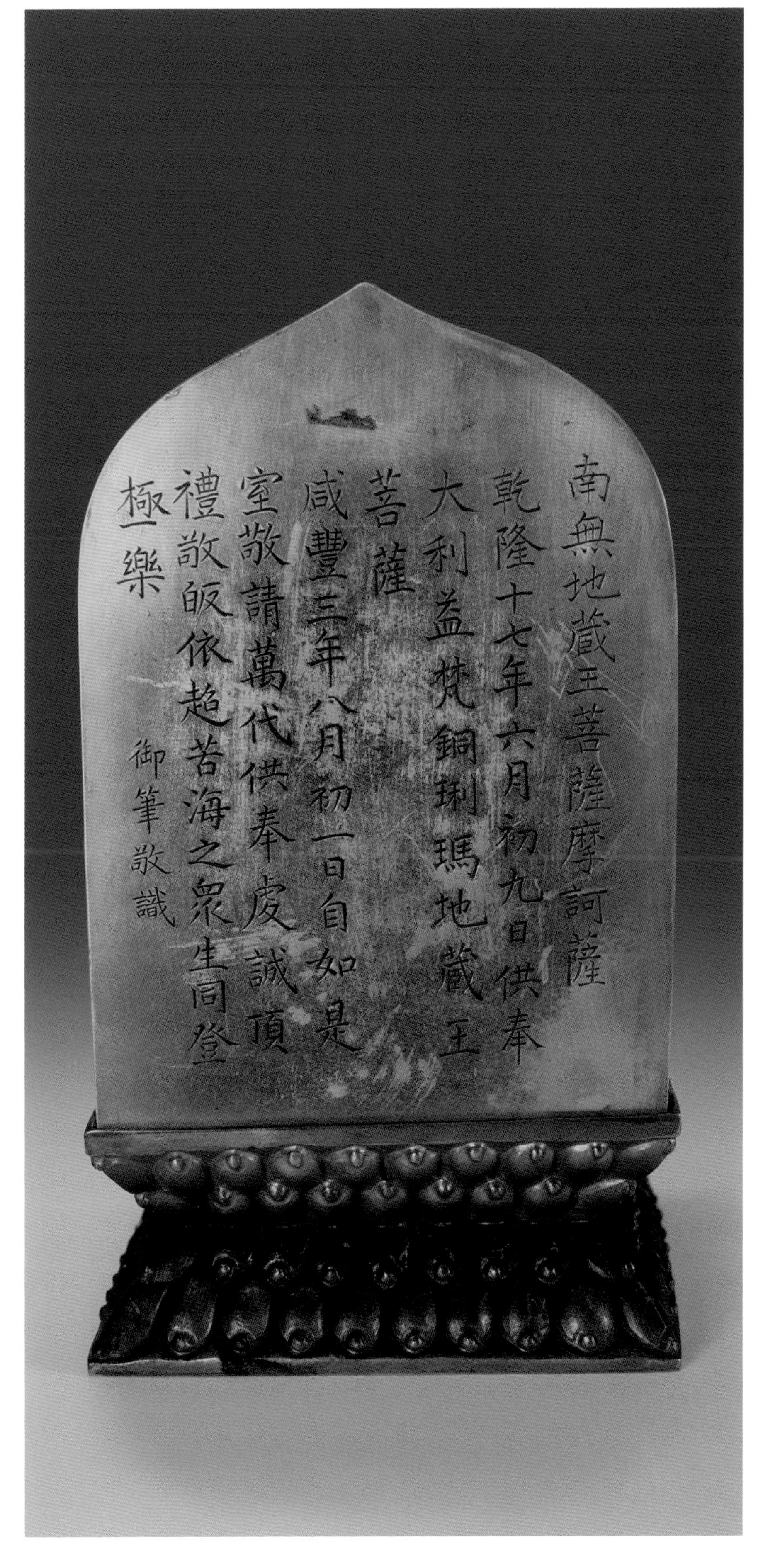
南無地藏王菩薩摩訶薩
乾隆十七年六月初九日供奉
大利益梵銅琍瑪地藏王
菩薩
咸豐三年八月初一日自如是
室敬請萬代供奉虔誠頂
禮敬皈依超苦海之衆生同登
極樂
御筆敬識

女尊

女性尊神的大量出现与印度古老的生殖崇拜有密切关系，这种崇拜在世界各地的早期民族中曾广泛流行。从印度女尊乳房饱满，小腹浑圆而且臀部肥大的形象也可以看出来，对女性神的崇拜其实就是对其生殖能力的崇拜。在古印度早期文明遗址中出土的女性像上就可以看到这种特点，可见印度这种传统信仰的存在有悠久的历史。小乘佛教排斥女性，更不供奉女神。佛教女尊的出现和繁荣与大乘佛教的密教化有不可分割的联系。大乘佛教从印度教中吸收了大量女性神，纳入佛教神系中。随着佛教进一步神秘化，在怛特罗经典和仪轨中，女性神不可替代的重要性（如性力派使用妇女修行，渲染享乐思想等）受到特别的强调，地位日隆。甚至一切佛由佛母而生的自然生殖崇拜的思想也在复杂的后期佛教教义中得到认可。这些思想被西藏陆续接受和实行，随之给佛教修行和戒律执守方面造成严重的混乱并引起了信仰危机，于是从王室到各教派均不得不做出一定程度的修正，直到宗喀巴大师出现，创立格鲁派，提倡戒律，反对淫奢的风气，利用女伴实修才得到较大程度的扼制。但是，女尊的图像学及其在神系中的地位却在藏传佛教传统中顽强的固定下来。

女尊究竟包括哪些成员，一直是个难题。问题的关键在于，并非所有的女性尊神均属女尊类中，在护法类中就有女尊，如著名的吉祥天母即是一例。还有一些次要的本土神因进入神系晚，身份不明确，按照传统并未归入此类中，如四季女神等。不同的佛教著作中对于女尊概念的理解也不相同。《三百佛像集》将五保护佛母与度母分开排列，戈登（*Gordon*）的《西藏佛教图像学》就只将女尊中菩萨身份的尊神入选，其他则分别列举。章嘉国师的《诸佛菩萨圣像赞》和格蒂（*Getty*）的《北传佛教诸神》的体例则很有借鉴意义。尽管章嘉和格蒂的分类在对待具体某尊神的看法上仍有一些具体的差别，但二者大致相同，就是扩大女尊的范围，除护法神和一些低级女尊不入选外，其余一律收入其中。主要分为三大组别：女菩萨、明妃和空行母。

女菩萨，即《造像量度续补》所说的佛母。经云："或有佛菩萨被大慈力，以就世间之通情（注云：众生通情，惟母恩重且周）特化女相者。"换句话说，女菩萨即是由男身的佛菩萨化现为女身的形象，所以女菩萨具有了佛与菩萨慈悲的神格。受怛特罗思想影响以后，女菩萨有了两种形象，平和相和忿怒相。平和相是佛菩萨形象的体现，忿怒相则是怛特罗思想的体现。

明妃（*Śakti*），《造像量度经续补》云："五行之真性，为五部佛母（注曰：亦云明妃）。"实际上明妃广义上是指怛特罗佛教中双身修行中的女尊。《造像量度经续补》中专指以五方佛为中心的神系中各尊所现双身修行形象。明妃一般没有单身供奉的情况，多是与主尊拥抱交接的姿态。明妃，梵音译"铄乞底"，这个具有印度教色彩的本意为"槊"，是放在曼荼罗中修行的武器，具有威力、性力之意，在佛教后期作为明妃的概念则明显带有印度教性力派的影响。

另外，女尊中地位较低的一类是空行母（*Ḍākinī*）。空行母（荼吉尼）原为给人间制造灾难的小恶魔，但在以下层民众信仰为基础的怛特罗信仰中颇受重视。在无上瑜伽密中甚至被提升为喜金刚和阎婆罗等秘密佛的明妃。在怛特罗佛教中，她扮演着十分活跃的角色。在西藏，她们经常在西藏密法大师的修行过程中出现，或在其观想中，或于其梦中，作为沟通密修者与本尊联系的信使，为其传达神秘的指示，并为其成就作证。另有传说，她原是一位寺庙主持，修证得成就而成为尊神。空行母变化身很多，角色极为复杂，与其信仰程度之深广有关。

Feminine Divinities

The emergence of the feminine divinities in *Buddhism* can be traced to the ancient Indian tradition of phallic worship, which might eventually accepted as the most ancient living faith once existing in the various civilizations all over the world. The worship of the feminine divinities actually reflects a mysterious tradition that apotheosized the reproductive ability of the feminine.

The feminine believers met an enormous resistance when they took part in the group of *Saṅghas* in *Hīnayāna Buddhism*, thus no goddesses exist in its concept. *Mahayāna Buddhism* also had its period of exclusive adoration of the goddess. Since the corrupt influence of the *Tantric* system had begun to penetrate into *Buddhism*, a great amount of male divinities were adapted from *Hinduism* and were Syncretized into the Buddhist pantheon. Similary, not only did Tantra or ferocious forms of the goddesses appear, but the adoration of the *śakti*, or female energy of a god, was introduced.

Gradually, the popular belief throughout *Tibet* developed in the practice and the pantheon of the *śakti*. Indeed, the Tibetans never made any difference between *Mahāyāna* Boddhism and *vajrayāna* Boddhism, and subsequently chaos took place. The sexual esoteric practice with *śaktis* was not weakened amongst most of the Buddhist schools in *Tibet* until *Tsong kha pa,* the founder of the *dGe lugs pa*, reaffirmed the ancient Buddhist principles. His advocacy was gradually accepted by other schools in *Tibet* to a great extent. The iconography of the feminine divinities, however, remains intact because of their high ranks in the Buddhist pantheon.

There are three forms of feminine divinities: goddesses with rank of *Bodhisattvas*, śaktis, and *Ḍākinīs*. The female *Bodhisattvas* are divided into two classes: the pacific and the ferocious.

The pacific form is believed to be an embodiment of her corresponding male *Bodhisattva*. Therefore, they have the same ornaments, expression, and godhead as *Bodhisattvas*.

The ferocious form shows the influence from Tantrism, with disheveled hair, the third eye, and Tantric ornaments and attributes, resembling the *Dharmapāla* form.

Śaktis are rarely represented alone, but in *yab yum* with her *Yi dam*, standing for the female energy. They have either the *Bodhisattva* or the Tantric ornaments and attributes.

Ḍākinīs are divinities taking lesser rank in the pantheon. They were believed to have an ability of causing various disasters on earth, and so to possess widespread influence amongst the lower people. In the course of time, they were incorporated into the Buddhist pantheon, playing active roles in the various practices and legends of *Tibet* and *Mongolia*. Some of them even became the *śaktis* of the *Yi dams*. In general, they have been described sometimes to appear in meditation or dream during the course of mysterious practice as a messenger between the *Yi dam* and the ascetic. They are always represented with Tantric ornaments and attributes standing in a dancing attitude.

138

立像度母

西藏中部　18世纪
红铜，嵌绿松石、青金石、水晶　高21厘米

Tārā

Central Tibet　18th century
Copper with turquoise, lapis lazuli and crystal insets
H. 21 cm

度母梳双髻，戴独叶冠，面庞俊美，表情柔媚。丰乳细腰，腰肢略左扭，与天衣飘动的方向一致，上身右倾，动感十分强烈，线条婉转，姿态优雅。右手施与愿印，左手似握持物。着贴体长裙，裙上阴线刻划出各种线条装饰。卵形头光，宝冠、臂钏、腰带处嵌石，莲瓣叶中以三条阴线代表叶茎。红铜色调偏暖，表面打磨极光滑，肌肤感很强，加之表情姿态带有尼泊尔艺术中独特的女性魅力，充满了世俗女性的美感。此像铜色新，应是日喀则扎什伦布寺下属扎什吉彩作坊的仿古之作。

度母梵文名号*Tārā*，也译音作多罗菩萨，或者全译作救度佛母。其梵文有两种义项：其一，有学者认为，这个词本意有“星宿”的意义，尤指北斗星，是航海、远足及穿越森林的商旅行者所依靠判定方位的北斗星的神格化。北斗星的崇拜是世界上很多宗教所共有的现象。它的另外一个含义来源于其动词词根*tṛ*的使动用法，有“使……渡过”、“救度”、“救助”等义，即帮助信徒克服一切困厄，如同助人安全渡河，到达对岸。在印度教和佛教中均将生命的过程看作是无限轮回的海洋，人一旦陷入其中即如同坠入旋涡之中，难以自拔。度母的慈悲救助可以渡人安全到达超越轮回的彼岸，这正是度母最为人所信仰的部分。因此，在根深蒂固的传统中，她与观音菩萨有着最为密切的关系，视为观音菩萨慈悲神格的化身。

度母在汉地佛教中默默无闻，但在西藏却是家喻户晓，地位很高，有众神之母的美誉。关于度母的产生有两种传说，一种是，观世音菩萨曾在无量光佛座前许下誓言，要救助世间一切有情脱离苦海，尽奉佛法。经过一段时间的辛勤工作之后，他发现还有很多等待救助的人。心生悲悯，泪水滚落，落地成湖，水中生出莲花，花蕾开敷，度母产生。另一种说法认为，度母是观音的目光变幻而成。总之，度母具有形象不定（泪与光的特性），变化众多的特点。她直接继承了观世音菩萨慈悲的性格，同时兼有母性柔美温厚的天性。她在西藏的影响力绝不亚于观世音菩萨。由于她的信仰广泛流行，赋予她的特点和功能也越来越多，变化形象也越来越多，著名的如二十一度母、八大救难度母等。度母众多形象中，最著名的有白、绿、红、蓝、黄五大变化身，与五方佛的方位和身色相对应，被认为是五方佛的明妃。

度母是大乘佛教和金刚乘佛教中罕见的来自佛教本身的女尊，尽管她从印度其他宗教如印度教中吸收了很多营养。公元6世纪前，她的记载还是零星的，不系统的，从公元7世纪上半叶开始，她在佛教神系中就已经占据了显耀的位置。对她的起源地有两种看法，一种认为，她可能起源于西北印度，靠近拉达克一带；另一种看法认为，她可能是在东印度地区那烂陀一带产生的。这些争论还没有得出结果，度母神格的复杂性使得人们对她的认识很难统一。

139

同侍从白度母

西藏中部　12世纪
黄铜　高13厘米

Sita-Tārā with attendants

Central Tibet　12th century
Brass　H. 13 cm

此造像中心坐白度母一尊，右手施与愿印，左手施三宝严印持莲花枝，半跏趺坐。左侧侍坐摩利支天，转轮王坐，左手抚膝，右手持金刚杵，置膝头；右侧侍坐独髻母，转轮王坐，右手持钺刀置膝上，左手置膝上托嘎布拉碗。莲座下面为多折角方台座，台座的侧下方跪坐供养人形象。从工艺上看，此造像方台上的连珠纹粗略，四支脚上的阴线刻划也十分生硬，与东印度波罗风格的特点不太相符，此像可能是早期西藏铸造的波罗风格的作品。

白度母，因白色身而得名，也称为七眼佛母，由于她的面部有三只眼睛，手心和脚心另各有两只眼睛，共七眼而得名。据传说，白度母是从观音菩萨的右眼所生，绿度母是左眼所生。白度母持白莲花，绿度母持优钵罗花（*Utpala*，或称青莲花）。白莲花是白天开放，晚上合拢，优钵罗花是白天合拢，晚上开放，二者合一，象征二者日夜观照世间众生，随时救助。白度母象征纯洁无瑕，佛教智慧的本质，同时也是长寿之神。吐蕃王朝最有作为的赞普松赞干布有两位著名的妃子，其中一位来自唐王朝皇室的公主——文成公主，在西藏被认为是白度母的化身。

140

白度母

北京，可能是清宫内务府造办处　17世纪下半叶至18世纪初
铜鎏金，嵌珊瑚石　高30厘米

Sita-Tārā

Possibly the Imperial Workshop in Beijing
The second half of 17th century to early 18th century
Gilt bronze with coral insets　H. 30 cm

白度母手心和脚心的眼睛十分清楚，右手与愿印持莲枝，左手三宝严印，莲枝缠臂。肩上莲花形式别致，莲蓬饱满，枝叶生动。头戴五叶冠，冠叶为复杂的花枝形状，线条流畅。耳珰为饱满的花朵形式，长及肩头。身上的项链、臂钏、脚镯以及莲座上沿的连珠纹均精美均匀，可见宫中造像工艺水平的精湛。双乳隆起比较含蓄，较之印度的夸张多了一些自然的美感。莲瓣细长尖锐，排列极为工整。底板刻十字交杵图案，线条规范。此像极少镶嵌，璎珞多为铸出，有清代早期造像的风格。鎏金明亮，线条规整，做工精美，与现存康熙朝的宫廷造像极似。从神系的角度看，白度母与无量光佛的法嗣关系在逻辑上是顺理成章的。无量光佛生观音菩萨，观音生度母，传承关系十分明确。更有传说，度母是从无量光佛的目光中产生，更加拉近了二者的关系。在西藏和蒙古有三长寿的组合，即无量寿佛、尊胜佛母和白度母，将白度母直接纳入无量寿佛的神格中，更显示后世对度母信仰的发展。

141

绿度母

尼泊尔　13世纪
红铜，嵌水晶、绿松石　高14厘米

Śyāma-Tārā
Nepal　13th century
Copper with crystal, turquoise insets　H. 14 cm

度母梳双髻，戴独叶冠，冠叶为花枝状，嵌石装饰。耳上戴花，耳珰厚重，面庞清秀俊美，双目细长，鼻梁修直。长发梳成修行者发髻形式，长及披肩，天衣卷曲后搭在左肩，披在身后，垂落莲座上，形式独特。臂钏与项链均是花朵图案，臂钏靠臂上部。左手施与愿印，右手持优钵罗花，枝蔓显得过绵软，没有弹性。双乳隆起自然，摆脱了东印度式过分夸张的习惯，腰肢圆润，表现了古印度传统观念中女性美的原则。游戏坐，右腿伸出，下踏小莲台。裙肥厚，铺在莲台上。莲瓣中有阴线表示叶茎。尼泊尔工匠喜好嵌饰，细节处理精细美观的特点在造像中得到完全的体现。

绿度母因身体为绿色而得名，是所有度母中最活跃最重要者，也被称为一切度母之源。据说，绿度母是从观音菩萨的左眼所生。在佛教神系中，她被尊称为三世佛之母，具有拔济众生出种种苦难之功能。以她为中心的二十一度母组合就是她无边慈悲力的体现。除了与无量光佛的传承关系外，她绿色的体色还经常与北方不空成就佛联系起来。深绿色的体色给她赋予了忿怒的神格。在西藏，松赞干布的尼泊尔妃子墀尊公主(*Bhṛkuti*)被认为是绿度母的化现。来藏传法的印度大师阿底峡尊者(*Atiśa*)以此尊作为守护神。

142

绿度母

北京，清宫内务府造办处
17世纪下半叶至18世纪初
铜鎏金，嵌珊瑚、绿松石等　高16厘米

Śyāma-Tārā

The Imperial Workshop in Beijing
Second half of the 17th to early 18th Century
Gilt bronze with coral, turquoise insets　H. 16 cm

度母面相如年轻女子，戴五叶冠，冠叶分离，为花枝形。耳珰大且长，垂至肩部。耳珰上部为圆环，圆环下端缀璎珞。这种耳环在内蒙古的造像中最为常用。额部饱满，有明显的弧度，两颊丰满，是清代造像的特点。长发披落后背，丝丝精细。右手施与愿印，左手施三宝严印持优钵罗花。花朵开敷肩头，枝叶繁茂。游戏坐，伸右腿，下踏小莲台。项链、臂钏、脚镯以大且圆润精美的连珠组成。着双层裙，裙摆以阴线刻纹装饰。天衣垂座前，莲座的莲瓣叶茎分明，仰莲向上，共分四层，每个叶片离开座面，独立开放。这种莲瓣的做法明显受到喀尔喀蒙古造像风格的影响。整个作品与图11如出一辙，或是出自一个工匠之手。

143

尊胜佛母

喀尔喀蒙古　17世纪
铜鎏金　高28.5厘米，宽18.5厘米

Uṣṇīṣavijayā
Khalkha Mongolia　17th century
Gilt bronze　H. 28.5 cm, W. 18.5 cm

尊胜佛母全跏趺坐，三面八臂，正二臂右手持交杵，表现其具有破坏魔障的神格，左手持索。其余右手施与愿印、持箭、施礼佛印(*buddhaśramaṇa*)托莲花中所坐无量光佛像；左手持甘露寿瓶、弓、施无畏印。右手托持无量光佛像，是尊胜佛母的重要特征之一。冠叶分开，为花枝状，高发髻，长耳珰垂落肩头，璎珞细密精致，鎏金明亮，铜打磨光滑，肌肤细腻。裙摆以阴线刻纹成一宽边装饰。莲座上的莲瓣呈半圆形，上沿有竖线表示莲蓬，天衣飘落紧贴莲座。莲座底板中心刻十字交杵纹，交杵中心有逆时针的万字纹，并泥金，明显是后藏作品。

如果我们把此尊与故宫所藏另外一尊明永乐时期的尊胜佛母相比较，就可以看出来，汉藏两地对于此尊的处理反映出明显不同的理念。

永乐的尊胜佛母(北京或南京，红铜鎏金，高19厘米，宽12.7厘米。见附图)莲座上刻有“大明永乐年施”款，字迹似真，底板上有十字交杵图案，涂朱红，应属于永乐时期宫廷造像作品。此尊尊胜佛母从图像学上看与西藏造像并没有明显的区别，而且仅从工艺水平的角度来评判，永乐的尊胜佛母从金色、打磨和璎珞装饰等均较西藏尊胜佛母胜出一筹。但与其他永乐、宣德造像一样，面相方正，表情庄重，并没有像尼泊尔和西藏造像那样着力表现女性妩媚；胸部平坦，与男性无异，相比之下，西藏尊胜佛母表现出女性乳房丰满，富有弹性。这些不同实际上是两种文化造成的宗教信仰语境的不同。西藏受到喜马拉雅文化带，特别是尼泊尔女性崇拜，生殖崇拜文化的影响，对于女性着力于表现其肉感和性能力，而在儒家文化影响下的汉地这种审美得不到认可，所以尽管此像采用了藏传佛教尊神的名与形，其深层的文化差异使其不得不走向汉化之路。

尊胜佛母是佛陀头顶的神格化现，归属于佛部族中。此尊最具影响力的方面有两个：一个是它的陀罗尼(咒)广泛流传，被认为具有防灾的功德，所以在寺庙或寺院前的经幢顶上所刻几乎均是此尊的咒。在皇家陵墓的地宫、贵族死者的经被上均采用此咒。另外，她也被看作是寿神，与无量寿佛和白度母共同组成“三长寿”的著名组合而广为人知。

附图 尊胜佛母

144

妙音佛母

西藏中部 18世纪
红铜 高15.8厘米

Sarasvatī

Central Tibet 18th century
Copper H. 15.8 cm

妙音佛母头戴五叶冠，高发髻，厚耳珰，项链上缀饰繁密璎珞，交脚坐于莲座上。怀抱琵琶(*vīṇā*)，左手按弦，右手弹拨，作弦歌状。双层仰覆莲座，其莲瓣是典型的18世纪的特点。

妙音佛母，梵文名*Sarasvatī*，在印度教、耆那教和佛教神系中均作为知识和文化女神拥有众多的信徒。在《梨俱吠陀》(*Ṛgveda*)的记载中，*Sarasvatī*是古代一条河流的名字，吠陀时代的亚利安人进入印度以后，傍此河而居。据传说，在此期间，他们创作了大量吠陀经典的赞歌。到后来的富楼那时代(*Puranic age*)，*Sarasvatī*河变成了知识和文化女神的名号。妙音佛母作为密教女神进入佛教神系，受到广泛的信仰。佛教和印度教中给她加上了"语自在"(*Vāgiśvarī*)的称号。这个名号跟语自在文殊重合，表明了她所具有的作为知识、文化、艺术和智慧化身的神格，从而演变出众多的不同形象。由于她最常见的法器是琵琶，所以常被认为是音乐女神。由于她突出的神格，在金刚乘佛教的神系中，被认为是智慧菩萨文殊和智慧女尊般若佛母的化现。在印度佛教雕塑、绘画中，妙音佛母最常见的坐骑是天鹅，另外可以见到她骑孔雀、狮子和公羊。

妙音佛母以双手持琵琶的形象最为流行。从印度、尼泊尔的金刚琵琶妙音佛母(*Vajravīṇā Sarasvatī*)到西藏和清宫的白色妙音佛母、妙音天女、妙音母、持琵琶妙音佛母等种种变化身，其传统特征并未有大的变化。她另有金刚莎罗达妙音佛母(*Vajraśāradā*)、圣妙音佛母(*Āryasarasvatī*)两种变化身均以般若经和莲花为特征，代表了她与般若佛母的关系。但是这种思想可能并未被西藏所接受，在西藏和清宫的造像中没有同类作品。西藏的四臂白色妙音佛母右手持剑，左手持莲花和正二手的琵琶明白无误地指明了她与文殊菩萨之间特别的密切关系。金刚妙音佛母(*Vajrasarasvatī*)是其怛特罗密教形式的变化身，手持剑和经书，令人联想到她与文殊菩萨和般若佛母之间的传承关系。后者在西藏和清宫都有发现，而且有红色和白色两种。西藏有红色妙音佛母，手持摩尼宝，表明此尊已经具有了财富神的神格。在故宫梵华楼供奉了一尊妙音天母，其特征与传统的妙音佛母非常接近，但手持马头琴，而不是琵琶，可能暗示蒙古来源。

145

二臂般若佛母

西藏中部　15世纪
铜鎏金，嵌绿松石、青金石　高29.5厘米

Prajñāpāramitā

Central Tibet　15th century
Gilt bronze with turquise, lapis lazuli insets　H. 29.5 cm

佛母头戴五叶冠，冠叶细长，正中冠叶特别大，纹饰细密，排列紧密。圆形耳珰为花朵形，嵌石。面含微笑，表情柔和，双手施说法印牵乌巴拉莲枝，莲花在肩头开敷，右莲上置般若经。项链、手镯、臂钏、脚镯均作花枝状，满嵌松石和青金石。薄裙贴体，双腿及裙下摆宽边均以阴线刻细花装饰，莲座下沿有细密的缠枝纹，全跏趺坐。这种过分强调装饰的特点来源于尼泊尔风格的影响，从其细腻的工艺特点，明亮的鎏金来看，这件作品来自于后藏地区的可能性很大。

清宫所系黄纸签云："大利益番铜旧琍玛(残)。乾隆六十二年九月二十四日收，王(残)进。"

般若佛母在佛教神系中占据很高的地位，不仅是由于此尊像观世音菩萨一样有着广泛的信众基础，而且由于她是一尊与重要的佛教哲学概念般若(智慧)密切相关的女尊，具有独特而持久的影响。她是大乘佛教最重要的经典《般若波罗蜜多经》的人格化现。传说，佛确定众生能够接受和理解此经所宣扬的超验智慧，般若(*prajñā*)以后才托龙树从龙王那里取出传播。《十地经》(*Daśabhūmikasūtra*)论述了通过对般若智慧的修行所能达到的10个境界，称为十地，其中第6个阶段的智慧就是所谓的"般若波罗蜜多"。金刚乘中十地增至十二地，般若波罗蜜多智在第7阶段实现。荷兰学者孔兹(*Conze*)分析了此经神格化的演变过程。他认为，由于信徒们相信，此经是佛亲自口传下来的神圣经典，所以此经被加上了神秘光环。这种神秘性直接导致了此经迅速的神格化和图像化，而将其定位为女尊则是金刚乘影响的结果。由于般若佛母流行时间很长(大约出现于公元1世纪，图像系统化则要晚到公元3世纪)，内容丰富，所以其神格变化很多，她被看作是众佛菩萨之母，同时又被认为是佛的明妃。这一点上，她与度母具有更多的相似点。更多的时候，她作为智慧菩萨文殊的明妃而出现。

146

四臂般若佛母

西藏中部　15世纪
黄铜，嵌物已失　高13.2厘米

Prajñāpāramitā/Cundā
Central Tibet　15th century
Brass with jewels insets (missing)　H. 13.2 cm

般若佛母全跏趺坐，一面四臂，正二手施禅定印捧钵，右上手持念珠，左手握持般若经卷。单叶冠，卵形头光，左肩斜披络腋，仅用细线表示出来，左肩上卷曲的天衣垂落身后，这个是早期尼泊尔造像中颇有标志性的特点。丰乳细腰，裙上有阴线刻划装饰，莲瓣中也有三道阴线表示叶茎，莲座上沿有竖线代表莲蓬。这些是尼泊尔造像的特色。此像以黄铜铸造，线条模糊，应是西藏工匠仿尼泊尔造像的作品。

这种般若佛母的手印与法器极易与一面四臂捧钵的准提佛母（*Cundā*）混淆，也容易令人联想到捧盛满珠宝碗的持世菩萨。在尼泊尔三者很难分清，这种情况在西藏造像中也常常遇到，反映出三者神格的共同性很多，这与她们神格的内容增加过快，导致重复而引起图像学特征难以区别有关。

原清宫所系黄纸签云："大利益梵铜琍玛四臂般若佛母。乾隆四十二年五月二十九日收，达赖喇嘛进。"此达赖喇嘛应是第八世达赖喇嘛降贝嘉措（*vJam dpal rgyal mtsho*，1758～1804年）。

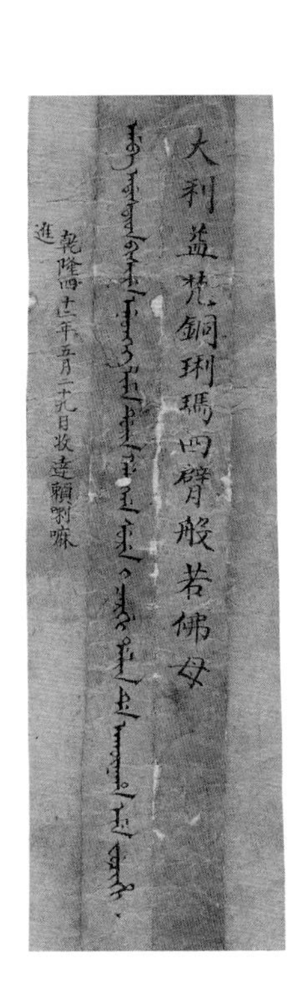

147

四臂般若佛母

西藏中部　19世纪
铜鎏金　高17厘米

Prajñāpāramitā
Central Tibet　19th century
Gilt bronze　H. 17 cm

佛母戴五叶冠，表情沉静。一面四臂，右上手持念珠，下手持杵，左上手持般若经卷，下手持净瓶。全跏趺坐莲座上，莲瓣细长，尖锐，排列紧密，火焰纹葫芦形背光。此像采用了当时流行的锤鍱法打制而成，明显受到尼泊尔末罗三国时期(*Three Malla Kingdoms*, 1480～1769年)艺术风格的影响。此像铜色新，鎏金厚，莲瓣排列紧密而规整，应是日喀则扎什伦布寺下属扎什吉彩作坊的作品。

148

持世菩萨

尼泊尔　11～12世纪
红铜，嵌红宝石、绿松石　高17.4厘米

Vasudhārā

Nepal　11th to 12th century
Copper with ruby and turquoise insets　H. 17.4 cm

持世菩萨戴单叶冠，冠叶上嵌红宝石和绿松石，面庞清秀，表情柔媚。一面六臂，右下手施与愿印，可能持珠宝一颗，或持莲蕾，已缺，上手持珠宝串，已缺；最上手持物缺失。左手分别持此尊最具特点的法器宝瓶、谷穗和般若经卷。其天衣搭在左肩，垂落身后的特点与图141一致。游戏坐姿，右腿伸出。莲台缺。虽然整个作品由于长期供奉色泽发暗，但是尼泊尔艺术精细优雅的风格特点仍然很容易可以感受到。

持世菩萨是度母的重要变化形象之一，是财富女神，她的名号意为“财富之河”，表达的就是她的这种神格。她的持物中有一束谷物，一串珠宝和一只盛满珠宝的罐。一只手施与愿印，或者手心还持有珠宝。这些持物和手印无不印证着她作为财富女神的神格。她的这种神格的形成可以直接追溯到《阿闼婆吠陀》(*Atharvaveda*)记载的财富女神*Hiraṇyavakṣā*，与印度教神系中的吉祥天(*Śrī*)或拉克室咪(*Lakṣmī*)的神格十分相近。此外，她还有知识女神的神格，即作为抽象知识化现的形象。因此，她的手里经常持有般若经典，跟文殊菩萨和般若佛母的神格相近。总之，持世菩萨综合了财富和知识女神的双重神格，这些神格在她的造像中均有充分的表现。

149

大象-吉祥天女

东北印度　10世纪
黄铜，嵌石（已缺），错银、红铜　高20.5厘米

Gaja-Laksmī

Northeastern India　10th century
Brass with jewels insets (missing) and silver, copper inlay
H. 20.5 cm

大象-吉祥天女头戴一叶小冠，冠叶嵌物已失。右手施与愿印持珠，左手持优钵罗花。白毫、双眸、乳头、腹部、裙面以及莲座的莲瓣上均分别以银和红铜错嵌圆形图案装饰。游戏坐，右腿伸出，下踏小莲台。单层莲台下面是折角台座，台座一角跪一供养人。背光为拱门式，上部略尖。顶上是伞盖和飘带，传统样式。背光上部，即度母的头顶上有两头大象，相对而立，长鼻上举水瓶，作灌顶状，极为别致。整个作品的装饰和加工均极精细。台座后有梵文题记，记录了供养人的名字。

原清宫所系黄纸签云："大利益梵铜琍玛布圣救度佛母。乾隆六十年十二月十八日收，班禅额尔德尼(残)。"此班禅额尔德尼当指第七世班禅丹必尼玛(*bsTan pavi nyi ma*, 1781～1853年)。

清宫旧识此尊为布圣救度佛母是错误的，从其头顶上有二象灌顶这一特征可以判断。此尊是印度教最重要的主神毗湿奴的妻子吉祥天女的变化身之一，受到广泛喜爱，甚至受到非印度教派的供奉。她手持莲花强调了她赐予丰收的特征。

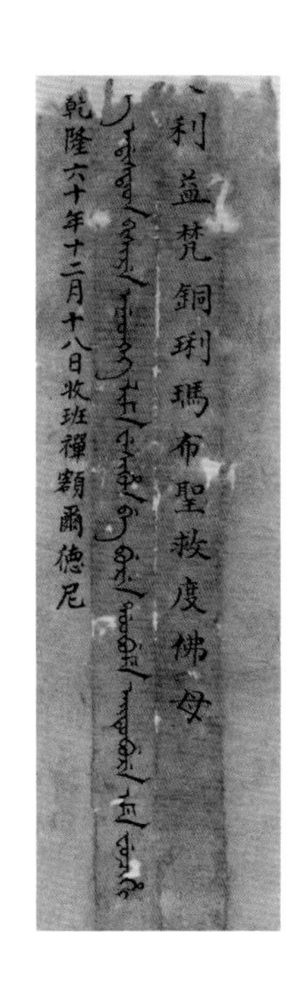
利益梵銅琍瑪布聖救度佛母
乾隆六十年十二月十八日收班禪額爾德尼

150

摩利支天

西藏　19世纪
铜鎏金　高16厘米

Mārīcī
Tibet　19th century
Gilt bronze　H. 16 cm

摩利支天三面八臂右展姿立于七头猪拉的车上，右边一面为猪头，右四手分别持杵、箭、钩(缺)、针；左四手施期克印持线、弓、无忧花枝(*Aśoka*)、索。火焰形背光表现她的忿怒情绪。背光顶上有佛塔。所乘车通常由七猪所拉。车以一根横轴表示出来，但正面只表现了六个猪头的形象。中心是罗睺魔形象。此尊造像线条粗简，莲瓣简略，可见其晚期特点。

罗睺在印度教神话中是一位天上的魔鬼，专门抓日和月并将它们吞下去，造成了日食和月食的出现。他只有上身，没有下身。传说，在毗湿奴(*Viṣṇu*)搅乳海寻找失宝时，将他的身体砍作两段，用作搅海工具，后来他的下身变成了计都星(即彗星)。他的这种形象总是出现在摩利支天的坐骑前，作为引导车夫。他两手放在嘴中，努嘴，作吞食状，神态十分可爱。另外，也有罗睺魔坐姿造像，捧日、月，象征意义与此相同。

摩利支天或译为阳焰、积光佛母、黎明女神。摩利支天是一位神格极为复杂的女尊。她与印度教的最高女尊准提与佛教中的最高女尊度母都存在明显的继承关系。首先，我们可以肯定，她与印度教太阳神*Sūrya*的崇拜有着很深的渊源关系。在佛教神系中，她就相当于太阳神的角色。而与之不同的是，摩利支天是女尊，太阳神是男神；摩利支天乘七头猪拉车，太阳神通常坐七匹马拉车。尽管有这些明显的不同，但摩利支天来源于印度教的太阳神却是不争的事实，可能其形成与印度教的性力派(*Sākta*)和以崇奉太阳神为传统的印度教苏拉派(*Saura*)有关。经典记载暗示了她的神格很多方面来源于准提，二者均具有太阳神的特性。在汉地佛教中摩利支天与准提佛母几乎合为一神。因此，摩利支天可能是佛教在对印度教准提信仰作了新的阐发和修正的基础上创造的新形象。另外，摩利支天可能是度母的众多变化形象之一，佛教中准提佛母就是度母神类中的一员，摩利支天与度母的关系是显而易见的。佛教神系中，她被看作是毗卢佛的化现，并且是毗卢佛的明妃。有时，她被当作释迦牟尼佛的母亲。摩利支天的猪面(*Śūkaramukhā*)和七猪拉车是其最明显的标志。按照传统她应该跟马有关而不是猪，其间的变化渊源目前尚未有定论。仅从现存实物来看，摩利支天的莲座上除了有猪的形象外，也出现过七马的形象，但相当罕见。在早期摩利支天的坐骑中有时并无猪或马的形象，而在多数情况下，有一、二、四、五猪拉车等不同形式，反映出她图像特征的变化轨迹。

五保护佛母
Pañcarakṣā

151

大千摧碎佛母

西藏中部　18世纪
红铜　高47厘米

Mahāsāhasrapramardanī
Central Tibet　18th century
Copper　H. 47 cm

佛母一面六臂，右手分别持剑、箭，施与愿印；左手分别持弓、索、斧，高扁发髻，厚重耳珰，游戏坐于高莲台上。火焰纹葫芦形背光，双卵形莲瓣，均为晚期特征。

大千摧碎佛母为五保护佛母之一。在金刚乘佛教中，五保护佛母占有十分重要的地位，流传广泛，信徒众多。不论是印度教和佛教信徒均常念颂其经咒，悬挂其像，长期供奉。甚至于有人对簿公堂时，佛教信徒作证都要对此经发誓。五保护佛母的成员分别有随求佛母（*Mahāpratisarā*）、大孔雀佛母（*Mahāmāyūrī*）、大千摧碎佛母（*Mahāsāhasrapramardanī*）、大寒林佛母（*Mahāśītavatī*）、密咒随持佛母（*Mahāmantrānusāriṇī*）。他们实际上是五个密咒的神格化尊神。这些咒据说是佛所亲传而被赋予了特别的神圣意义，因此逐渐被神格化。她们能够保护信徒们远离世间各种痛苦和不幸。为了让她们保佑自己免遭种种祸患，满足一切愿望，信徒们将五保护佛母的咒抄写在纸片上、家畜角上和一切适宜的地方，或者带在身上作为护身符使用。有时，人们用五色丝线作为五保护佛母的象征。

152

随求佛母

西藏中部　18世纪
红铜　高47厘米

Mahāpratisarā

Central Tibet　18th century
Copper　H. 47 cm

佛母三面十臂，右手分别持剑、金刚杵、箭、伞(缺)，施与愿印；左手分别持弓、摩尼宝、斧、胜幢(*dhvaja*)、海螺(*śaṅkha*)，游戏坐于高莲台上、火焰葫芦形背光中。此造像与图151应该是同一工匠所铸。

在故宫慈宁花园的吉云楼中，楼上楼下，从天花到四壁，供奉了万余枚随求佛母的泥擦擦佛，说明，随求佛母的崇拜在清宫中同样有着很深的影响。

五保护佛母的组合在印度有悠久的历史。在《富楼那书》中已经出现了相当于五保护佛母的5位尊神。除此之外，我们对五保护佛母组合的来源及形成过程知之甚少。比如，五保护佛母的各咒是同时期被神格化还是不同时期逐渐形成的，还需更进一步的研究。目前的研究成果证明，此五咒神格化的过程可能并不一致。如大孔雀佛母在公元4～8世纪间流布甚广，许多古印度经典均有记载，而且此间汉文译本就有很多种，可能晚到公元8世纪大孔雀佛母的形象才正式形成。而五保护佛母全体成员组合的出现则要晚到11世纪。

153

孔雀佛母

西藏中部　18世纪
红铜　高47厘米

Mahāmāyūrī
Central Tibet　18th century
Copper　H. 47 cm

此尊造像是孔雀佛母最典型的形象，右手施与愿印，左手持孔雀翎，游戏坐。从其艺术特点分析，与图151、152出自同一位工匠之手。孔雀在佛教神系中被看作是不空成就佛的化现。

为了最大限度地吸引更多的信徒，人们给五保护佛母赋予了更大的职能。如供奉密咒随持佛母可以防止各种病魔的侵害；对随求佛母的供奉可使孕妇妊娠安康，生产顺利；大孔雀佛母可以保护人们免遭各种毒害，尤其是毒蛇的袭击；大千摧碎佛母保护人们远离种种魔怪，如部多、夜叉（*yakṣa*）或罗刹（*rakṣa*）等的侵扰；大寒林佛母能给人们带来福利之神，有时她也是保护人们避免天花传染的尊神，抵御野兽和害虫。

154

密咒随持佛母

西藏中部 18世纪
红铜 高47厘米

Mahāmantrānudhāraṇī

Central Tibet 18th century
Copper H. 47 cm

一面四臂，半跏趺坐。右手上举宝剑，下手施与愿印，左上手举持索，下手持斧。与图151、152、153出自同一位工匠之手。其实五保护佛母并不止一种形象，长期的信仰崇拜，导致其形象日趋复杂。故宫收藏的另一位密咒随持佛母（西藏，18世纪，红铜。见附图）与这一组造像很可能是同一时期、同一作坊的作品。它与此像稍有不同，如右手曲臂持剑在胸前，左二手上下的位置互换，除此几乎一样。

密咒随持佛母承担阻止各种病魔侵害人身的职守。

对于五保护佛母的崇拜，更为简单的做法是，信徒们可以不必供奉她们，只要听讲、抄写、诵读或持有其咒，要求同样会得到满足。由于具有广泛而深入的群众基础，她们被看作是三界之母，经常观照三界，关怀众生，使信徒生活在幸福和祥和之中。

附图 密咒随持佛母

155

同侍从摩纳娑

东北印度，可能是孟加拉地区　8～9世纪
黄铜　高14厘米

Manasā with attendants

Northeast India, possibly Bengal Region　8th to 9th century
Brass　H. 14 cm

三尊坐一长方台上，中间为摩纳娑，右手施与愿印，手中持珠宝，左手持扭曲挣扎的长蛇，游戏坐于厚坐垫上。大卵形头光中有七蛇头护持。左侧是她的丈夫迦罗迦卢(*Jarātkaru*)，交脚坐姿，双手持一蛇头尾，置双腿上，卵形头光；右侧是他的兄弟婆苏吉(*Vāsuki*)，坐姿同主尊，右手施与愿印持珠宝，左手撑左腿上，卵形头光中有一个蛇头。方台正面有一宝瓶，瓶口有珠宝形，暗示她也是财宝之神。右侧下角跪坐供养人，双手于胸前施礼，仰面向上看，十分虔诚的形象。细部做工极粗略，人物面目不清。

原清宫所系黄纸签云："大利益梵铜同侍从孔雀佛母一尊。五十四年九月二十日收，热河请来。"

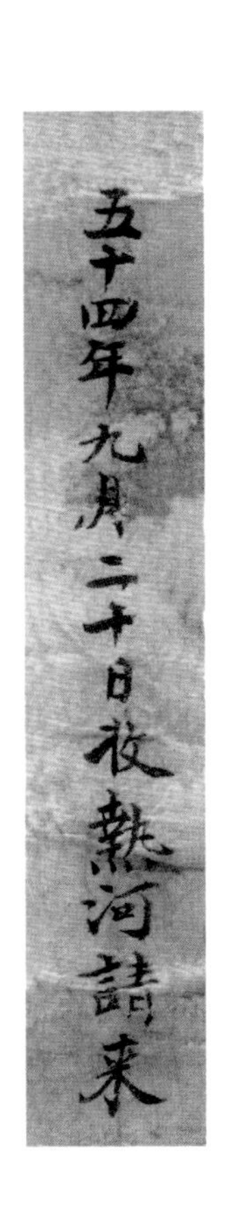

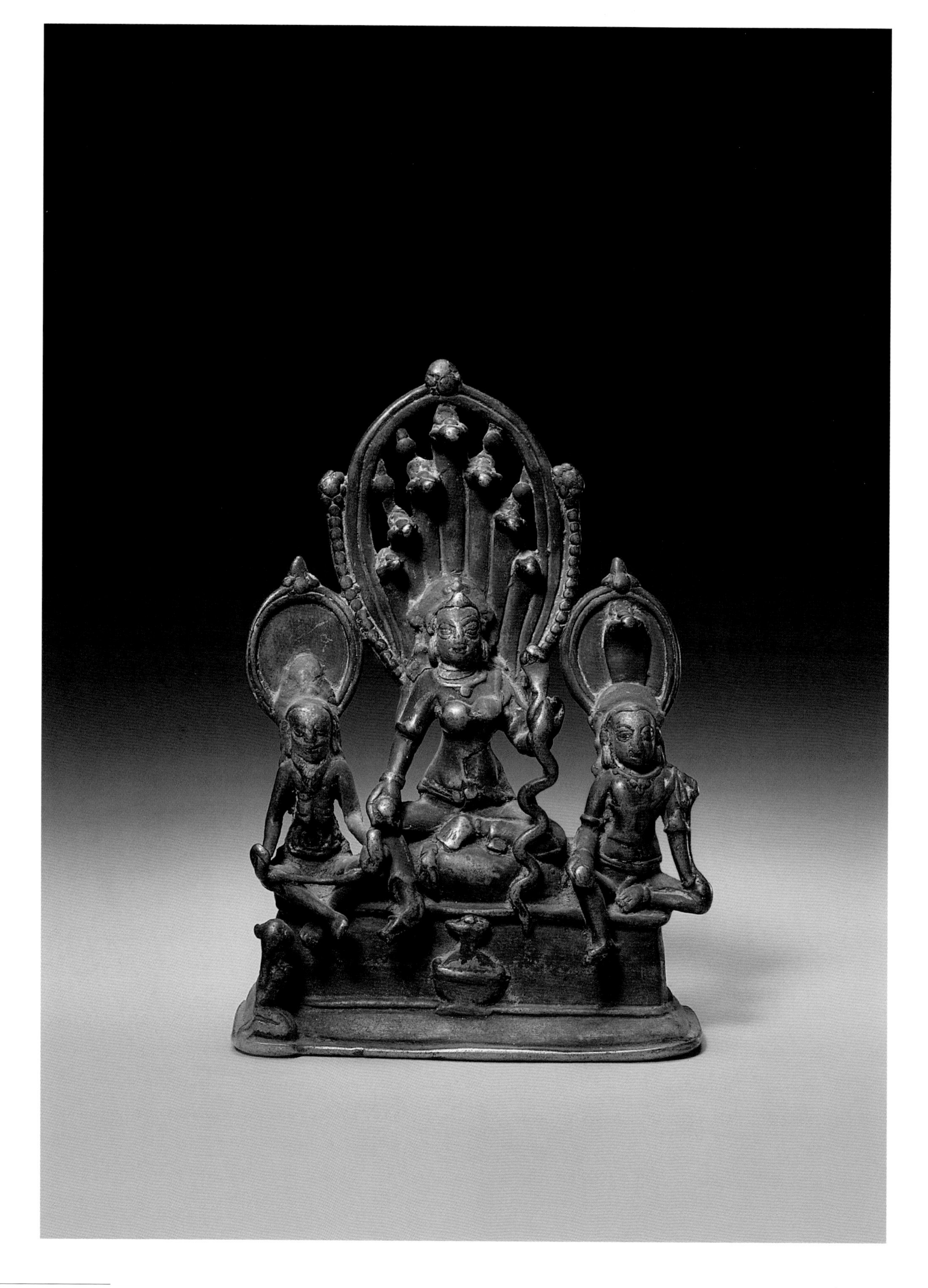

156

智行佛母

西藏 17世纪
红铜 高14.5厘米

Kurukullā

Tibet 17th century
Copper H. 14.5 cm

此尊造像一面四臂，忿怒相，左腿单腿立，舞蹈姿，下踏印度教爱神。戴五骷髅冠，仰面张牙，项挂鲜人首鬘。正二手拉开莲花枝弓箭，作射击状；上右手持莲花钩（*aṅkuśa*），上左手持索。印度教爱神仰卧地上，一面四臂，二手背后合十，表示臣服。圆形莲座，莲瓣宽扁、平铺。

智行佛母，又音译为咕噜咕咧，以其所住山而得名，或按其归属称为红度母。也就是说，她是度母组神中的成员，不过她的忿怒形象与度母常见的温和柔美的形象大相径庭。她是佛教最浪漫的尊神之一，相当于西方传说中的爱神。据说，她常受那些情场失意者的膜拜，但她的帮助对象似乎更偏重于男性，因为如果有女性在场，她是不会响应别人的祈祷。她有特别的魔力将男女双方吸引到一起。想得到爱情的人，只要将她的咒诵一万遍，一切愿望均能实现。这种神格可能来源印度教爱神（欲神，或称性爱之神*Kāma*）。印度传统中，红色表现爱，所以智行佛母体色为红色，手持莲花弓和箭。她有时出现在财神库贝罗的眷属中，财神也是她重要的神格之一。作为其法父的无量光佛有时也会出现在她的发髻前。

157

智行佛母

北京，清宫内务府造办处　乾隆四十七年（1782年）
佛母是紫金，背光、莲座铜鎏金，嵌松石　高51厘米

Kurukullā

The Imperial Workshop in Beijing
47th year of Qianlong Period (1782)
Dzi-kim with gilt halo, pedestal and turquoise insets
H. 51 cm

佛母一面四臂，高发髻正中坐法父无量光佛，戴五叶骷髅冠，三目圆睁。正二手拉开莲花枝弓箭作射击状，右上手持莲花杖(*gadā*)，左上手持无忧花枝，花枝在肩头开敷，上置嘎布拉碗。披鲜人首鬘，从前胸至虎皮裙上，缀满瓔珞，繁复异常。左腿单腿立，下踏仰面尸身，舞蹈姿。

莲座面刻题记云:“大清乾隆年敬造”。由于紫金是乾隆四十六年以后才出现在宫廷造像中的，所以此尊作品铸造年代应在1781～1795年间。根据档案记载，此像成造于乾隆四十七年，这是使用第一次紫金琍玛配方所造的作品之一。

158

金刚空行母

西藏中部 15世纪
黄铜 高16厘米

Vajra-Ḍākinī

Central Tibet 15th century
Brass H. 16 cm

此尊造像中，金刚空行母头戴五骷髅冠，椭圆形头光，极为简略。红色发髻上有金刚杵头为其标志。一面二臂，左腿单腿立，舞蹈姿，下踏人尸。右手上举持钺刀，左手持嘎布拉碗。其天衣中有4位形象与主尊完全一样的女尊，为其4名眷属，按照母续金刚瑜伽母曼荼罗的排列顺序，依次是黑色空行母（*Kāla-Ḍākinī*），在金刚空行母左侧天衣下方，居东方；拉玛空行母（*Lāmā*），左侧天衣上方，居南方；蕴俱空行母（*Khandharohī*），右侧天衣上方，居西方；具色空行母（*Rūpinī*），右侧天衣下方，居北方。天衣与莲座铸在一起，给舞蹈姿以稳重的感觉。

金刚瑜伽母是金刚亥母不现猪首的形象，也是她作为上乐金刚明妃时的形象。

159

那若空行母

西藏中部　15世纪
红铜　高22厘米

Naro-Ḍākinī

Central Tibet　15th century
Copper　H. 22 cm

空行母头戴五骷髅冠，三目圆睁，耳珰长及胸前，花瓣形。浓眉深蹙，昂头仰视左手所托嘎布拉碗。右手向后，持钺刀，沿右腿外侧向下。右展姿而立。全身赤裸，胸前、腹部缀满细密璎珞。项挂骷髅鬘。莲瓣圆润，富有弹性。身体呈弓步立姿，双脚有力地践踏印度教神威罗瓦和黑夜女神。整个作品充满了力量和运动感。此像进宫以后供奉在银龛内，银龛背后刻书四体字题记："乾隆四十四年十二月初一日，钦命章嘉胡土克图认看供奉利益番铜琍玛阴体空行佛母。"龛体周围有阳文藏文咒：*Oṃ śa śva ta par ma śa śva ta e hya hyi ji na na ji ga phaṭa sva ha!*。

那若空行母，有另外一个名号叫一切佛空行母（*Sarvabuddhaḍākinī*）。被看作是上乐金刚的明妃，大成就者那若巴观想修炼时，即以此尊为对象。

160

金刚亥母

西藏中部 14世纪
黄铜 高26厘米

Vasya-Vajravārāhī

Central Tibet 14th century
Brass H. 26 cm

金刚亥母头戴小五骷髅冠，冠前发髻上缀璎珞。发髻顶上有月牙，月牙中为十字交杵。月牙装饰令人联想到她作为上乐金刚明妃身份。上乐金刚发髻中也有月牙的装饰，从印度教湿婆神借来。右侧有小猪头形象。右手上举，施期克印，持钺刀，左手胸前捧嘎布拉碗。单腿立作舞蹈姿，左腿下踏人尸，收起的右腿由一只孔雀卷尾向上支撑。构思巧妙，既保证了造像的结实程度，形象的稳定感，又很美观。

清宫原系黄纸签云:“大利益梵铜琍玛阴体金刚亥母。乾隆五十年十二月二十四日收，章嘉胡土克图进。”

由于金刚亥母多以丁字舞姿站立，给此类铸造带来一些技术难题。首先单腿独立，给人不稳定的感觉，需要巧妙借助其他道具加以支撑，以增加稳定感，又不会削弱舞蹈的动感。另外单腿舞蹈姿的不稳定给佛像铸造带来一定难度，也容易折断，于是工匠们各展巧思。比如，故宫另外一尊金刚亥母，构思也很有新意。支撑右腿的是一根杖，同时，右脚与左脚互相支撑，构成三角形，消除了整个作品的不稳定感觉。

金刚亥母在佛教神系中非常活跃，也是空行母一类尊神中非常重要的成员。她是上乐金刚的明妃。但是对于她的来龙去脉至今也很难说清楚。在《莲花生大师本生传》中提到她与马头金刚一同降伏西藏土著神菇札的事迹，专门指出度母化身金刚亥母，观音菩萨化身马头金刚，二者对照可知，马头金刚是观音菩萨的忿怒身，金刚亥母是度母的忿怒身。但是到目前为止，还很少有学者注意到或研究过二者的关系。

大利益梵銅琍瑪陰體金剛亥母
乾隆五十年十二月二十四日收章嘉胡土克圖
進

161

金刚亥母

西藏中部　15世纪
黄铜　高19.5厘米

Vasya-Vajravārāhī
Central Tibet　15th century
Brass　H. 19.5 cm

金刚亥母戴骷髅冠，火焰发髻，头右侧有小猪头形象，是辨认此尊的重要标志。右手上举，持钺刀，象征清除人的一切愚昧，勾召真性智慧；左手托盛满鲜血的嘎布拉碗，象征她获得了极乐的体验，修正事业的成功。左臂夹持喀章嘎，一种无上瑜伽部母续最常见的法器，其上部有骷髅、干枯和鲜人首，象征她压服贪、嗔、痴的侵扰。拱门式背光，周围是火焰纹，象征以女尊智慧的力量烧毁一切污垢魔障的遮蔽。左腿单腿立，舞蹈姿，踩踏人尸，表示战胜外在的敌人。右膝倚靠粗壮莲枝，平衡重心，也使造像更加牢固。高大的背光，背后仅经过简单处理，单层简略的莲瓣和多折角台座是东印度波罗时期最常见的形式。此像线条偏软，莲座与台座比例失调，应是西藏仿古之作。

金刚亥母是摩利支天的化身之一。跟摩利支天相比，她具有更多空行母的特点。从她们的起源看，二者并非同一出身，她是一尊比摩利支天起源更早的尊神。在金刚乘佛教中，她是上乐金刚的明妃。

162

金刚亥母

北京，清宫内务府造办处 18世纪下半叶
红铜 高71厘米

Vasya-Vajravārāhī
The Imperial Workshop in Beijing
The second half of 18th century
Copper H. 71 cm

此尊亥母像是目前故宫博物院所藏最大的一尊。蛇状卷曲的发髻，五骷髅冠。三目圆睁，面部有白斑点，双臂带骨饰手镯和臂钏，项挂长鲜人首鬘，极力渲染其忿怒的性格。拱形大背光，火焰纹生动。高莲座、肥厚的莲瓣、规整的线条、精细的做工，带有明显的清乾隆时期宫廷造像的特点。金刚亥母单独供奉时，多以空行母的身份出现，在《诸佛菩萨圣像赞》中归在“诸样佛母”类中，地位并不很高。所以，在清宫中，她的造像也并不多见。

西藏有一则有关金刚亥母的传说，在学术界引用频率很高。元代，蒙古军队入侵西藏，路过一座寺庙时，军官听说寺内女主持的右耳边有一个瘤，长得特别像猪面，而且道法高深，想查明其实。当他率军兵闯入寺院时，只见满院都是小猪，领头的是一只大猪。军官非常吃惊，忙下令众人退出。他们走了以后，小猪变回年轻的比丘尼，大猪变成了女主持，寺院得以保全。这则故事说明了金刚亥母密法在西藏修习的深入程度。

在西藏，金刚亥母密法最受嘎举派重视。金刚亥母是该派僧人修习的主要本尊之一。著名的祖师米拉日巴承认自己依止的本尊就是金刚亥母。他的再传弟子玛吉仁玛的父亲因为梦见儿子右腮旁长出了一个猪面并发出猪叫声而送他到嘎举派寺院出家。香巴嘎举派的主持人女活佛多吉帕母即被认为是上乐金刚明妃的转世。有学者指出，金刚亥母与摩利支均有猪面，前者的猪面据记载是一个类似于猪面的瘤子，结合西藏那个传说，可以推定，金刚亥母可能是某寺院一位有成就的女主持神圣化而来，与摩利支的神格变幻出现的猪面并不同。现在佛教神系中，已将前者看作摩利支天的化身之一。

163

狮面佛母

西藏中部　18世纪
红铜　高14厘米

Simhavaktrā

Central Tibet　18th century
Copper　H. 14 cm

佛母具有典型的空行母装束，火焰形发髻，五骷髅冠，狮子面，作怒吼状。右手上举持钺刀，左手托盛满人血的嘎布拉碗。裸身，左腿单腿舞蹈姿立于人尸上，右腿有莲枝支撑。双乳下垂，令人联想到吉祥天母下垂的双乳，可能是为吉祥天母的神格所同化的结果。

狮面佛母以狮子面为特征，空行母的成员之一，常出现在大护法神吉祥天母的侍从行列中。

护 法

《造像量度经续补》云:“谓忿怒明王及恶相明王护法,乃以慈力为降服世间纯阴毒种,特变猛烈之相者也。上品谓之明王,列于众者即为护法。”根据这个说法,在藏传佛教所有的忿怒尊神中,护法神是整个神系中地位最低的神祇。他的忿怒凶猛的形象并非表示他们都是毫无慈悲心的尊神,实际上,他们化现令人怖畏的形象只是为了吓退世间的各种邪恶和魔障势力,使佛法得以传播,所以才有护法之名。

在古代印度,人们相信,世间生活着能给人带来各种灾难的小妖魔和大恶魔,影响人们的思想和行动,极易对人造成各种伤害,所以需要有更加凶猛的护法神来保护宗教和民生。这种观念对西藏这个萨满教倾向十分明显的地区的居民来说,几乎是不谋而合,所以西藏地区在引进印度佛教的同时,吸收并发展了数量庞大的护法神众,护法神的神格具体深入到宗教生活的整个过程和民众生活的方方面面。

西藏护法系统的建立是在公元8世纪。乌仗那地区(*Udhyāna*)著名的密法大师莲花生(*Padmasaṁbhava*)应吐蕃赞普赤松德赞之邀来藏弘法,他降伏藏地桀骜不驯的本教神,并将部分愿意归服者收编作为护法神,使印度传统的护法神队伍中开始有了西藏的本土神成员。

在西藏,护法尊神成分极为复杂,有直接从印度教中接受过来的尊神,如库贝罗、梵天;有将印度教神祇改头换面创造的新神,如大黑天;有西藏本土神,如山神,水神等。其基本神格是忿怒和破坏,职责是保护世俗和宗教的安宁。但是由于密教的发展,忿怒尊神的神格呈现了多样化的趋势,有些菩萨为了某种特别的目的化现为护法神的形象,如文殊菩萨化身为阎曼德迦,金刚手菩萨的众多忿怒化身中部分为本尊、部分为护法,使得护法神的成员迅速增加,护法这一类别成员的身份变得不确定起来。由于教派的不同,同一尊神在一个教派是护法,在另一个教派可能是本尊;同一教派中,同一尊神,在不同的场合,可能由本尊变为护法神。这里所选的护法只是在格鲁派绘画和造像中常见的,并非能为各教派所接受,也并非在任何情况下均可视为护法神。

《造像量度经续补》云:“一切护法神总归于男女二宗,男尊以大黑天为首,女宗以福女天为首(注云:亦名功德天女)。此乃据无上教而言也。若依通教则属主守国土神(注云:一天下有八大守土神)。印土西番番僧诸刹莫不以斯二尊为先。”福女天或功德天女即吉祥天母,她是护法神中唯一的女尊。她与大黑天是最重要的密教护法神;显教护法以守护须弥山的方位神四大天王(持国天王守护东方、增长天王守护南方、广目天王守护西方、多闻天王守护北方)为主。

西藏众多的护法神中最著名的组合是八大明王,即吉祥天母、梵天、大红勇保护法、阎摩、库贝罗、马头金刚、大黑天、大威德明王。格鲁派有三护法的说法,六臂大黑天是观世音菩萨现为上士菩提心的护法神,多闻天王是金刚手菩萨现为中士戒学的护法神,阎摩是文殊菩萨现为下士之暇满难得、死亡无常、归依三宝等中观见解的护法神。此中,只有库贝罗是微嗔相,其余均是忿怒相。

Dharmapāla

Dharmapālas, the defenders of *Buddhism*, are of the lowest class in the pantheon. Since they are responsible to wage war without mercy against the demons and all enemies of *Buddhism*, his ferocious godhead always cause serious misunderstandings, sometimes even disgusting to the uninitiated.

In ancient India, it was believed that there existed many demons and spirits on earth. who were harmful to one's health and controlled the people with evil intent. They could not be conquered unless more powerful and terrifying divinities came into being through pious invocation. These divinities are none other than the *Dharmapālas*. Due to the ancient tradition of Shamanism in *Tibet*, these ferocious divinities were accepted amongst the Tibetans without complaint and began to impact all aspects of the mundane life and religion.

It is recorded that the worship of the *Dharmapāla* was instituted in the beginning of the eighth century C. E. by *Padmasaṃbhava* when he went to *Tibet* at the request of the Buddhist Tibetan, King *Khri srong lde btsan*. On his way to *Tibet* he overcame all the malignant gods in *Tibet* through drastic wars, only sparing those who promised to become the *Dharmapāla* of *Buddhism*.

It is definitely noted that many of Brahmanical divinities like *Indra, Brahmā, Viṣṇu, Yama, Kubera, Mahākāla*, etc were ultimately incorporated in the Buddhist pantheon. Some new deities were various combinations of new iconographic elements or manifestations of *Bodhisattvas* taken for special purposes, such as *Mañjuśri*, who took the ferocious form of *Yamāntaka* to conquer the god of Death, *Yama*; *Vajrapāṇi* has many different forms, ferocious or peaceful, some of which are in *Yi dam*, some are *Dharmapālas*. In the course of time, the deities of the *Dharmapālas* multiplied.

The leaders of *Dharmapālas* are *Śridevī* or *Lha mo* and *Mahākāla*. *Śridevī*, the only goddess amongst the *Dharmapāla*, is also one of the most terrifying manifestations in the group. Whereas the only pacific one is *Kubera*.

The most famous group of *Dharmapālas* is the 'Eight Terrible Ones', *viz. Lha mo, Brahmā, Beg tshe, Yama, Kubera, Hayagrīva, Mahākāla* and *Yamāntaka*. Of Which, except *Kubera* and *Brahmā*, the others are represented with a flaming pearl, disheveled hair, the third eye, scowling brows, and a ferocious expression, as well as a blue or red body. Around the neck are two long garlands: one consists of small skulls, and the other of small heads. The lower body is covered with tiger, elephant, or human skin. Below they tread on human beings or animals.

164

吉祥天母

北京，清宫内务府造办处
乾隆四十六或四十七年（1781或1782年）
紫金　高109厘米

Śrīdevī

The Imperial Workshop in Beijing
46th or 47th year of Qianlong Period (1781 or 1782)
Dzi-kṣim　H. 109 cm

此尊造像吉祥天母的特征极为清楚。蛇形卷曲的红色头发，正面有月牙，月牙上有孔雀翎。三目圆睁，火焰形眉，口中咬人身。右耳珰以狮装饰，左耳以蛇装饰。右手持金刚杖，左手托嘎布拉碗，碗中荡漾着人血。项挂15（或有认为应是50）颗鲜人首鬘。上身披人皮，手足相系于胸前。胸前饰缀满金刚杵头的项链，项链在胸前交叉，交叉点上缀法轮。另有长蛇项鬘，肚脐上有日轮，与头顶的月轮相应。腰插圆形杖（或是方扁杖）拘鬼牌。游戏坐于骡背，左腿伸出，着虎皮裙。骡臀上清楚地刻划了一只眼睛，背上垫人皮，头悬于腹部下端，据说，这就是她杀死的亲生儿子的皮。骡额部嵌圆镜，前腿挂瘟疫口袋（像人形蹲坐）下面是红药袋和骰子。后腿挂着一圆形魔线球，下面缀细蛇。骡行走于飘满人尸的血海中。三个装满鲜血的嘎布拉碗供奉于下方。血海四周是高山形象。座上有“大清乾隆年敬造”题记，从此像图像学特征如此详备来看，不排除有西藏工匠参与的可能。

吉祥天母是藏传佛教神系中最重要的女护法神，也是唯一的女护法。她浑身上下各式法物琳琅满目，多数是从各位尊神上引进借用的：从喜金刚借来骰子，挂在她的坐骑骡子前腿上部，以判定人的生死；从印度教中的婆罗门（*Brahmā*）借来的孔雀翎伞，在她发髻的上部；从毗湿奴神借来两个发光宝镜（？），一个镶在发髻上，有时被弯月替代，另一个嵌在肚脐上；从财神库贝罗借来狮子，挂在右耳上；从金刚手借来金刚杖（*vajragadā*），作为右手法器。另外坐骑骡子也是从印度教借来的，骡子后臀的那只眼睛也有一个传奇的故事。根据传说，吉祥天母曾化身南方锡兰（今天的斯里兰卡国）一个夜叉王的妻子。她发下誓愿要说服丈夫皈依佛教，如果不成，她将断绝国王的子嗣。当她发现无法达到誓言时，遂将其亲子剥皮、喝血、食肉。国王大怒，操弓箭追赶骑骡逃走的妻子。一箭射中骡臀。吉祥天母将箭拔下，发下誓愿：“愿此骡伤口化成一只眼，遍察天下！愿我能荡平锡兰夜叉诸王！”她从南方向北，一直到印度北部、西藏、蒙古，影响广大。这则传说可能暗示吉祥天母是从古印度南部发源的。

吉祥天母的眷属如牵骡的怪面（或象面）佛母（*Makaravaktrā*）、骡子后面的狮面佛母和四季天女，一同穿行于血海之中。吉祥天母在藏传佛教中的地位是无法替代的。她是达赖喇嘛和班禅的保护神，受到二世达赖喇嘛根敦嘉措（*dGe vdun rgya mtsho*, 1475～1542年）和五世达赖喇嘛阿旺罗桑嘉措的大力推崇后，更是声名远播。

165

宝帐护法

南京或北京　永乐时期（1403～1424年）
铁鋄金　高21厘米

Gur-Mahākāla

Nanjing or Beijing　Yongle period (1403~1424)
Iron, partly gilt　H. 21 cm

宝帐护法是大黑天的变化身之一。此尊造像中，大黑天蛇形发髻，正中坐化佛。这种情况在大黑天的造像中很少见，尽管他也被看作是五方佛的化现。戴五骷髅冠，冠前缀瓔珞。三目圆睁，双眉及髭须均火焰形。项链、臂钏、手镯、脚镯均是细密浑圆的连珠纹或长蛇装饰，挂鲜人首鬘。右手持钺刀，左手托嘎布拉碗。原双臂横置杖已失。上身拉长，下身很短，着虎皮，缀层层瓔珞。双腿略蹲，下踏人尸。大黑天粗短的身材，阔面圆眼，憨态毕现，使人不觉其忿怒威慑力，反而平添了一些可爱的成分。除了人身肌肉部分以生铁铸成，色黑，以应其名号之“黑”以外，其余装饰均鋈金。莲台上下连珠，莲瓣上的卷云纹及其他装饰部分均一一鋈金，加工之细，装饰之繁杂，可谓无微不至，令人叹为观止，代表了明代宫廷铜造像技术的最高水平。座前刻题记：“大明永乐年施”。

大黑天，或音译为马哈哥剌、摩诃葛剌等，自元至清，音译名很多。章嘉译为“勇保护法”，为清宫所使用。在藏传佛教中，他是一位宫室、知识和财富的保护神。据说，他被观音菩萨降伏，故常被当作观音菩萨的忿怒化身。

他是一尊来源于印度教的忿怒神。《北传佛教诸神》(*The Gods of Northern Buddhism*)的作者格蒂(*A. Getty*)怀疑，大黑天和财神库贝罗原为同一尊神。他举出我国唐代僧人义净西行时，常见到印度寺院门口所供一尊坐像，手持宝囊，一足舒坐式。供养仪式中，常给他涂黑油，故称大黑天。根据他的描述分析，这种所谓的大黑天神可能是库贝罗财神，而不是我们通常所说的大黑天。但是，根据实际调查发现，在尼泊尔，大黑天也有手持鼠的形象，跟库贝罗极相似，所以二者之间关系的讨论仍需更多的资料。

大黑天变化形象很多，而且西藏各派对他的信仰都很有热情，只是选择了不同的变化身。如萨迦派最重宝帐护法（宫室勇保护法），双臂横置杖(*gadā*)。这种形象在元代的蒙古宫廷中作品最丰，且成为蒙古的守护神和战神，元代诸帝即位时均要在此尊面前受戒。至今，浙江杭州吴山宝成寺中还保存着元至正二年(1342年)的石刻宝帐护法像。到后金时期，蒙古察哈尔部的墨尔根喇嘛将该部珍藏的护法金玛哈噶喇（其实就是宝帐护法）献给皇太极。为了表示对西藏佛教的敬奉，皇太极亲自向金像行三跪九叩之礼。此像成为后金的战神，在沈阳建实胜寺供奉，后来随清军入关带到北京，供在北京普度寺（玛哈噶喇庙）中。格鲁派更偏爱四臂大黑天或六臂大黑天或红勇保护法等。大黑天也有财神形象，如白勇保护法。

166

宝帐护法

西藏中部 15世纪

黄铜 高20.3厘米

Gur-Mahākāla

Central Tibet 15th century

Brass H. 20. 3 cm

大黑天右手握钺刀，左手持嘎布拉碗。双臂横置杖，双腿蹲踞。这种大黑天的造型深受萨迦派重视，也叫宝帐护法。所持的杖在西藏传统用于召集僧众集会，是古代佛寺号令的象征。根据传说，此杖也是当年他放弃恶魔身份，决心皈依佛教时，在印度菩提迦耶许下的保护佛教僧众百姓誓言的象征。他的项链、臂钏、手镯均以细密的连珠纹装饰。鲜人首鬘和长蛇鬘是他常用的装饰物。莲台下沿有一圈藏文，*rDo rje mkhav vgrovi rnam sprul pa || ye shes lnga ldan rgyal bavi sku || he ru ka dpal nag po che | gur gyi mgon po la phyag vtshol ||* 大意为："金刚空行变化身，具五智胜者之体，嘿鲁迦吉祥大黑，宝帐怙主我敬礼。"赞扬宝帐护法神作为嘿鲁迦吉祥大黑天，是金刚空行母的化身，具备了五方佛的全部智慧，说明此护法神地位之崇高。

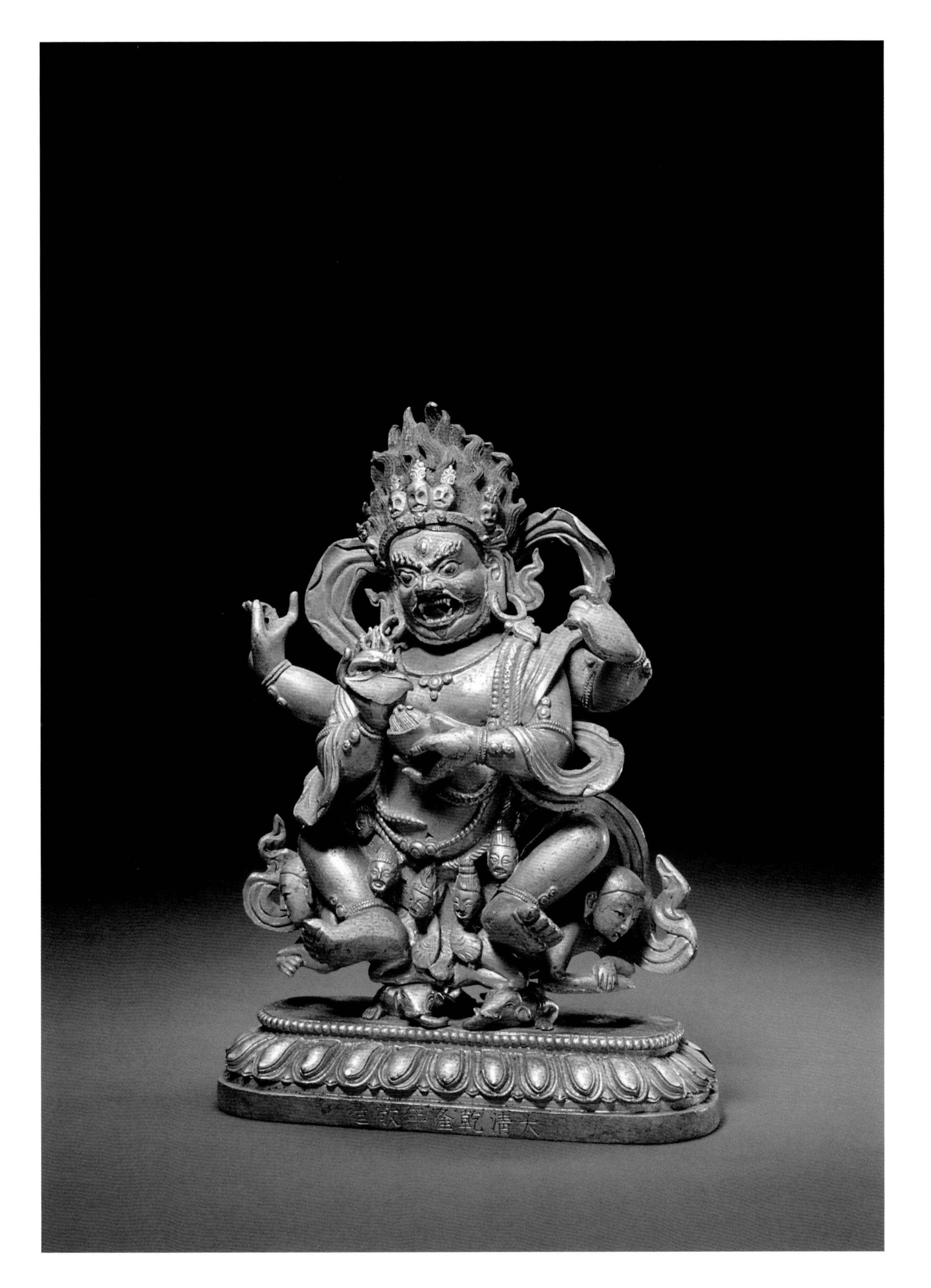

167

四臂大黑天

北京，清宫内务府造办处　乾隆时期（1736～1795年）
铜鎏金　高15厘米

Caturbhuja-Mahākāla

The Imperial Workshop in Beijing
Qianlong Period (1736~1795)
Gilt bronze　H. 15 cm

大黑天火焰发髻，五骷髅冠，一面四臂。正二手持钺刀和嘎布拉碗，右上手和左上手的法器缺失，可能是剑和三叉戟。游戏坐于两位夜叉身上，两位夜叉为正常人形，相背而跪于两只象头上，左手掌覆右手背上，作驯服状。大象应是印度教象鼻天毗那耶迦（*Vināyaka*）。毗那耶迦是印度教著名的象鼻天（智慧和艺术之神）在佛教中的对应神，常被看作是夜叉类的低级神，成为一些尊神的坐骑或降伏对像。莲座下沿刻题记“大清乾隆年敬造”。

168

四面大黑天

北京，清宫内务府造办处　乾隆时期（1736～1795年）
铜鎏金　高14.5厘米

Caturmukha-Mahākāla
The Imperial Workshop in Beijing
Qianlong Period (1736~1795)
Gilt bronze　H. 14.5 cm

大黑天四面四臂，主面两侧和上部各有一面孔，均作忿怒相。四臂中，正二手持钺刀和嘎布拉碗，左臂与身体间置一宝瓶，代表他财宝神的身份，右上手和左上手法器缺失，可能是剑和长枪。下踏两位裸身夜叉神。二神忿忿不服，作挣扎状。莲座正面下沿刻题记："大清乾隆年敬造"。

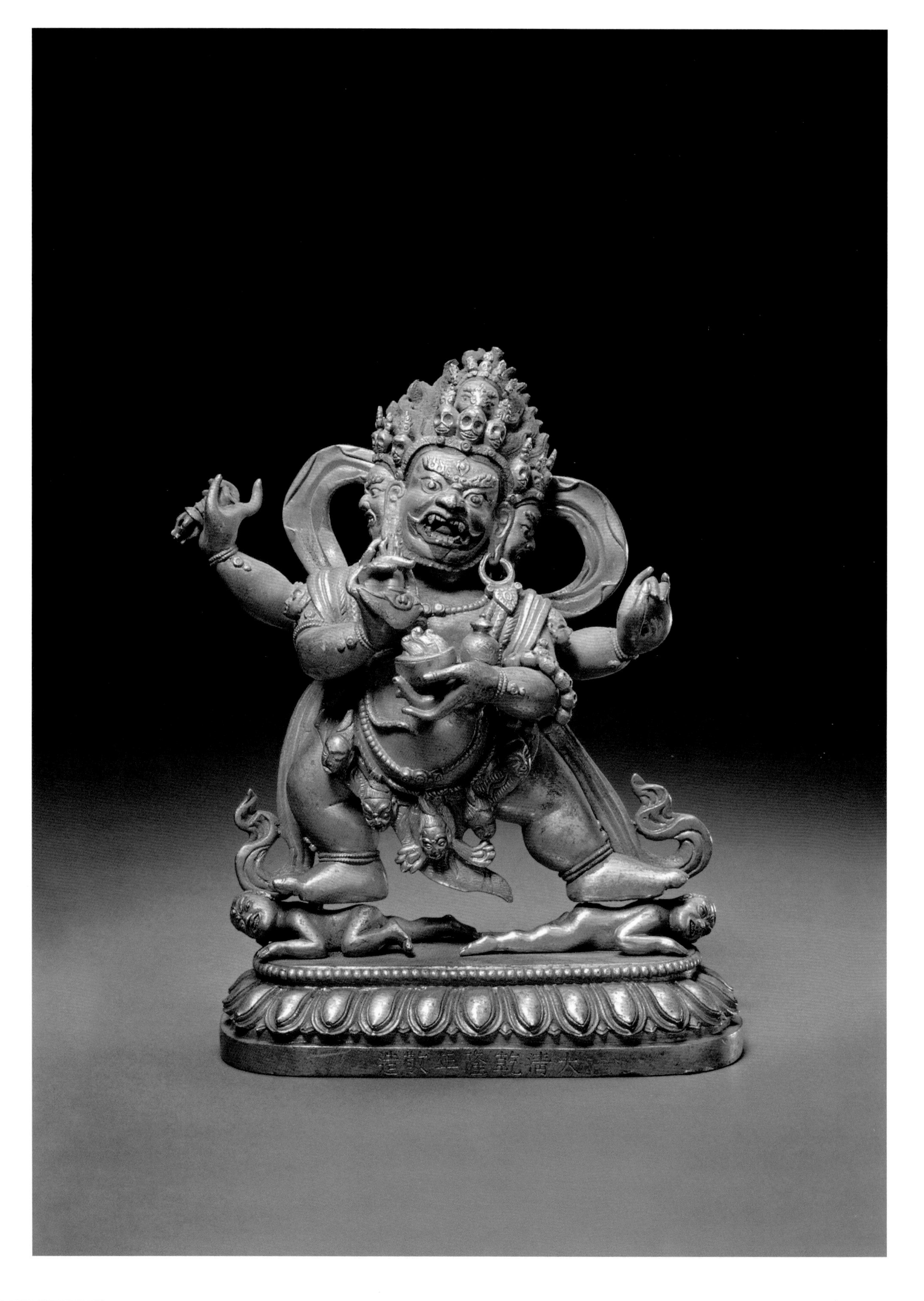

169

六臂大黑天

北京，清宫内务府造办处　乾隆四十七年（1782年）
紫金　高74厘米

Ṣaḍbhuja-Mahākāla

The Imperial Workshop in Beijing
47th year of Qianlong Period (1782)
Dzi-kṣim　H. 74 cm

大黑天一面六臂忿怒形象，火焰形发髻如蛇形卷起。正二手持钺刀和嘎布拉碗。余右手持嘎布拉鼓，左手持金刚索，右上手持骷髅数珠，左上手持三叉戟共持象皮。左展立姿下踏毗那耶迦。毗那耶迦象鼻侧歪，右手抬起托嘎布拉碗，左手举持花果。大黑天立于卵形火焰背光中。虽然莲座中并没有题记，但是从其基本特征来看可以肯定是清宫廷的作品，年代在乾隆时期。根据档案记载，乾隆四十六年初，清宫造办处试验紫金琍玛配方成功，并采用这种珍贵的新铜合金配方铸造了一批作品，这尊六臂大黑天即是其中之一，完成于乾隆四十七年。

六臂大黑天是黄教最为推崇的大黑天形象之一，经常出现在黄教的护法神中。由于造像十分频繁，保存数量极多。无论是宫廷内还是在西藏本土，造像的图像特征完全一致。

170

双身六臂大黑天

北京，清宫内务府造办处　乾隆时期（1736～1795年）
红铜，局部鎏金　高33厘米

Mahākāla in *Yab Yum*

The Imperial Workshop in Beijing
Qianlong Period (1736~1795)
Copper, partly gilt　H. 33 cm

主尊所持法器与单身像相同，左展立姿踏毗那耶迦身上，正二手拥抱明妃莲花空行母(*Padmaḍākinī*)。明妃右手持钺刀，左手持嘎布拉碗，左腿勾主尊腰，右腿伸出。毗那耶迦和台座鎏金。台座底部是卷云纹，镂孔装饰，可能借鉴了宫廷木质家具局部装饰的做法。上沿有题记："大清乾隆年敬造。"

此尊是格鲁派神系中难得见到实物造像的本尊三面六臂大黑天形象。

171

如意宝大黑天

西藏中部　17世纪
黄铜　高24.5厘米

Cintāmaṇi-Mahākāla

Central Tibet　17th century
Brass　H. 24.5 cm

如意宝大黑天虽然也是六臂，但与六臂大黑天有明显的不同。一面六臂，正二手持如意摩尼宝和嘎布拉碗，碗中盛满浸泡在甘露中的珍珠，其上置珠宝瓶。余右上手持钺刀、嘎布拉鼓；左手持三叉戟和斧。身体比例不准确，上身略短，双腿直立，各踏一位毗那耶迦。天衣在头后部呈僵直的线条，垂落在身体两侧时也不见婉转的曲线，圆形莲座较粗笥，晚期特征十分明显。

在章嘉国师所编《诸佛菩萨圣像赞》中此尊名号为大白如意勇保护法。因其体色亮白，手持如意摩尼宝珠而得名，为大黑天财神形象。

172

姊妹护法

北京，清宫内务府造办处　乾隆时期（1736～1795年）
铜鎏金　高15.5厘米

Beg tse

The Imperial Workshop in Beijing
Qianlong Period (1736~1795)
Gilt bronze　H. 15.5 cm

此尊为火焰发髻，戴五骷髅冠，右手上举火焰剑，剑把奇特上卷。左手持人心，举往口中呈欲食状。着严密的铠甲和蒙古式战靴。披鲜人首鬘，左展立姿，右足踏在翻身的马匹身上，左足踏裸身夜叉。至少从17世纪中叶以来，马和裸身夜叉一直象征着魔障，将二者踏在脚下就意味着将一切魔障消除。莲座下沿刻题记："大清乾隆年敬造"。

姊妹护法（*lCam sring*）、另有皮铠甲护法（*Beg tse*）和大红勇保护法等异名。这三个名号含义各有不同，姊妹护法更多的是强调他神格中夜叉的方面；大红勇保护法显然是此神纳入藏传佛教神系时的定位，皮铠甲的名号暗示了他作为战神的性格和出身。对这位身着皮铠甲和蒙古式靴子的忿怒战神，我们还知之甚少。长期以来，学术界认为此尊源于蒙古。据传说，当三世达赖喇嘛索南嘉措受蒙古吐默特部俺答汗（*Altan Khan*，1507～1583年）邀请前去传播佛法时，有一队马、骆驼、老鼠装扮的魔怪军队出现在达赖面前，站在队伍前面的就是此尊。达赖施展神奇的法力，化身四臂观音菩萨，他的马留下的脚印清楚地印着观音的六字真言。惊叹于达赖喇嘛的法力，此尊心悦诚服地皈依了佛门，成为佛教的护法神。但是据最新研究表明，这种传说未必反映了此尊身份的真正由来。有学者指出，早在11世纪之前，此尊已经作为西藏本土神出现了，比他成为蒙古护法神还早，应是西藏早期宗教的原始神。最初此尊是宁玛派和格鲁派的护法神，后来在二世达赖、三世达赖，尤其是五世达赖喇嘛时期演变成为与黄教密切相关的重要神祇，从1570年开始，与吉祥天母一起，成为达赖喇嘛的主要守护神。

173

外修阎摩

西藏中部　19世纪

黄铜　高16厘米

Outer Yama

Central Tibet　19th century

Brass　H. 16 cm

阎摩牛头面，红色发髻，强壮的犄角，张口欲饮其妹阎咪（*Yamī*）举过来的嘎布拉碗里盛满的鲜血。右手上举持骷髅杖，左手向后持索。左展姿立于牛背上。阎咪裸身着鹿皮，从左侧后探身向前，左手举嘎布拉碗向其兄，右手持钺刀。其坐骑为一头牛，牛三腿弯曲，以一腿跪踏人尸，低头欲噬。莲座上莲瓣形式较晚。整个作品动感强，倾斜的身体造型表现出强烈的张力。

阎摩又译作狱地主、法王、法帝护法等，后两个名号在清宫使用频率很高。在印度传说中，阎摩是一切人的祖先，是最先的死者，而成为死者之主。后来发展成为掌管死者及其王国的神。在梨俱吠陀时期，阎摩扮演着一个十分被动的角色。他的王国是所有死者的目的地，是一处快乐和幸福的和平天国。随着时间的推移，他的神格也发生了相应的变化，到后吠陀时期，他不再是死者被动的管理者和快乐幸福天国的主人，转而成为了死者的审判者和判决者，一位积极的死者王国的主人。他根据死者生前的业行分别给予不同的程度的惩罚，因此他拥有了另一个名号——法王（*Dharmarāja*）。古印度史诗《摩诃婆罗多》反复描述了他的这种新神格。根据记载，阎摩最初是毗沙力国（*Vaiśālī*）的国王。在一场血腥的战争中，他希望成为地狱之主。死后，他和他的将军、军队顺利转生为地狱的阎摩。他的宫殿是用铜和铁铸成，位于地球的最南端，漂浮在水面上。邪恶的死者在接受最终的审判之前必须走过漫长道路，经历令人毛骨悚然的种种折磨。

在西藏的传说中，有关此尊的形成有这样的故事。有一位修行者在一个山洞内苦修达50年，即将进入涅槃。当夜，两名盗贼带着偷来的牛躲进了山洞。当他们把牛头砍下来以后，才发现里面的修行者，便想杀人灭口。修行者请求放他一条生路，因为他的修行马上就要成功，否则多年的心血将毁于一旦。盗贼并不理会，将他的头砍下。修行者的怒气化为阎摩形象，将牛头安在自己身上，杀了盗贼，并在西藏作恶泄愤。藏人祈请他们的保护神文殊菩萨。文殊菩萨化身为忿怒的阎曼德迦形象将它降伏。这个传说反映了阎摩进入西藏佛教神系的曲折过程。

在古代阎摩的神格里面有着截然相反的两种神格——慈爱和怖畏。慈爱是因为他的王国是死者的归宿，为所有死去祖先的乐土，保留了远古时代古印度祖先崇拜的痕迹。后来，他成为审判者，他是正义和道德的化身，对于善良者而言，他是一位公正无私的神；但对于作恶者而言，他是无法逃避的法官，并为他们生前的恶行准备了最残酷的惩罚，让邪恶之人死后付出相应的代价。在阎摩进入佛教神系以后，他慈爱的神格日趋萎缩，以至于消失殆尽，怖畏的神格成为主要特点。在西藏和清宫的造像中全是表现他对恶者惩罚的忿怒形象。六臂大黑天、外修阎摩和吉祥天母这种组合是格鲁派最重要的护法神，经常出现在格鲁派的作品中。

阎摩最常见的分类有三种，即外修阎摩、内修阎摩和密修阎摩，职能各不相同。造像中最常见的是外修阎摩。外修阎摩司外界的灾难，如水旱、匪盗及种种不祥，保护寺院和修行者的安全；内修阎摩主要负责破除人内心的各种障碍，如恐惧、傲慢、愤怒和嫉妒等内心的烦恼；密修阎摩是人灵魂深处的守护者，帮助人们将自身潜在的最大能力发挥出来。外修阎摩通常有其妹阎咪伴随，后世有认为是其明妃。据说，阎摩与阎咪职守不同，阎摩主掌男死者，阎咪主掌女死者。

174

雄威阎摩

西藏中部　18世纪

紫金，嵌绿松石、红宝石　高42.5厘米

Ṭakṣad-Yama

Central Tibet　18th century

Dzi-kṣim with turquoise, ruby insets　H. 42.5 cm

右手持骷髅杖，左手持金刚索。与外修阎摩相同，只是没有阎咪伴随。下踏牛背，牛跪伏人身之上。主尊红色发髻、血口、火焰式眉毛以及牛的血口与黑冷色的紫金配合，给人恐惧的感觉。莲座为单层覆莲式，竖线刻划莲蕾，莲瓣分为两瓣，錾打成型，是后期造像的特点。

在座的下沿有题记云“大清乾隆年敬造”，通常这种题记是清宫内务府造办处造像的标志。但是从这尊造像来看，莲瓣中间有一道线将其分成两瓣，火焰形背光的火焰纹更像是缠枝莲纹，均不像是清宫的做法，只是底板嵌入方法以及上面刻的十字杵纹与清宫很相近。底板上贴有白绫签，云：“乾隆四十五年十月二十七日，宁寿宫班禅额尔德尼恭进大利益玉帝主。”“玉”者，“狱”也。狱帝主者，阎摩也。可见此像原是六世班禅来京觐见乾隆为其祝寿时从西藏带来，在宁寿宫所献，而其题记用清宫样式，显然此像贡进宫廷后，经过了造办处工匠“收拾整齐”之后才刻有乾隆年款的。

在图37的解说中，我们提到，由于六世班禅大师所供紫金无量寿佛引起乾隆帝的兴趣，宫中造像中才出现了紫金琍玛的作品。在班禅的贡品中，这种名贵的合金铜造像并不止一尊。

雄威阎摩是外修阎摩的变化身，同时也是他的随从之一。此尊的形象在梵华楼楼下的唐卡中也可以找到。清宫译名为雄威法帝护法。

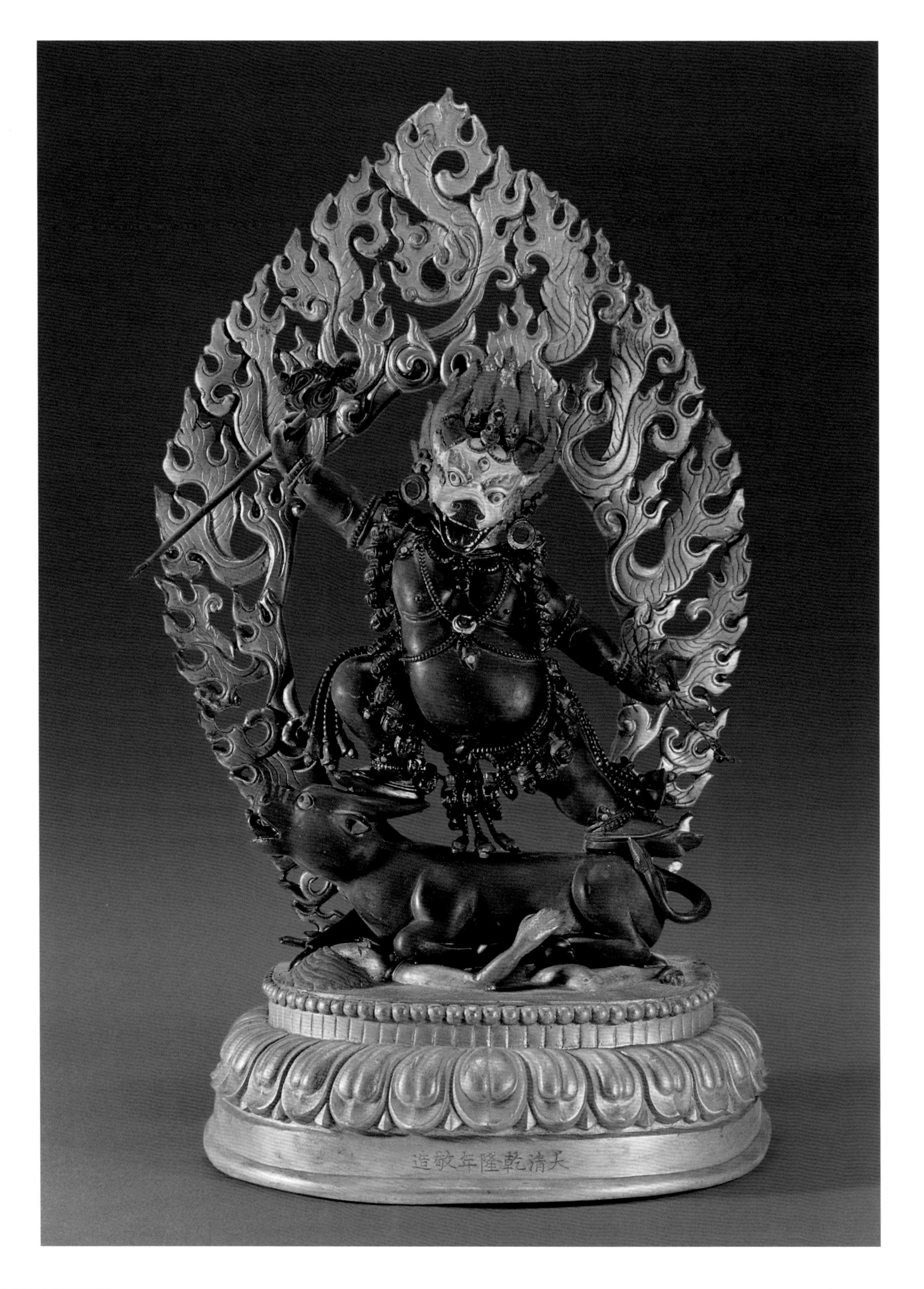

175

柔善阎摩

北京，清宫内务府造办处　乾隆时期（1736～1795年）
铜鎏金　高15厘米

Śānti-Yama

The Imperial Workshop in Beijing
Qianlong Period (1736~1795)
Gilt bronze　H. 15 cm

与雄威阎摩的图像学特征不同之处在于，右手持嘎布拉鼓，作为阎摩标志的法轮图案在胸前极为清楚，这是阎摩皈依佛教的象征，是降阎摩尊系诸尊所没有的，左手持占卜箭（已失）。其余特征与雄威阎摩一样。座下沿刻题记“大清乾隆年敬造”。

这种阎摩也是外修阎摩的变化身和侍从之一，同样也见于故宫的梵华楼下唐卡中（附图），名号为柔善法帝护法。

附图　柔善发帝护法

176

一面四臂马头金刚

西藏中部　15世纪
黄铜，嵌松石　高19厘米

Hayagrīva
Central Tibet　15th century
Brass with turquoise insets　H. 19 cm

马头金刚为一面四臂，火焰发髻中有三个马头形象，并排而立。左肩斜披长蛇，蛇头尾系于肩上。右上手持杵，下手匕首，左上手持花（或者是羽毛），下手持金翅鸟。左展立姿，下踏长蛇，蛇身扭曲如绳状。着虎皮裙，裙上有阴线刻花装饰。

清宫所系黄纸签云：“（残）克达穆琍玛大利益马头金刚。二十年十月二十五日收（残）。”这里的二十年指乾隆二十年（1755年），“克达穆”应作“嘎克达穆”，即噶当派的藏文音译（图54）。可见这种少见的马头金刚形象为噶当派所供奉，多强调他与金翅鸟和龙族的关系。

马头金刚，梵文原义为“马项”，即神像头上有马头形象出现，是此尊的标志。马头金刚来源于印度教。据印度教传说，梵天创造了天神和魔鬼，二者间经常发生战争。天神凭《吠陀》经典赋予的力量屡战屡胜，魔鬼为了摆脱困境，想毁掉《吠陀》。他们派出两名魔鬼乘天神睡熟之际，盗出天书，撕碎后藏到海底。在印度教观念中，《吠陀》不仅是一部神圣的经典，它还是世界每次大劫毁灭后重新再生的基础，是众生力量的源泉。没有了《吠陀》后，世界一片混乱，面临毁灭不能再生的绝境。毗湿奴化身马头金刚的形象将魔鬼杀死，抢救出《吠陀》，拯救了世界。作为毗湿奴神化身之一的马头金刚由此成为经典的守护者，知识的保护神。同时由于毗湿奴神具有太阳神的性格，骑着金翅鸟（太阳的化身），所以马头金刚跟金翅鸟也有密切的关系。

莲华生入西藏将马头金刚的信仰带到了西藏，并亲自指导吐蕃赞普赤松德赞修习。在宁玛派的神系中，本初佛是普贤如来是法身，马头金刚是受用身，莲花生为变化身. 从这个角度也能解释莲花生与马头金刚的特殊关系。由于莲花生大师的极力宣传，马头金刚的信仰在西藏得到了广泛的传播，为各教派所接受。另外，在西藏的一则传说里提到观音菩萨化身马头金刚解救困于恶魔中的众商人。反映出马头金刚与观音菩萨的关系。所以在神系里，马头金刚被看作是无量光佛的化身。但是，也有记载他是阿闳佛的化身。后一种马头金刚应是在密教盛行后出现的，以三面六臂（有时抱明妃）为代表。马头金刚在传入西藏的过程中内容越来越丰富，变化也越来越多，可以区分为宁玛派和格鲁派两种传承，宁玛派的马头金刚除了有马头外还有一双翅膀。

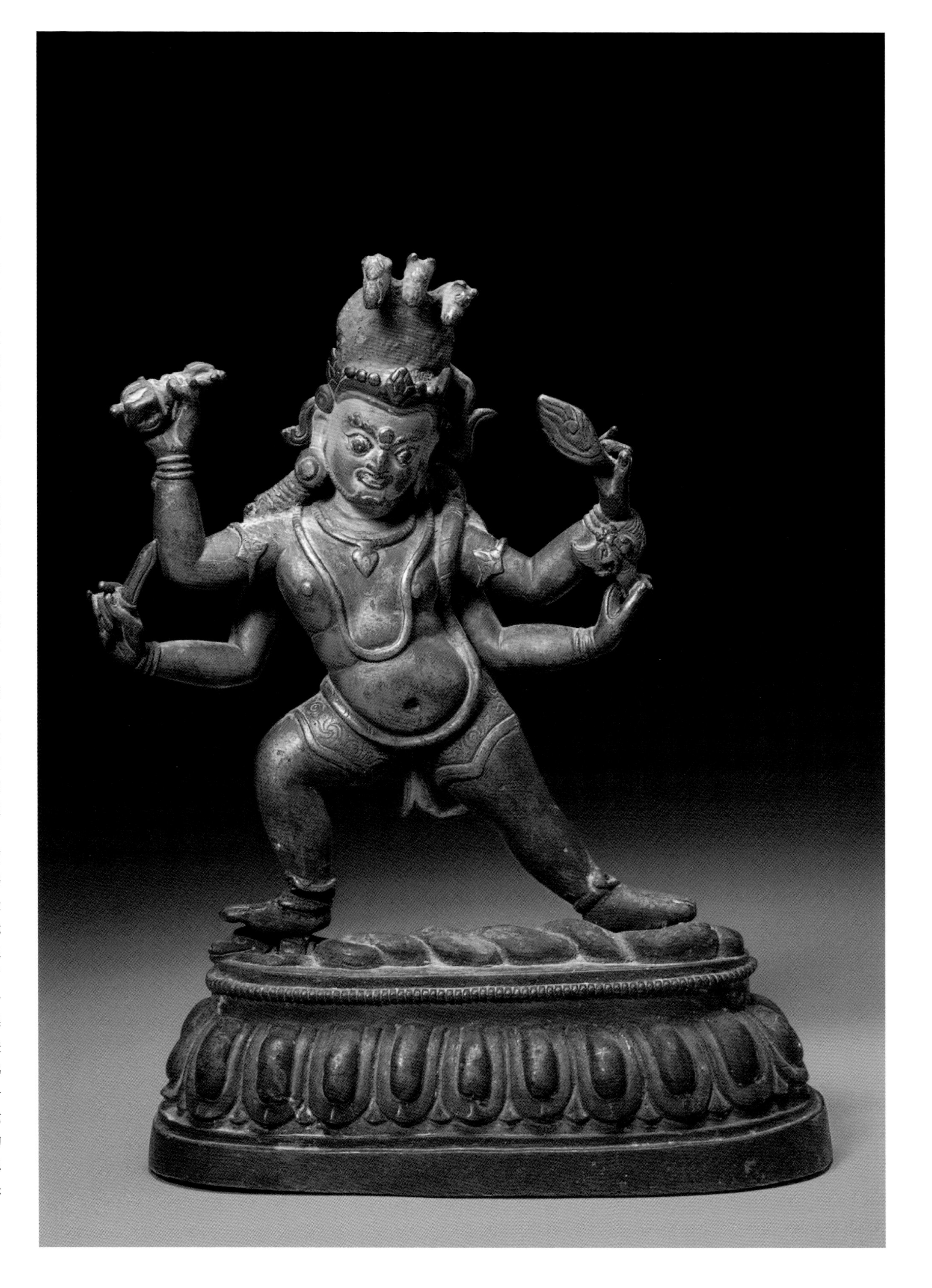

177

一面二臂马头金刚

西藏　17世纪

黄铜，嵌绿松石、青金石、珊瑚　高42厘米

Hayagrīva

Tibet　17th century

Brass with turquoise, lapis lazuli, coral insets　H. 42 cm

此尊马头金刚火焰发髻中有三个马头并立。戴五骷髅冠，怒目圆睁，须发如火燃。右手上举持剑，左手施期克印。左展姿立莲座上，下踏人尸。莲座加工细腻，莲瓣排列略显呆板。嵌饰众多的次宝石，极显豪华。其圆花瓣式的耳珰和卷云纹莲瓣令人想起明永乐和宣德时期的做法，显然是西藏工匠有意识对汉地风格的模仿。

178

一面二臂马头金刚

西藏中部　18世纪
铜鎏金，嵌松石　高22厘米

Hayagrīva

Central Tibet　18th century
Gilt bronze with turquoise insets　H. 22 cm

其图像学特征与图177一样，只是火焰发髻中只有一个马头形象。左展立姿下踏两位夜叉。一位仰面，低头，承马头金刚之足，一位俯卧，马头金刚踏其背上。

清宫所系黄纸签云：“大利益扎什琍玛阳（残）。乾隆五十八年八月二十六日收，热河（残）。”毫无疑问，此像是日喀则扎什伦布寺下属扎什吉彩作坊的作品。

马头金刚足下所踏共有三种，即人尸、夜叉和龙神。

179

马头金刚橛供养像

西藏　17世纪

黄铜，嘎布拉碗为银，莲座为铜鎏金　高20.5厘米

Vajrakīla as Hayagrīva

Tibet　17th century

Brass with silver kapāla and gilt pedestal　H. 20. 5 cm

供养像忿怒面，头上有一个马头形象，一面四臂，正二手持弓箭作射势，右上手持金刚杵，左上手持花。下身披人皮。三棱形橛身插在一个盛满血的嘎布拉碗中，供在一个圆形莲花座上。明显带有密法修行过程中或密修场所秘密供奉的意味。

金刚橛，或按藏文音译为普巴*phur pa*，三棱形金刚杵，被视为最凶猛的兵器之一，是马头金刚所持重要的法器之一，后来神格化成为一尊独立的神。此尊最受宁玛派的重视，这种上半身是人形，下半身是金刚橛的形象大量出现在宁玛派的唐卡和造像中。在格鲁派中，此尊的地位并不是很显赫，但是影响仍然存在。色拉寺的金刚橛据说就是印度祖师修马头金刚密法后为显示其成就而让它飞到西藏来的。每年的农历十二月二十七日才允许参观，并形成一个节日。另根据记载，五世达赖曾经学习了这种形象的金刚橛密法，于是该密法在格鲁派中也有了流传。在《五百佛像集》和《三百佛像集》中均收录了这种一面四臂相的马头金刚，题名号“阿底峡尊者所传之马头金刚”(*Jo bovi lugs kyi rta mgrin*)，可知，这种形式的马头金刚是阿底峡大师所传。虽然不是金刚橛身，但所持法器完全吻合，当为格鲁派前身噶当派所尊奉，也即为格鲁派所继承，而不是宁玛派传统的金刚橛，所以我们才能在格鲁派占主导地位的清宫中见到。

180

不动金刚

西藏 12世纪
黄铜 高12厘米

Acala
Tibet 12th century
Brass H. 12 cm

此尊右手上举持剑，左手持长索和金刚橛一类的法器，这是不动金刚中较为罕见的一种形式。下身着兽皮，足踏象鼻天(*Ganeśa*)和裸人，二者均作为魔障的化身，将其踏于足下，象征此尊能消除一切魔障，帮助众有情获得解脱。背光为拱门式，顶上有佛塔，火焰如倒齿纹。单层莲台，莲瓣肥大。其手中的法器金刚橛是否暗示此尊是宁玛派的护法神，是一个很值得注意的问题。

清宫所系黄纸签云："大利益梵铜琍玛不动金刚。乾隆三十九年九月二十四日收，莽古进。""莽古"，即清代官书所记载的"莽古赉"，他于乾隆三十二年至三十八年间担任驻藏大臣达7年之久。此像当是他卸任之后或者后来任正白旗满洲副都统时所献。

不动金刚是阿閦佛的忿怒化身，持剑和索、施威慑印是其最为重要的特征。有青色和白色身两种，故有青不动金刚和白不动金刚之名。

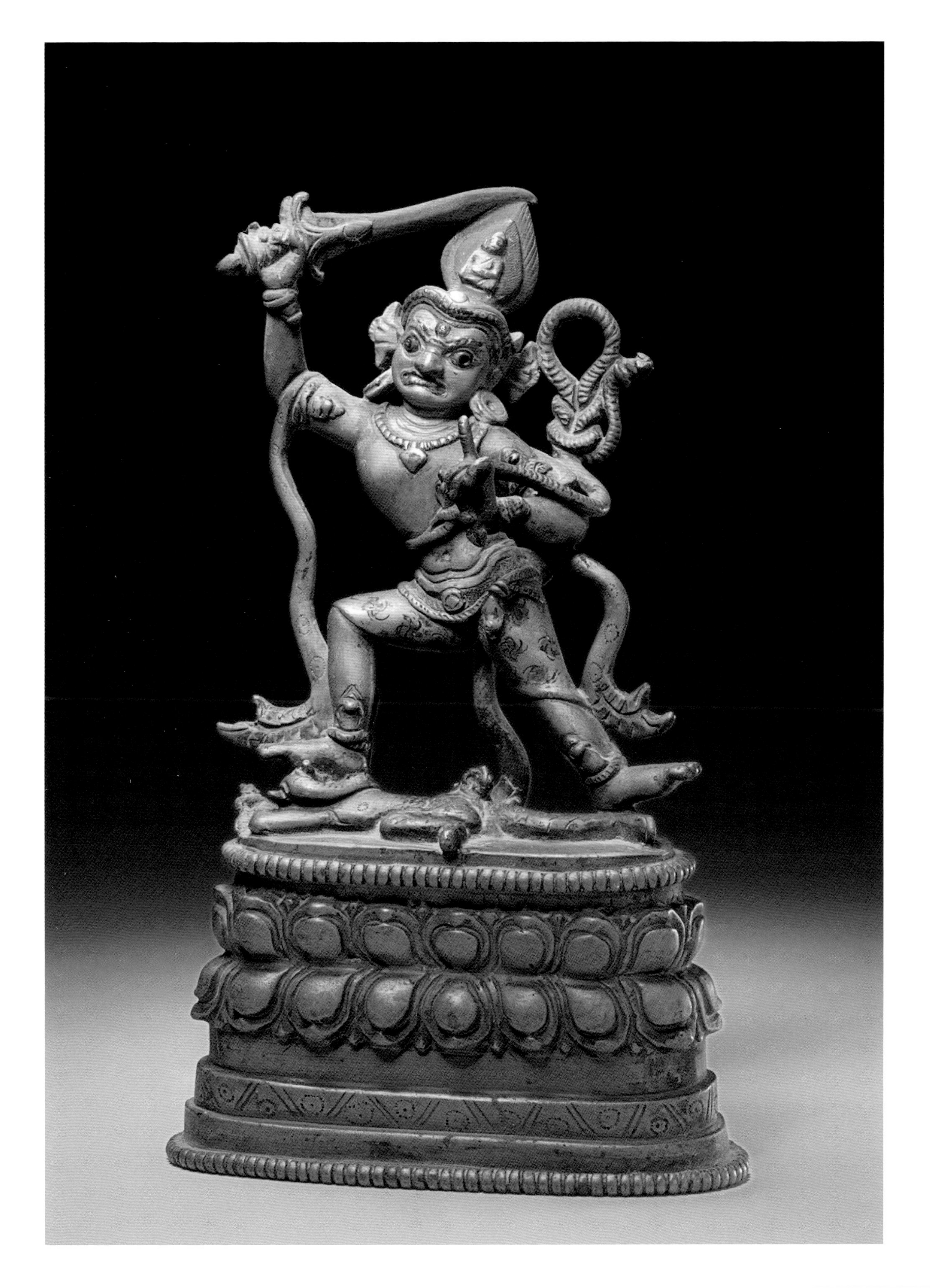

181

青不动金刚

西藏 13世纪
黄铜，错嵌银、红铜 高20.5厘米

Nīla-Acala

Tibet 13th century
Brass with silver, copper inlay H. 20.5 cm

青不动金刚火焰发髻中有施触地印的阿閦佛形象，双目圆睁，作切齿状。右手持长剑，上举，左手期克印持索，索沿臂而上，至上臂系一大活扣。索头扬起，如蛇。着带斑纹的虎皮裙，腰系蛇索。下踏象鼻天。裙带垂落座上，与座连铸，构成稳定的结构。双足系蛇镯为饰。高莲台，莲瓣肥厚，下沿以阴线刻划纹装饰。其造像还有明显的模仿东北印度波罗风格的痕迹。身体比例不对称，下身略短，身体粗壮，这是这一时期护法神的模式。右手上举持长剑，左手食指伸出，施威慑印。也有一些青不动金刚造像，在火焰形发髻前的小化佛为右手明显施无畏印，左手禅定印的不空成就佛形象，这可能暗示此尊也与不空成就佛有密切关系。

清宫所系黄纸签云："大利益番铜旧琍(残)。乾隆四十五年十月二十日(残)，(残)进。"

此尊不动金刚更接近印度佛教大师阿底峡的不动金刚图像。阿底峡在入藏传法时，翻译过上师有关不动金刚的成就法，同时还亲自撰写了两个有关不动金刚的成就法，不动金刚后为噶当派继承，成为噶当四大主尊的成员之一(其他三尊是：度母、观音和释迦牟尼佛)而广泛流行。根据其成就法，此不动金刚以展立姿足踏象鼻天，如此尊造像，所以，此像有可能是阿底峡传承的不动金刚。

182

白不动金刚

东北印度　12世纪
黄铜，附银龛　高11厘米

Sita-Acala

Northeastern India　12th century
Brass with a silver shrine　H. 11 cm

白不动金刚头戴精致的小三叶冠，发髻高耸，涂红，以表现其忿怒的神格，顶上有小莲台为饰。圆环形耳珰，面庞丰满，忿怒表情因过厚的涂金而减弱。袒裸上身，项饰两层项链。右手上举剑，左手捏持金刚索，索之一端金刚杵头在左臂打结，造型别致。天衣从背后肩部横过，绕两臂，从肘弯处稍垂落后扬起，颇有古意。着短裙，腰缀繁复的璎珞，裙摆上以阴刻划图案装饰。其坐姿极为奇特，右腿向后曲，平放在莲台上，左腿前曲，也平放在莲台上，形成一种活泼的坐姿，颇与瑜伽行者的姿势相近。双层莲台，莲瓣饱满肥厚，有波罗风格的特点。

此像在清宫佛堂中作为名贵古佛供奉在银龛内。银龛呈桃形，正面安玻璃门，两侧錾出八宝图案，下沿四方分别刻藏文音译的梵文咒：*Oṃ Vajrapāṇi hum phat*。此咒与金刚手有密切关系，说明不动金刚与金刚部尊神的从属关系。龛背后刻满、蒙、汉、藏四体题记，汉文云："乾隆三十八年闰三月十六日，钦命阿旺班珠尔胡土克图认看供奉大利益梵铜琍玛不动金刚。"

第十四

183

白不动金刚

西藏　12世纪
黄铜　高13厘米

Sita-Acala

Tibet　12th century
Brass　H. 13 cm

白不动金刚发髻高耸，三目圆睁，右手上举持长剑，左手上举持索，索在左臂上系活扣。左腿屈膝，右腿跪姿。这是一种只有不动金刚采用的姿势，称为跪姿（*jānuparyaṅkāsana*），或者称为不动金刚姿（*acalāsana*）。这种类似于弓步的姿势，加上腰带垂落座上的加固作用，使作品给人一种力量感和稳定感。身体明显扭动，与身上天衣的飘动感相呼应，线条十分活泼。圆形莲台上部为莲蓬形，双层莲瓣。下沿为细扁连珠纹，十分古雅，带有明显的东北印度波罗风格的特色。

184

白不动金刚

西藏中部　18世纪
黄铜　高15.5厘米

Sita-Acala

Central Tibet　18th century
Brass　H. 15.5 cm

与图182不同，此尊戴五叶冠，右手上举长剑，左手施期克印，并不持索。着虎皮裙。跪姿不同的是，右腿屈膝，左腿膝盖着地，足部向后抬起，这种姿势产生一种更为紧张的感觉。如果不是虎皮裙的一角垂落座上，连铸在一起，整个造像就会产生强烈的不稳定感。

图182～184三尊白不动金刚的身体姿势各有千秋，或充满动感，或造型优雅，反映出工匠们的巧思。

185

能胜三界金刚

西藏西部　11世纪
黄铜　高22厘米

Trailokyavijaya
Western Tibet　11th century
Brass　H. 22 cm

此尊三面六臂，戴喀什米尔式的尖三叶冠，正中冠叶为坐佛形象，可能是毗卢佛，因为有说法认为他是毗卢佛的教令轮身。正二手施金刚吽迦罗印（*vajrahuṁkāra*），交持铃杵。右手持金刚杖和法轮；左手持树枝和莲花。右展姿而立。身披长珠鬘垂落裙前。裙带垂落莲台面，天衣两端与背后的大背光铸在一起，做法十分古拙。背光为葫芦形，头光部分有阴线刻火焰纹，其余部分是素面，可见西藏西部造像在细部处理方面较喀什米尔更为省略。莲瓣平铺，尖部略翘，下面是长方形方台，是藏西艺术的特点。

清宫纸签题记云："大利益梵铜琍玛能胜三界金刚。四十七年十二月二十日收，达赖喇嘛进"。这位达赖喇嘛指第八世达赖喇嘛降贝嘉措。

能胜三界金刚，梵文原意是三界的降服者，或者称三界之主，明显有对抗印度教湿婆神的意味。

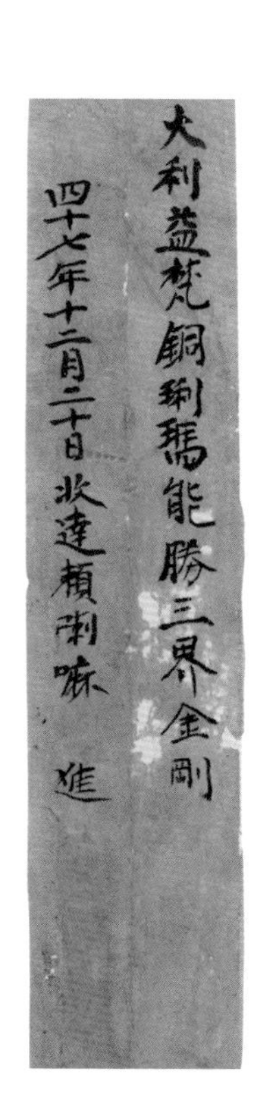

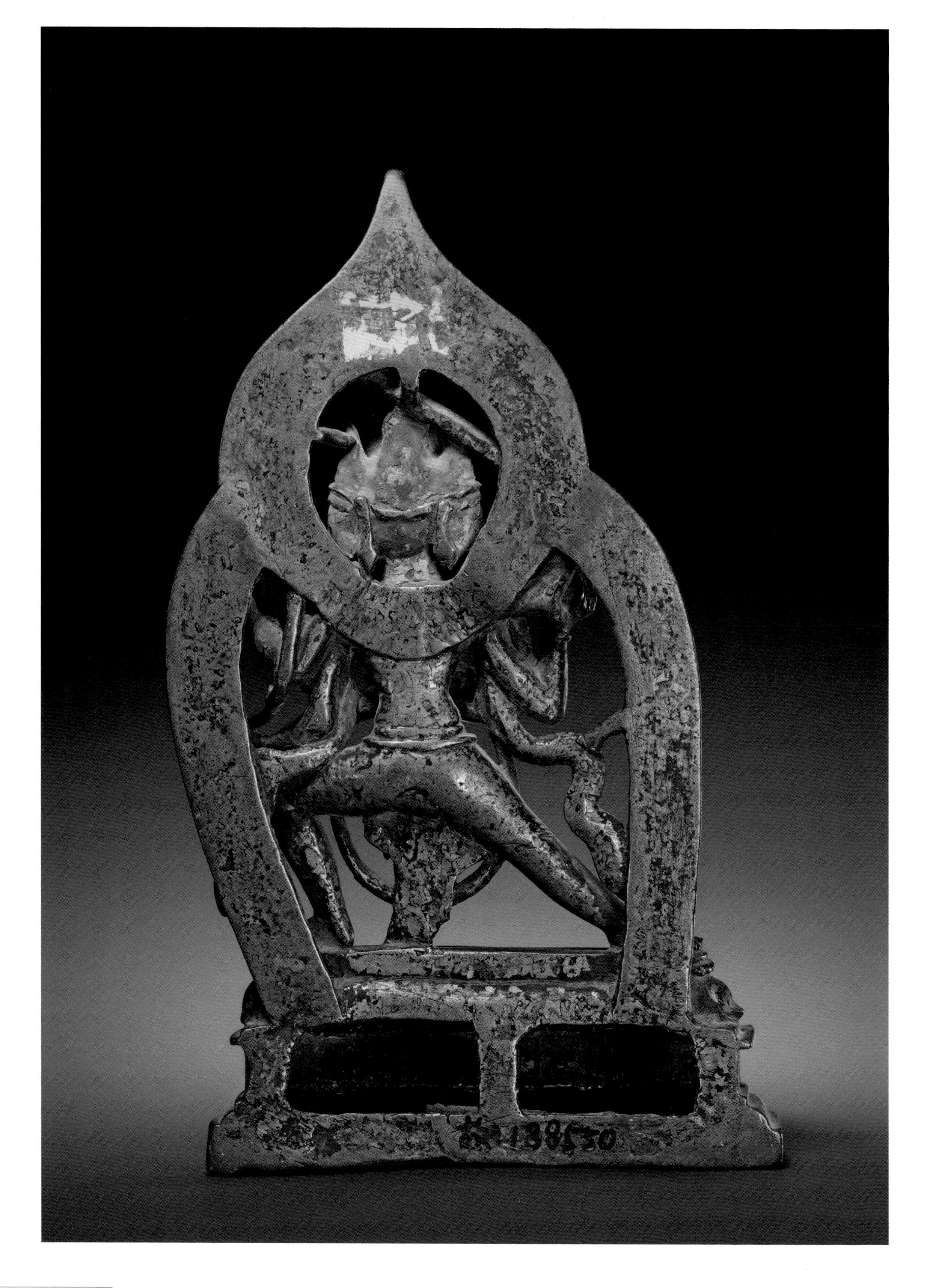

186

财宝天王

西藏 19世纪

红铜，胜幢鎏金 高17厘米

Kubera

Tibet 19th century

Copper with gilt dhvaja H. 17 cm

此尊戴五叶冠，右手持胜幢(*dhvaja*)，左手持吐宝鼠。游戏坐于狮背上，左腿伸出。狮卧莲座。造像加工比较粗略。

清宫所系黄纸签云："利益番造财宝天(残)。乾隆五十三年十二月二十(残)，(残)进。"

黄财宝天王，来源于印度教财神库贝罗。古印度教传说，库贝罗(*Kubera* 或*Kuvera*)是一位智者毗沙门(*Viśravas*)的儿子。所以他也姓*Vaiśraṇa*(毗沙门)。据说，他行苦修千年，大梵天为了奖励他，赐他永远不死，并任命他作为财富神和大地神富宝库的守护者。一般认为，库贝罗居住在冈底斯山(*Kailāsa*)——喜马拉雅山中的一座名山。实际上，当初大梵天任命他作财神时，他居住在南方的兰卡城(*Laṅka*，在今天的斯里兰卡)。北传佛教兴起以后，库贝罗的居住地也开始北移到了北方神山开拉沙山。总之，库贝罗的起源远比毗沙门天早。

在佛教中，他因为身兼二职，所以就有了不同的身份和名字。库贝罗作为方位神，即北方的守护神，守护宇宙中心须弥山时，他才被称为毗沙门天。作为财宝神时，他被称为财宝天王或库贝罗。佛教宣称，他居处是喜马拉雅山中的阿荼槃多(*Alaka*)，当地庄严华丽，盛产宝物。他的眷属有八大马王等。

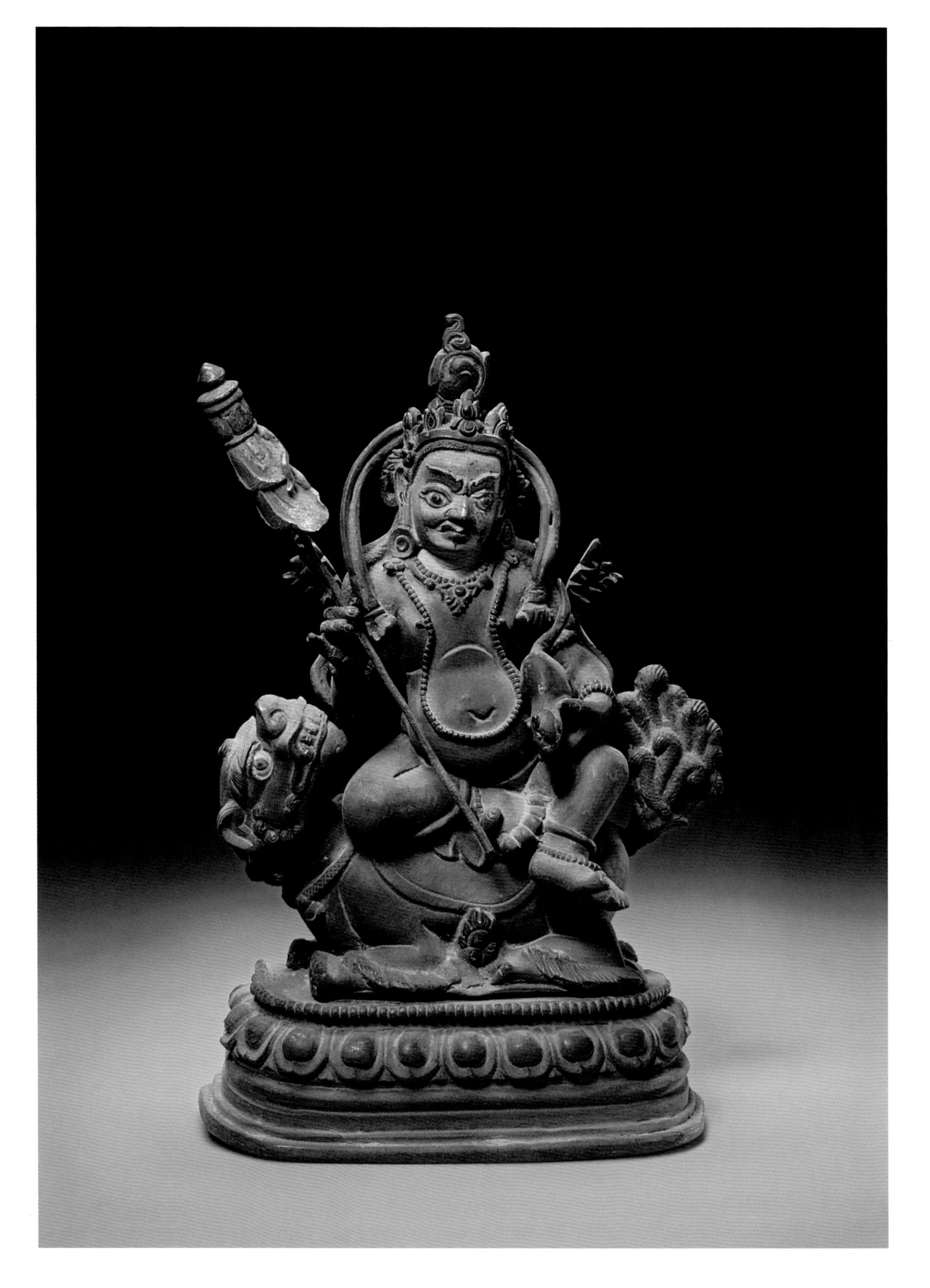

187

黄布禄金刚

西藏中部　13世纪
黄铜　高12.5厘米

Pīta-Jambhala

Central Tibet　13th century
Brass　H. 12.5 cm

黄布禄金刚右手托柠檬果(*jabhara*)，左手托吐宝鼠，置左腿上。吐宝鼠口中吐出一串珠宝，堆在莲台上。游戏坐，右腿伸出下踏海螺和宝瓶，这两种东西都有暗示珍宝的意味。海螺代表海里的珍宝，与龙子献宝意义相同，宝瓶则是盛满珍宝的容器。莲座下面是一个圆形的台面，上面有很多流动的线条，可能代表海水。在印度传统中，海洋总是与珠宝有不解之缘。作品线条流畅生动，布禄金刚大腹便便的形象，十分可爱。

188

红布禄金刚

西藏中部 16世纪
黄铜，嵌绿松石、翡翠 高16厘米

Rakta-Jambhala

Central Tibet 16th century
Brass with turquoise, jade insets H. 16 cm

红布禄金刚三面六臂四足，立姿。蛇形发顶有金刚杵头，戴五骷髅冠，呈忿怒相。正二手持摩尼宝和嘎布拉碗，右上手持金刚钩，左上手应持金刚索，已丢失，余二下手分别持吐宝鼠(*nakula*)于腰部，二鼠口吐长珠串，令人联想到财宝天王和布禄金刚的特征。四足各踏一印度教财神库贝罗，二者从嘴里吐出摩尼宝，堆在座面上。另外，座面上还有一些宝瓶等象征财富的供器。莲座上沿为双层连珠纹，莲瓣圆润，古典风格的特色比较浓重。

在《三百佛像集》第270号中他被称为三面六臂布禄金刚；《五百佛像集》第332号中，他被称为神通师所传红财神，即红布禄金刚。内贝斯基在他的名著《西藏的神灵与鬼怪》(*Oracles and Demaons of Tibet*)一书中介绍此尊为西藏佛教后弘初期的密教大师扎巴翁协(*Gra pa mngon shes*, 1012～1090年)所传，后被西藏各派所接受。

189

白布禄金刚

北京，清宫内务府造办处　乾隆时期（1736～1795年）
铜鎏金　高10厘米

Sita-Jambhala

The Imperial Workshop in Beijing
Qianlong Period (1736~1795)
Gilt bronze　H. 10 cm

此尊戴五叶冠，右手持三叉戟，左手持杖。游戏坐，左腿伸出，坐于龙背上。龙回头作嘶吼状。龙在印度是水族的神灵，海洋与财宝神的关系由此可见一斑。座上沿有题记“大清乾隆年敬造”。底下有紫檀木供托。这是一件非常程式化的清宫作品，做工虽然繁复依旧，但难掩加工技术的粗略，应当是乾隆晚期成组铸造作品中的一件。

白布禄金刚是布禄金刚的变化身之一。

参考资料
Bibliography

汉文文献　Chinese Resources

[美]爱文思夫人，中国王岩涛居士合著：《密宗五百佛像考》，北京居士林，出版年代不详。

[意]毕达克著，沈卫荣、宋黎明译，邓锐龄校：《1728～1959：西藏的贵族和政府》，中国藏学出版社，1990年。

布顿大师著，郭和卿译：《佛教史大宝藏论》，民族出版社，1986年。

蔡玫芬著，台北故宫博物院编辑委员会编辑：《皇权与佛法：藏传佛教法器特展图录》，台北故宫博物院，1999年。

成崇德等编译：《中国边疆史地资料丛刊·蒙古卷·清代蒙古高僧传译辑》，全国图书馆文献缩微复制中心，1991年。

次旺仁青（Tshe dbang rin chen）（藏文）：《八十四大成就师唐卡画集》（Grub chen brgyad cuvi rnam thar dang zhal thang），西藏人民出版社，2005年。

丹珠昂奔主编：《历辈达赖喇嘛与班禅额尔德尼年谱》，中央民族大学出版社，1998年。

（南朝宋）法显著：《佛国记·地理十》册593，景印文渊阁四库全书，台北商务印书馆，1983年。

冯尔康著：《雍正传》，人民文学出版社，1985年。

富丽编：《中国民族古文字研究资料丛刊·世界满文文献目录初编》，中国民族古文字研究会，1983年。

尕藏编译：《藏传佛画量度经》，青海人民出版社，1992年。

[沙俄]钢和泰著：The remarks on the Chu Fo P'u Sa Sheng Hsiang Tsan，《国立北平图书馆刊》第一期，1928年。

（清）工布查布译注：《造像量度经附续补》，乾隆十三年（1748年）北京刊本。

鸿禧美术馆编：《金铜佛造像图录》，台北鸿禧美术馆，1993年。

嘉木央·久麦旺波著，许得存、卓永强译，祁顺来、李钟霖校：《六世班禅洛桑巴丹益希传》，西藏人民出版社，1990年。

金克木著：《论〈梨俱吠陀〉的阎摩和阎蜜对话诗》，见《当代学者自选集·梵佛探》，河北教育出版社，1996年。

拉科·益西多杰编译：《藏传佛教高僧传略》，青海人民出版社，2007年。

[奥地利]勒内·德·内贝斯基·沃杰科维茨著，谢继胜译：《西藏的神灵和鬼怪》，西藏人民出版社，1993年。

吕铁钢编：《三百佛像集》，中国藏学中心出版社与美国展望图书公司，1994年。

罗文华：《龙袍与袈裟：清宫藏传佛教文化考察》，紫禁城出版社，2005年。

洛珠迦措、俄东瓦拉译：《莲花生大师本生传》，青海人民出版社，1990年。

那志良著：《故宫四十年》，台北商务印书馆，1980年。

钦则旺布著，刘立千译注：《卫藏道场胜迹志》，西藏人民出版社，1987年。

宿白著：《藏传佛教寺院考古》，文物出版社，1996年。

陶长松等编：《藏事论文选·宗教集》（上、下），西藏人民出版社，1985年。

土观·洛桑却吉尼玛著，陈庆英、马连龙译：《章嘉国师若必多吉传》，民族出版社，1988年。

王宏纬：《尼泊尔——人民和文化》，《东方文化集成·东亚文化编》，昆仑出版社，2007年。

王辅仁、陈庆英编著：《蒙藏民族关系史略》，中国社会科学出版社，1985年。

王森：《西藏佛教发展史略》，中国社会科学出版社，1987年。

吴丰培、曾国度编撰：《清代驻藏大臣传略》，《西藏学汉文文献丛书》第二辑之二，西藏人民出版社，1988年。

吴世昌:《罗音室学术论著》,中国文艺联合出版社公司,1984年。

吴焯:《佛教东传与中国佛教艺术》,《世界文化丛书》,浙江人民出版社,1996年。

五世达赖喇嘛阿旺洛桑嘉措著,陈庆英、马连龙、马林译:《中国边疆史地资料丛刊·西藏卷·五世达赖喇嘛传·云裳》,中国藏学出版社,1997年。

(唐)玄奘、辩机原著,季羡林等校注:《大唐西域记校注》,中华书局,1985年。

故宫博物院编:《清宫藏传佛教文物》,紫禁城出版社,1992年。

扎雅著,谢继胜译:《西藏宗教艺术》,西藏人民出版社,1989年。

张保胜:《永乐大钟梵字铭文考》,北京大学出版社,2006年。

章嘉若必多吉著,蒲文成译:《七世达赖喇嘛传》,西藏人民出版社,1989年。

中国第一历史档案馆编:《清宫珍藏历世达赖喇嘛档案荟萃》,宗教文化出版社,2002年。

中国第一历史档案馆、中国藏学研究中心合编:《六世班禅朝觐档案选编》,中国藏学出版社,1996年。

周加巷著,郭和卿译:《至尊宗喀巴大师传》,青海人民出版社,1988年。

庄士敦著,秦仲龢译:《紫禁城的黄昏》,台北跃升文化产业有限公司,1988年。

[日]佐佐木教悟、高崎直道、井野口泰淳、塚本启祥著,杨曾文、姚长寿译:《印度佛教史概说》,复旦大学出版社,1989年。

日文文献　Japanese Resources

赖富本宏:《密教佛仏の研究》,东京法藏馆,1990年。

立川武藏等编著:《法界マンダラの诸尊リスト》,大阪:国立民族学博物馆研究报告别册,1989年。The Ngor Mandalas of Tibet,东京东洋文化研究中心,1991年。

立川武藏,森雅秀,山口しのぷ编:1995, Five Hundred Buddhist Deities,国立民族学博物馆调查报告2,大阪国立民族学博物馆。

田中公明著:《慈宁宫宝相楼の立体曼荼罗ブロンズ像セツトについて》,载《日本西藏学会会报》第30号,1984年。《慈宁宫宝相楼像立体曼荼罗ブロンズの解析》,载《东京帝国大学文学部文化交流研究施设研究纪要》第7号,1985年。《インドチベッド曼荼羅の研究》,东京法藏馆,1996年。

逸见梅荣、仲野半四郎著:《支那文化史蹟續輯第二·满蒙喇嘛教美术》,东京法藏馆,1943年。

種智院大学密教学会:《チベッド密教の研究》,京都永田文昌堂,1982年。

佐久间留理子:《『サーダナ·マラ』の梵文写本について》,名古屋:東海印度學佛教學會编:《东海佛教》第35期,1990年。

西文　Western Language Resources

Anonymous,

2006. *Tibet: Klöster öffnen ihre Schatzkammern,* Essen Villa Hügel: Kulturstiftung Ruhr.

2008. *Images of Faith:a Private Collection of Himalayan Art,* London: Rossi & Rossi.

Bartholomew, Terese Tse (谢瑞华),

1995. *The Legacy of Chinggis Khan,* Orientations 6, pp.46-52.

Berger,Patricia (白瑞霞),

1995. *A Buddha from Former Times:Zanabazar and the Mongol Renaissance,* Orientations 6, pp.53－59.

Berger, Patricia (白瑞霞) and Bartholomew, Terese Tse (谢瑞华),

1995. *Mongolia: the Legacy of Chinggis Khan,* California: The Asian Art Museum of San Francisco.

Beyer, Stephan,

1973. *The Cult of Tara, Magic and Ritual in Tibet,* Berkeley: University of California Press.

Banerjee, Radha,

1994. *Ashtamahabodhisattva－The Eight Great Bodhisattvas in Art and Literature, New Delhi:* Abja Prakashan.

Bhattacharyya, Benoytosh,

1987. *The Indian Buddhist Icnongraphy, Mainly based on The Sādhanamālā and Cognate Tāntric Texts of Rituals, Calcutta:* Firma K. L. Mukhopadhyay.

Bhattacharyya, Dipak Chandra,

1978. *Studies in Buddhist Iconograhpy,* Delhi: Manohar.

Brauen, Martin ed. ,

2005. *The Dalai Lamas: A Visual History,* Chicago: Serindia Publications.

Bühnemam, Gudrun and Tachikawa,Musashi,

1991. *Two Sanskrit Manuscripts from Napel, Tokyo:* The Centre for East Asian Cutural Studies.

Chandra, Lokesh,

1986. *Buddhist Iconography of Tibet,* Kyoto: Rinsen Book Co.

Chandra, Lokesh and Bunce, Fredrick W. ,

2002. *The Tibetan Iconography of Buddhas, Boddhisattvas and other Deities:A Unique Pantheon,* Emerging Perceptions in Buddhist Studies, no. 14, New Delhi: D.K. Printworld (P) Ltd.

Clark, Walter Eugene ed.,

1965. *Two Lamaistic Pantheons,* edited with Introduction and Indexes by Walter Eugene Clark, from Materials collected by The late Baron A. von Staël-Holstein, New York: Paragon Book Reprint Corp.

Dasgupta, S. B.

1950. *An Introduction to Tantric Buddhism,* University of Calcutta.

Foucher, A.

1905. *Etude sur l'iconographie Bouddhique de l'Inde d'apres des documents nouveaux,* Part I, 1900, Part II, Paris : Ernest Leroux.

Getty, Alice

1928. *The gods of Northern Buddhism: Their Hhistory, Iconography and Progressive Evolution through the Northern Buddhist countries,* Oxford: Clarendon Press.

Ghosh, Mallar

1980. *Development of Buddhist Iconography in Eastern India: Astudy of Tārā, Prajñās of five Tathāgatas and Bhṛkuṭī, New Delhi:* Munshiram Manoharlal Publishers Pvt. Ltd.

Gordon, Antoinette K.,

1952. *Tibetan Religious Art,* New York: Columbia University Press.

1998. *The Iconography of Tibetan Lamaism,* New Delhi: Mushiram Manoharlal Publishers Pvt. Ltd.

Gründwedel, Albert

1900. *Mythologie des Buddhismus in Tibet und der Mongolei: Führer durch die lamaistischen Sammlungen des Fürsten E. Uchtomskij,* Leipzig: F. A. Brockhaus.

1986. *The Ādi-Buddha,* Delhi: B. R. Publishing Corporation.

Heller, Amy

1999. *Tibetan Art: Tracing the development of sprirtual ideals and art in Tibet (600- 1200 A. D.),* Milan: Edioriale Jaca Book SpA.

Herrmann-Pfandt, Adelheid

1922. *Ḍākinīs: zur Stellung und Symbolik des weiblichen im Tantrischen Buddhismus,* Bonn: Indica et Tibetica Verlag.

Huntington, Susan L.

1984. *The "Pāla-Sena" Schools of Sculpture,* edited for the Institute of South Asian Archaeology University of Amsterdam by J. E. van Lohuizen-De Leeuw, Volume X, Leiden: E. J. Brill.

Jackson David
1996. *A History of Tibetan Painting,* Wien: Verlag der Österreichischen Akademie der Wissenschaften.

Jha, Achyutanaul
1993. *Tathāgatha Akshobhya and the the Vajra Kula,* Delhi: National Centre for Oriental Studies.

Kim, Inchang
1997. *The Future Buddha Maitreya:An Iconological study,* Emerging Perceptions in Buddhist Studies, no. 7, New Delhi: D. K. Printworld (P) Ltd.

Klimburg-Salter, Deborah E.
1998. *Tabo: A Lamp for the Kingdom, Early Indo-Tibetan Buddhist Art in the Western Himalaya,* New York: Thames and Hudson.

Kreijger, Hugo E.
2001. *Tibetan Painting: The Jucker Collection,* London: Seindia Publications.

Kumar, Pushpendra.
1992. *Tārā—The Supreme Goddess,* Delhi/Varanasi: Bharatiya Vidya Prakashan.

Lessing, F. D.
1942. *Yung-Ho-Kung An Iconography of the Lamaist Cathedral in Peking with Notes on Lamaist Mythology and Cult,* Reports from the scientific expedition to the north-western provinces of China under the leadership of Dr. Sven Hedin –the Sino-Swedish Expedtition-Publication 18 VIII. Ethnography 1, Stockholm: [s.n.].

Linrothe, Robert N.
1999. *Ruthless Compassion: Wrathful Deities in Early Indo-Tibetan Esoteric Buddhist Art,* London: Serindia Publications.
2004. *Paradise and Plumage: Chinese Connections in Tibetan Arhat Painting,* New York: Rubin Museum of Art.
2006. *Holy Madness: Portraits of Tantric Siddhas,* New York: the Rubin Museum of Art and Chicago: Seindia Publication.

Linrothe, Robert N. and Sørensen, Henrik H.
2001. *Embodying Wisdom: Art, Text and Interpretation in the History of Esoteric Buddhism,* the Seminar for Buddhist Studies (Copenhagen), SBS Monographs 6.

Lohia, Sushama
1994. *Lalitavjar's Manual of Buddhist Iconography, Śata-piṭaka Series, Indo-Asian Literatures* Volume 379, Reproduced in original scripts and languages, Translated, annotated and critically evaluated by specialists of the East and the West, Founded by Prof. Raghu Vira M.A., Ph.D., D. Litt. Et Phil, Continued by Lokesh Chandra, Irvine, California, USA, New Delhi: International Academy of Indian Culture and Aditya Prakashan.

Mallman, M. T. de.
1964. *Étude iconographique sur mañjuśrī,* Paris: Ecole Francaise. D' extreme-orient.
1975. *Introduction à l'iconographie du Tantrisme bouddhique,* Paris: Dessins de M. Thiriet.

Mishra, P. K.
1975. *Studies in Hindu and Buddhist Art,* Abhinav Publications, New Delhi.

Mukhopadhyay, Santipriya
1985. *Amitābah and his Family, Delhi:* A Gam Kala Prakashan.

Murthy, K. Krishna
1988. *Iconography of the Buddhist Deity Heruka, Delhi:* Sundeep Prakashan.

Nebesdy-Wojkowity, René de
1956. *Oracles and Demons of Tibet,* The Hague: Mouton and Co..

Neville, Tove E
1998. *Eleven-Headed Avalokiteśvara, Chenresigs, Kuan-yin or Kannon Boddhisattva: Its Origin and Iconography,* New Delhi: Munshiram Manoharlal Publishers Pvt. Ltd.

Oldenburg, S. F.
1903. *Sbornik izobraźenii* 300 *burkhanov, Bibliotheca BuddhicaV,* St. Petersburg:

Hazra, Kanai Lal.
Pal. P
1984. *Light of Asia: Buddha Sakyamuni in Asian Art,* California: los Angeles County Museum of Art.

Pander, E.:

1889. *Das Lamaische Pantheon, Berliner Zeitschrift für Ethnologie.*

1890. *Das Pantheon des Tschangtscha Huthugtu, ein Beitrag zur Ikonographie des Lamaismus, revised by Albert Grünwedel, Berlin: Der Königl. Museum für Völkerkunde,* 1.2/3.

Ramm-Bonwitt, Ingrid Mudras

1987. *Geheimsprache der Yogis,* Verlag Hermann Bauer, Ferburg im Breisgau.

Sakuma, Ruriko,

2001. *Sanskrit Manuscripts of the Sādhanamālā,* Nagoya Studies in Indian Culture and Buddhism: Saṃbhāṣā 21: 27-43.

2002. *Sādhanamālā: Avalokiteśvara Section- Sanskrit and Tibetan Texts,* pp. 7-11, Asian Iconography Series III, Delhi: Adroit Publishers.

Schumann, Hans Wolfgang

1986. *Buddhistische Bilderwelt, Ein ikonographisches Handbuch des Mahāyāna- und Tantrayāna-Buddhism,* Köln: Eugen Diederichs Verlag.

Sharma, Sudhakar

2004. *The Heritage of Buddhist Pāla Art,* New Delhi: Aryan Books International.

Shastri, Hirananda

1977. *The Origin and Cult of Tārā,* Memoirs of the Archaeological Survey of India No. 20, Indological Book Corporation.

Singh, R. S.

1993. *Hindu Iconography in Tantrayāna Buddhism, the Heritage of Ancient India No. XXXI,* Ramanand Vidya Bhawan.

Snellgrove, D. L.

1959. *The Hevajra Tantra, London,* Oxford University Press.

Smith, H. Daniel

1982. *A Contemporary Iconic Tradition: Lakṣmī, Gaṇeśa, Sarasvatī—An Emerging, "New" Hindu trimūrti,* New Delhi: Sundeep Prakashan.

Tsultem, N

1982. *The Eminent Mongolian Sculptor—G. Zanabazar,* Ulan-Bator: State Publishing House.

Tucci, Guiseppe

1949. *Tibetan Painted Scrolls,* 3 vols. Rome: La libreria dello stato.

1989. *The Temples of Western Tibet and Their Artistic Symbolism: Tsaparang,* New Delhi: Aditya Prakashan.

von Schroeder, Ulrich

1981. *Indo-Tibetan Bronzes,* Hong Kong: Visual Dharma.

2001. *Buddhist Sculptures in Tibet, vol.* 1, 2, Hong Kong: Visual Dharma.

2006. *Empowered Masters: Tibetan Wall paintings of Mahāsiddha at Gyantse,* Serindia Publichations, Chicago and Visual Dharma Publications Ltd., Hong Kong.

Walravens, Hartmut

1981. *Buddhist Literature of the Manchus: A Catalogue of the Manchu Holdings in the Raghu Vira Collection at the International Academy of Indian Culture,* New Delhi.

Watt, James C. Y. and Leidy, Denise Patry

2005. *Defining Yongle: Imperial Art in Early Fifteenth-Century China,* New York: The Metropolitan Museum of Art.

Wayman, Alex

1985. *Chanting the Names of Mañjuśri: The Mañjuśri-Nāma-Sangīti. Sanskrit and Tibetan Texts. Transl., with annotation&introduction,* Boston: Shambhala.

1992. *The Enlightenment of Vairocana,* Book I & II. New Delhi: Motilal Banarsidass.

1977. *The Yoga of the Guhyasamājatantra: The Arcane Lore of Forty Verses. A Buddhist Tantra Commentary,* Buddhist Tradition Series, Vol 17, New Delhi: Motilal Banarsidass.

Willson, Martin and Brauen, Martin, ed.,

2000. *Deities of Tibetan Buddhism: The Zürich Paintings of the Icons Worthwhile to See (Bris sku mchoṅ ba don ldan),* Boston: Wisdom Publishcations.

造像年代检索
Chronological Index of The Statues

梵藏蒙文专有名词检索
Index of Sanskrit/Tibetan/Mongolian Terminology

A

B

C

D

E

G

H

I

J

K

L

M

N

P

R

S

T

U

V

Y

汉文专有名词检索
Index of Chinese Terminology

A

B

C

D

E

F

G

H

J

K

L

M

N

P

Q

R

S

Z

重印后记
Postscript

2002年《图像与风格:故宫藏传佛教造像》首次出版时,我心里颇为自得,毕竟这是我的第一部专著,将多年在图像学研究方面的心得通过故宫藏品的出版得以展示,为一件快事。这是国内第一部以藏传佛教图像为主题的著作,回想起来,虽然当时资料缺乏,且时间紧张,但写作热情很高,用心竭力。通过本书,读者大致能看出我那时真实的学术水平。

2009年此书有幸收入“故宫经典”系列丛书中,更名为《故宫经典·藏传佛教造像》。除减少了一些图片之外,全文结构与内容基本未动。

此次重印,屈指一算,已有18年之久。笔者个人的心态不同,阅历也有所增广。利用春节及疫情赋闲在家之际,将全书仔细校阅,深感有仔细修订之必要。

此次修订的内容有:个别尊神的身份,如几尊西藏所进造像,本为印度教尊神,在乾隆时期误作佛教尊神贡入宫廷,一直与其他佛教尊神一起在清宫佛堂中受到顶礼膜拜。此次,笔者对这些非佛教尊神的身份作了重新识别,单独排列在相应尊类之后;一些尊神的排列顺序,作了重新梳理,使之更加合理。由于全书有中文又有部分英译,汉英文排版很容易出现一些难以想像的错误,校订工作难度很大,此次重印中这些问题都有明显的改进。

承万钧老师的美意,春节前就打电话给我,希望将此书重印。此书是我们合作的第一本书,这么多年过去了,她的专业精神和认真负责的工作态度依然没有任何改变。我自己写的东西即使有一些明显的错误有时也容易一眼错过。为此,她花了很多时间,对每一个细节都作了仔细核对,发现了很多被我忽视的缺漏。此书能够较18年前更加完善,这其中离不开万钧老师的辛勤付出。另外,美国喜马拉雅艺术网站的负责人*Jeff Watt*先生和我的同事张雅静都对本书的图像问题提出了中肯的意见和建议。这些意见和建议都被纳入了此次修改内容中。如果还有其他未被发现的问题,因属笔者的学识不逮所致。

在此书即将付梓之际,心里充满了感激和感慨,同时又有期待和惶恐。我真诚希望喜欢这本书读者,还能一如既往提出意见和建议,为下次重印作准备。

罗文华

2020年6月25日